P9-DTN-644

Азбука
PREMIUM

Элис Манро

Слишком много счастья

Санкт-Петербург

УДК 821.111-312.4
ББК 84(7Кан)-44
  М 23

Alice Munro

TOO MUCH HAPPINES

Перевод с английского Андрея Степанова

Оформление Вадима Пожидаева

Манро Э.

М 23   Слишком много счастья : новеллы / Элис Манро ;
пер. с англ. А. Степанова. — СПб. : Азбука, Азбука-Аттикус, 2014. — 352 с. — (Азбука Premium).
      ISBN 978-5-389-07504-7

Вот уже тридцать лет Элис Манро называют лучшим в мире
автором коротких рассказов, но к российскому читателю ее книги приходят только теперь, после того, как писательница получила Нобелевскую премию по литературе. Критика постоянно
сравнивает Манро с Чеховым, и это сравнение не лишено оснований: подобно русскому писателю, она умеет рассказать историю так, что читатели, даже принадлежащие к совсем другой
культуре, узнают в героях самих себя. Сдержанность, демокра-
тизм, правдивость, понимание тончайших оттенков женской
психологии, способность вызывать душевные потрясения — вот
главные приметы стиля великой писательницы.

УДК 821.111-312.4
ББК 84(7Кан)-44

ISBN 978-5-389-07504-7

Дэвиду Коннелли

Измерения

Дори добиралась на трех автобусах: сначала до Кинкардина, оттуда на лондонском и еще в Лондоне — на городском. Она отправилась воскресным утром в девять часов, но преодолела весь путь — чуть более сотни миль — только к двум часам дня. Много времени она провела в ожидании и насиделась не только в автобусах, но и на остановках. Хотя, вообще-то, Дори против этого ничего не имела: всю неделю на работе присесть не удавалось.

Она служила горничной в мотеле «Голубая ель». Мыла ванные комнаты, меняла постельное белье, пылесосила ковры, протирала зеркала. Работа ей нравилась тем, что прогоняла лишние мысли и после нее можно было быстро заснуть. Убирая номера, Дори редко сталкивалась с удручающим беспорядком, хотя ей случалось слышать от других горничных довольно неприятные истории. Все остальные горничные были старше и в один голос твердили, что ей надо поискать занятие получше, с перспективой на будущее. Говорили, что, пока она еще молода и выглядит неплохо, надо выучиться чему-нибудь и потом сидеть за столом в офисе. Но Дори и это место устраивало. Общаться с людьми ей не хотелось.

Никто в мотеле не знал о том, что произошло. А если и знали, то не подавали виду. Могли знать: ведь фотография Дори тогда появилась в газете. Это был тот самый снимок, который сделал он: Дори со всеми тремя детьми. Новорожденный Демитри у нее на руках, а Барбара Энн и Саша смотрят на малыша. В то время она была натуральной шатенкой, с длинными вьющимися волосами, как ему нравилось. Выражение лица — нежное и застенчивое и тоже не столько свойственное ей, сколько предназначавшееся ему.

После случившегося Дори осветлила волосы и сделала короткую стрижку. Она сильно похудела. Сменила имя, точнее, стала представляться своим вторым именем — Флёр. Ну и работу ей помогли подыскать подальше от тех мест, где она жила раньше.

В такую поездку, как сейчас, Дори отправлялась уже в третий раз. В первые два он отказывался от встречи. Если бы и сейчас отказался, она перестала бы пытаться. И даже если бы он согласился встретиться, Дори, наверное, взяла бы большую паузу перед следующей встречей. Тут важно не переборщить. Хотя она и сама толком не знала, как поступить.

В первом автобусе ей было спокойно. Просто ехала себе и рассматривала пейзажи за окном. Она выросла на берегу океана, где весна всякий раз сменяла зиму, а тут вслед за зимой почти сразу приходит лето. Еще месяц назад лежал снег, а теперь так тепло, что можно носить одежду с короткими рукавами. По полям разлились полосы ослепительно сверкающей воды, и солнце мелькает в еще голых ветвях.

Однако, пересев во второй автобус, Дори начала нервничать и невольно думать, не едет ли кто-нибудь из пассажирок туда же, куда и она? В автобусе были одни только женщины, в большинстве весьма прилично одетые. Наверное, специально оделись так, словно собрались в церковь? Те, что постарше, выглядели как прихожанки церквей, куда строгими правилами предписано приходить в юбке, чулках и шляпке определенного фасона. А те, что помоложе, как будто принадлежали к общинам, позволяющим женщине надеть в церковь и брючный костюм, и сережки и сделать прическу.

Дори на их фоне выделялась. За полтора года работы в мотеле она не купила себе ни одной новой вещи. На службе носила гостиничную форму, в остальное время — джинсы. К макияжу она так и не привыкла: раньше он не разрешал, а теперь было ни к чему. Короткие взъерошенные волосы цвета спелой кукурузы не очень шли к ее исхудавшему лицу, но Дори было все равно.

В третьем автобусе она села у окна и постаралась успокоиться, читая вывески и рекламные плакаты. У нее был один трюк, с помощью которого можно заставить себя ни о чем не думать: надо выхватить наугад какое-нибудь слово и начать складывать из его букв другие слова. «Кофейня», например, превращалась в «фею», а затем в «фон» или «фен»; в слове «магазин» таились «маг» и «миг» и еще... секундочку... еще «зима». Слов становилось особенно много на выезде из города: автобус проезжал мимо билбордов, гигантских магазинов, парковок. Попадались даже рекламные воздушные шары, привязанные к крышам.

Дори не рассказала миссис Сэндс про две прошлые поездки. Наверное, не надо говорить и про эту, последнюю. Они беседовали по понедельникам, во второй половине дня, и в последнее время миссис Сэндс говорила, что дела идут на поправку, хотя раньше только повторяла, что нужно подождать и не стоит торопить события. Теперь она говорила, что Дори постепенно начинает восстанавливать силы.

— Я понимаю, что вам до смерти надоело слышать одно и то же, — заметила она. — Но что я могу поделать, если все так и есть.

Миссис Сэндс самой резануло слух слово «смерть», но она решила не усугублять свою неловкость извинениями.

Когда Дори исполнилось шестнадцать — а это было семь лет назад, — она каждый день после школы ходила к матери в больницу. Мама перенесла операцию — как говорили, серьезную и опасную, — и теперь ей был прописан постельный режим. А Ллойд работал санитаром в отделении. У него нашлось много общего с матерью Дори: оба в молодости хипповали (хотя Ллойд немного моложе мамы), и потому всякий раз, когда выпадала свободная минутка, Ллойд заходил к ней в палату поболтать про концерты, про марши протеста, в которых они оба участвовали, про знакомых обалденных чуваков, про кислотные трипы и тому подобное.

Ллойд пользовался у больных большой популярностью, потому что все время шутил и хорошо делал массаж. Приземистый, коренастый, широкоплечий, он говорил так внушительно, что его иногда принимали за доктора. (Кстати, вряд ли ему это нравилось: он считал, что большинство лекарств — обман, а доктора — кретины.) Еще у него была очень нежная розовая кожа, светлые волосы и смелый взгляд.

Однажды он поцеловал Дори, когда они вместе ехали в лифте, и сказал, что она похожа на цветок в пустыне. Потом засмеялся и спросил: «Ну что, здорово сказал?»

— Да ты поэт, хоть сам того не знаешь! — ответила Дори, чтобы показать, как хорошо к нему относится.

Вскоре мама скоропостижно умерла от закупорки сосуда. У нее было много подруг, которые охотно взяли бы девочку к себе, и у одной из них Дори недолго пожила, но в конце концов предпочла нового друга — Ллойда. К своему следующему дню рождения она была уже беременна, а затем они поженились. Оказалось, что Ллойд никогда раньше не был женат, хотя у него имелось двое детей, про которых он почти ничего не знал. Впрочем, к тому времени его дети должны были уже давно вырасти. С годами жизненная философия Ллойда изменилась: теперь он проповедовал крепкий брак, постоянство и выступал против предупреждения беременности. Он решил уехать с полуострова Сечелт в Британской Колумбии, где они жили, потому что там было слишком много людей из его преж-

ней жизни — и друзей, и любовниц. И они с Дори переехали на другой конец страны — в маленький городок,
который выбрали на карте просто по названию: Майлд-
мэй. Но и в самом городке жить не стали, а сняли дом в
деревне поблизости. Ллойд нанялся на фабрику мороженого. Устроили вокруг дома сад. Выяснилось, что Ллойд
отлично разбирается в садоводстве, а также в плотницком
деле, в дровяных печах и умеет поддерживать на ходу старую машину.

Родился Саша.

— Это вполне естественно, — сказала миссис Сэндс.

— Правда? — спросила Дори.

Дори всегда садилась на стул с прямой спинкой, стоявший у стола, а не на диван с обивкой в цветочек и поду-
шечками. А миссис Сэндс на своем стуле пододвигалась
как можно ближе — так, чтобы их не разделяла никакая
преграда.

— Я так и думала, что вы туда поедете. Наверное, на
вашем месте я сделала бы то же самое.

Год назад, когда они познакомились, миссис Сэндс так
не сказала бы. Тогда она была куда осторожнее, зная, как
легко взбудоражить Дори одной мыслью, что хоть кто-
то — любая живая душа — мог оказаться на ее месте. Но
теперь миссис Сэндс знала, что Дори немного успокои-
лась и воспримет такие слова всего лишь как попытку ее
понять.

Миссис Сэндс была не похожа на знакомых Дори. Не
особенно стройна и миловидна, хотя и не слишком стара.
Примерно столько же лет сейчас было бы матери Дори,
только в миссис Сэндс ничего хипповского, разумеется,
нет. Короткая седая стрижка, родинка на скуле. Обувь на
плоской подошве, узкие брюки и блузки с узором в цветочек. Даже если эти блузки были клубничного или бирю-
зового цвета, она не выглядела в них так, словно нарочно

11

вырядилась. Скорее, создавалось впечатление, что кто-то ей подсказал: надо бы тебе, милочка, принарядиться — и та послушно отправилась в магазин за чем-нибудь особенным. Весь ее облик — сдержанный, отстраненный и доброжелательный — как бы уравновешивал агрессивную жизнерадостность ее одежды, и Дори это не было неприятно.

— В первые два раза я его вообще не видела, — сказала Дори. — Он просто не вышел.

— Но на этот-то раз вышел?

— Вышел. Но я его едва узнала.

— Постарел?

— Да, конечно. И еще похудел сильно. И потом эта одежда. Роба. Я никогда его не видела ни в чем таком.

— То есть он показался вам другим человеком?

— Да нет.

Дори прикусила верхнюю губу, пытаясь найти слова, которые передавали бы разницу. Ллойд был очень тихий. Раньше она его таким тихим никогда не видела. Не решался сесть напротив нее. Она даже спросила в самом начале: «Ну что, так и будешь стоять?» И он ответил: «А можно сесть?»

— Он был какой-то... неживой, — сказала наконец Дори. — Может, они ему колют что-нибудь?

— Может, и колют, чтобы вел себя спокойно. Трудно сказать. Ну и вы поговорили?

Да как сказать? можно ли это вообще назвать разговором? Она задавала ему какие-то дурацкие вопросы, самые обычные: «Как ты себя чувствуешь?» — «Нормально». — «Как тут кормят?» — «Ничего». — «А выйти погулять можно?» — «Можно, под присмотром. Только разве это прогулка».

— Тебе надо дышать свежим воздухом, — сказала она.

— Да, точно, — ответил он.

Она чуть не спросила, не подружился ли он тут с кем-нибудь. Так расспрашивают ребенка про школу. Если бы ваши дети ходили в школу, вы бы обязательно задавали им такие вопросы.

— Да-да, — закивала миссис Сэндс, подталкивая к ней заранее приготовленную коробку с салфетками.

Дори их не взяла: глаза у нее оставались сухими, но было нехорошо где-то внутри, в животе. Что-то вроде рвотного позыва.

Миссис Сэндс молча ждала. Она знала, что сейчас не надо вмешиваться.

Потом Ллойд, словно угадав, что она собирается спросить, сказал: тут есть психиатр, приходит побеседовать время от времени.

— Но я его предупредил, чтобы он не терял времени, — сказал Ллойд. — Я и без него все знаю.

Это был единственный момент, когда Ллойд показался ей прежним.

Во время свидания сердце у нее сильно билось. Ей казалось, что она вот-вот упадет в обморок или даже умрет. Чтобы взглянуть на него, приходилось преодолевать себя. Делать усилие, чтобы в поле зрения появлялся этот худой, седой, неуверенный в себе, ко всему безучастный, неуклюжий, безотчетно двигающийся человек.

Ничего этого она не стала рассказывать миссис Сэндс. Та могла бы спросить — тактично, разумеется, — кого Дори боялась. Себя или его?

Но она совсем *не боялась*.

Когда Саше было полтора годика, родилась Барбара Энн. А когда Барбаре исполнилось два, родился Демитри. Имя Саша они выбрали вместе и после этого условились, что в дальнейшем Ллойд будет давать имена мальчикам, а она — девочкам.

Демитри, в отличие от старших, страдал коликами. Дори думала сначала, что, может быть, ему не хватает молока или что молоко у нее недостаточно калорийное. Или слишком калорийное? В общем, с молоком что-то было не так. Ллойд отыскал женщину из «Лиги ла лече» и поговорил с ней. Что бы ни произошло, сказала эта женщина, нельзя подкармливать малыша из бутылочки. Это шаг в опасном направлении, тогда он очень скоро совсем откажется от груди.

Она не знала, что Дори уже подкармливает малыша. И ему это, похоже, нравилось: все чаще Демитри поднимал крик, когда ему давали грудь. Месяца через три он полностью перешел на искусственное вскармливание, и тогда стало невозможно скрывать это от Ллойда. Дори сказала мужу, что у нее кончилось молоко и потому пришлось давать бутылочку. Ллойд подскочил к ней как бешеный и стиснул ей груди. Пролилось несколько капель. Он назвал ее лгуньей. Они поругались. Он сказал, что она такая же шлюха, как и ее мать.

— Все эти хипповки были шлюхами!

Вскоре они помирились. Но всякий раз, когда Демитри капризничал, или простужался, или пугался Сашиного кролика, или держался за стулья, тогда как его брат и сестра в том же возрасте уже вовсю ходили, — всякий раз припоминалось искусственное вскармливание.

Когда Дори впервые пришла на прием к миссис Сэндс, какая-то посетительница в приемной сунула ей буклет: на обложке золотой крест и слова, напечатанные тоже золотом на лиловом фоне: «КОГДА ТВОЯ ПОТЕРЯ ПОКАЖЕТСЯ НЕВЫНОСИМОЙ...» Внутри оказалось написанное нежными красками изображение Иисуса и какой-то текст мелким шрифтом, который Дори не стала читать.

Руки Дори вцепились в эту книжицу и не отпускали ее. Она села на стул в кабинете и вдруг задрожала всем телом. Миссис Сэндс сама вынула буклет у нее из рук.

— Кто это вам дал? — спросила она.

— Там, — ответила Дори, дернув головой в сторону закрытой двери.

— Вам не нравится это?

— Когда тебе плохо, все начинают доставать, — сказала Дори и тут же осознала, что именно так говорила ее мать, когда женщины с подобными бумажками приходили к ней в больницу. — Они думают, что надо только встать на колени — и все поправится.

Миссис Сэндс вздохнула.

— Да, конечно, — сказала она. — Все не просто.

— Лучше скажите «невозможно», — добавила Дори.

— Ну, может быть, и нет.

В первые встречи они ни разу не заговорили о Ллойде. Дори старалась даже не думать о нем, а если все-таки вспоминала, то как о каком-нибудь ужасном стихийном бедствии.

— Даже если бы я во все это верила, — сказала она, указывая на буклет, — то только потому...

Она хотела сказать, что такая вера была бы очень кстати: можно представить Ллойда горящим в аду или что-нибудь в этом духе. Но она не стала продолжать, потому что глупо говорить об этом. А кроме того, ей в который раз показалось, что у нее в животе словно кто-то стучит молотком.

Ллойд считал, что детей надо учить дома. Это не было связано с религиозными причинами: он не возражал против изучения динозавров, пещерных людей, обезьян и прочего. Просто хотел, чтобы дети оставались поближе к родителям и их можно было подготовить к взрослой жизни осторожно и постепенно, а не бросать сразу в мир, как в воду. «Я просто думаю о том, что это мои дети, — заявлял он. — То есть мои собственные, а не отдела образования».

Дори, скорее всего, не справилась бы сама с их обучением, но оказалось, что отдел образования подготовил на такой случай и инструкции, и планы уроков, и все это родители могли получить в местной школе. Саша был умным мальчиком, он почти без посторонней помощи научился читать, а двое остальных были пока слишком малы, чтобы учить их всерьез. По вечерам и по выходным Ллойд учил Сашу географии, рассказывал об устройстве Солнечной системы, о зимней спячке животных или о том, почему машина ездит. На любой вопрос ребенка следовал отдельный рассказ. Очень скоро Саша стал опережать школьные планы, но Дори по-прежнему получала их в школе и в назначенное время давала ему делать упражнения, чтобы не возникало претензий.

Неподалеку от них жила еще одна женщина, у которой дети учились дома. Звали ее Мэгги, и у нее был минивэн. Ллойд на своей машине каждое утро отправлялся на работу, а Дори так и не научилась водить. Поэтому она была очень довольна тем, что Мэгги раз в неделю подвозила ее до школы, там они отдавали выполненные задания и получали новые. Разумеется, они брали с собой всех детей. У Мэгги было двое мальчиков. Старший страдал аллергией, и матери приходилось строго следить за его питанием, поэтому он и учился дома. А потом Мэгги решила перевести на домашнее обучение и младшего. Тому хотелось играть с братом, и к тому же он был астматиком.

Как радовалась Дори, что у нее все трое здоровы! По мнению Ллойда, это потому, что она родила всех детей, когда была еще молода, а Мэгги ждала чуть не до менопаузы. Он, конечно, преувеличивал возраст Мэгги, но ждала она действительно долго. Она работала оптометристом — подбирала людям очки. Когда-то они с мужем были бизнес-партнерами и откладывали начало семейной жизни до тех пор, пока не купили дом в деревне, чтобы она смогла оставить работу.

Волосы у Мэгги были с проседью, совсем коротко подстриженные. Ллойд называл высокую, плоскогрудую, неунывающую и самоуверенную Мэгги «наша лесби» — но только за глаза, разумеется. Бывало, хохмит с ней по телефону, а потом, прикрыв трубку рукой, говорит Дори: «Это наша лесби». Дори к этому относилась спокойно: она знала, что Ллойд многих женщин так называет. Но она опасалась, что Мэгги сочтет его шуточки слишком фамильярными и просто не захочет терять с ним время.

— Хочешь поговорить со старушкой? Да. Здесь она. Возится со стиральной доской. Да, такой я эксплуататор. Это она тебе сказала?

Взяв в школе бумаги, Дори и Мэгги обычно отправлялись в продуктовый магазин за покупками. Потом иногда заходили в кафе Тима Хортона и отвозили детей в парк на берегу реки. Там мамаши сидели на скамейке, а Саша и сыновья Мэгги носились по детской площадке и карабкались на лестницы, Барбара Энн качалась на качелях, Демитри играл в песочнице. Если было холодно, женщины оставались в машине. Беседовали они по большей части о детях и о кулинарных рецептах, но иногда Дори вдруг узнавала что-то интересное: например, что Мэгги, прежде чем стать оптометристом, объездила всю Европу. Мэгги, в свою очередь, с удивлением узнавала, как рано Дори вышла замуж и как легко она впервые забеременела. А потом долго не получалось, и Ллойд начал ее подозревать: копался в ее ящиках в поисках противозачаточных таблеток, думал, что она их принимает втайне от него.

— А ты не принимала? — спросила Мэгги.

Дори даже не знала, как ответить. Сказала, что никогда бы на такое не осмелилась.

— Ну, то есть это было бы ужасно: пить их, не сказав ему. Я просто пошутила, а он сразу кинулся их искать.

— Ох, — вздохнула Мэгги.

———

17

Однажды Мэгги спросила:

— Слушай, у тебя все в порядке? Я имею в виду с мужем. Ты счастлива?

Дори без колебаний ответила «да». Но потом подумала, что не все так гладко. В ее семейной жизни было много такого, к чему она привыкла, а другие этого бы не поняли. Ллойд по любому вопросу имел собственное мнение, такой уж он был человек. И в самом начале, когда она познакомилась с ним в больнице, он уже был такой. Старшая медсестра вела себя очень надменно, и он звал ее «миссис Велитчелл» вместо «миссис Митчелл». Произносил эти слова так быстро, что разница была едва уловима. Ему казалось, что у старшей медсестры есть любимчики, но он к ним не принадлежит. И на фабрике мороженого был человек, которого Ллойд ненавидел, — кто-то, кого он звал «Луис-сосала». Дори так и не узнала настоящего имени этого парня. Но это доказывало, по крайней мере, что не одни только женщины его раздражали.

По мнению Дори, все эти люди были вовсе не так плохи, как считал Ллойд, но спорить с ним не имело смысла. Наверное, мужчины просто не могут жить без врагов, как не могут жить без шуток. Иногда Ллойд подшучивал над своими врагами — точно так же, как иногда посмеивался над собой. И ей разрешалось смеяться вместе с ним — при условии, что не она первая начала.

Она надеялась, что он будет снисходителен к Мэгги. Но временами уже чувствовала, как рушатся ее надежды. А если он запретит ей ездить с Мэгги в школу и в магазин, то это будет крайне неудобно. Но еще хуже то, что придется позориться: выдумывать какие-то глупости, как-то объясняя свои отказы с ней встречаться. А Мэгги бы все поняла — по крайней мере уловила бы ложь и решила, что в семье Дори все гораздо хуже, чем на самом деле. Мэгги тоже была по-своему резковата в оценках.

Тогда Дори спрашивала себя: а почему ее, собственно, заботит то, что подумает подруга? Мэгги почти чужая, с ней даже общаться не очень комфортно. Так Ллойд сказал, и он прав. Истинная связь между ними, мужем и женой, — это то, что недоступно посторонним, и вообще это никого не касается. Если Дори станет бережно относиться к своей семье, то все у них будет хорошо.

Однако дела пошли хуже: общаться с подругой он ей пока не запрещал, но все чаще высказывался критически. Говорил, что Мэгги сама виновата в болезнях сыновей. Он вообще считал, что мать всегда виновата. Ему случалось наблюдать в больнице таких матерей, которые стремятся держать детей под полным контролем. Обычно так поступают слишком умные.

— Но послушай, иногда дети просто рождаются больными, — не подумав, возразила Дори. — Нельзя же во всех случаях винить мать.

— Да ну? А почему это мне нельзя?

— Я не про тебя говорю. Не в том смысле, что тебе нельзя. Я говорю: разве не могут дети родиться больными?

— А с каких это пор ты стала так разбираться в медицине?

— Я и не говорю, что разбираюсь.

— Правильно, не разбираешься.

Плохое сменялось худшим. Он пожелал знать, о чем они с Мэгги разговаривают.

— Не знаю. Так, ни о чем.

— Забавно. Значит, две женщины едут в машине... Первый раз такое слышу. Две женщины едут и ни о чем не говорят. Она решила вбить между нами клин.

— Кто? Мэгги?!

— Я таких баб знаю.

— Каких — таких?

— Таких, как она.

— Не говори глупости.

— Эй, потише! Ты сказала, что я дурак?

— Скажи, пожалуйста, зачем ей это нужно?

— Откуда мне знать зачем? Захотелось, и все. Вот погоди, еще увидишь. Она тебе еще все уши прожужжит о том, какая я сволочь. Погоди немного.

И действительно, все случилось так, как он говорил. Ну, во всяком случае, выглядело именно так в глазах самого Ллойда. Однажды около десяти часов вечера она оказалась у Мэгги на кухне: сидела, хлюпая носом и размазывая слезы, и прихлебывала травяной чай. Когда она постучала в дверь, муж Мэгги открыл и спросил: «Какого черта вам надо?» Он понятия не имел, кто она такая. Дори еле сумела сказать: «Простите, что беспокою...» — а он глядел на нее выпученными глазами. Затем вошла Мэгги.

Дори прошла весь путь до ее дома пешком, в темноте. Сначала по проселочной дороге, у которой они с Ллойдом жили, затем по шоссе. Там приходилось прятаться в канаве всякий раз, когда приближалась машина, и потому шла она очень медленно. Она провожала взглядом машины, боясь, как бы Ллойд не поехал за ней. Ей не хотелось, чтобы он нашел ее сейчас — по крайней мере до тех пор, пока он не испугается собственного безумия. Бывали случаи, когда ей удавалось самой его напугать таким образом: она плакала, выла и даже колотилась головой об пол, приговаривая: «Неправда, неправда, неправда!..» В конце концов он шел на попятную и говорил: «Ну ладно, ладно. Я тебе верю. Ну все, милая, успокойся. Подумай о детях. Ну все, я верю тебе, милая. Только замолчи».

Но сегодня вечером она взяла себя в руки уже в начале представления. Надела пальто и вышла за дверь, а он кричал вслед: «Эй, не вздумай! Я тебя предупредил!»

Муж Мэгги отправился спать, по-прежнему недовольный, хотя Дори все повторяла: «Простите меня! Простите, что врываюсь к вам так поздно!»

— Да замолчи ты! — прикрикнула на нее Мэгги. Вид у нее был хоть и озабоченный, но доброжелательный. — Хочешь вина?

— Я не пью.

— Тогда лучше сейчас не начинай. Я тебе заварю чая. Это успокаивает. С клубникой и ромашкой. С детьми-то все в порядке?

— Да.

Мэгги сняла с нее пальто и протянула ей пачку салфеток — вытереть нос и глаза.

— И не говори пока ничего. Скоро придешь в себя.

Но даже немного успокоившись, Дори не рассказала, как у них обстоят дела, иначе Мэгги решила бы, что подруга сама во всем виновата. Кроме того, ей не хотелось рассказывать про Ллойда. Не важно, что он ее измучил. Все равно ближе его у нее никого нет, и если она начнет на него жаловаться, все сразу рухнет, это будет как измена.

Она объяснила, что они с Ллойдом опять поругались и она так от этого всего устала, что захотела прогуляться. Но это все ничего, пройдет. Они помирятся.

— Ну что ж, со всеми супругами случается, — заметила Мэгги.

Тут зазвонил телефон, и Мэгги сняла трубку.

— Да. Она в порядке. Просто захотела прогуляться, сменить обстановку. Отлично. Ладно, тогда я отвезу ее домой утром. Ничего страшного. Хорошо. Спокойной ночи.

— Это он, — сказала Мэгги. — Ну да ты поняла.

— Какой у него был голос? Нормальный?

Мэгги улыбнулась:

— Ну, я не знаю, как он разговаривает в нормальном состоянии. Во всяком случае, он был не пьян.

— Он тоже не пьет. У нас в доме даже кофе нет.

— Хочешь, поджарю тост?

———

Рано утром Мэгги повезла ее домой. Муж Мэгги не поехал на работу и остался сидеть с мальчиками.

Мэгги спешила вернуться домой. Разворачивая свой минивэн у них во дворе, она сказала на прощание только:

— Все, пока! Позвони, если захочешь поболтать.

Было холодное весеннее утро, на земле все еще лежал снег, но Ллойд сидел без куртки на ступеньках крыльца.

— Доброе утро, — громко произнес он вежливым и полным сарказма тоном.

Она тоже поздоровалась, сделав вид, что не заметила этого.

Он продолжал сидеть на ступеньках, не пуская ее внутрь.

— Не ходи туда, — сказал он.

Она решила обратить все в шутку:

— Не пустишь? Даже если я очень попрошу? Ну пожалуйста!

Он посмотрел на нее, но ничего не ответил. Только улыбнулся, не разжимая губ.

— Ллойд! — позвала она. — Послушай, Ллойд!

— Лучше не ходи туда.

— Послушай, Ллойд, я ничего Мэгги не рассказывала. Прости, пожалуйста, что я убежала. Мне просто воздуха не хватало.

— Говорю: не ходи.

— Да что с тобой? Где дети?

Он мотнул головой — так, как делал в тех случаях, когда ему не нравилось то, что она говорила. Этот жест заменял средней силы ругательство, что-то вроде «блин».

— Ллойд! Где дети?!

Он чуть подвинулся, чтобы она смогла пройти, если захочет.

Демитри лежал в своей колыбельке, но на боку. Барбара Энн — на полу возле своей кроватки, словно она упала оттуда или ее вытащили. Саша — у двери в кухню: он пытался убежать. Только у Саши были кровоподтеки на шее. Остальных он задушил подушкой.

— Во сколько я вчера звонил? — спросил Ллойд. — Когда звонил, все уже случилось.

Он сказал: «Это ты во всем виновата».

Присяжные постановили, что он находился в помраченном состоянии сознания и не подлежит наказанию. Ллойд был признан невменяемым в отношении совершенного преступления и помещен в специальное учреждение.

Дори выбежала из дому и бродила, спотыкаясь, по двору, взявшись обеими руками за живот, словно он был вспорот и она пыталась удержать внутренности. Такой ее увидела Мэгги, когда вернулась. У нее возникло дурное предчувствие, и она решила развернуться и поехать назад. Сначала Мэгги подумала, что муж избил Дори, ударил ее в живот. Из стонов Дори ничего нельзя было понять. Ллойд, по-прежнему сидевший на ступеньках, вежливо подвинулся, не сказав ни слова, и пропустил ее в дом. Войдя, Мэгги увидела то, что уже ожидала увидеть. Она позвонила в полицию.

В течение некоторого времени Дори набивала себе рот всем, что попадалось под руку. Землей, травой, потом платками, полотенцами и собственной одеждой. Казалось, она хочет подавить не только вопли, которые рвались у нее из горла, но и сам образ той сцены, бесконечно всплывавший в сознании. Ей начали колоть какое-то лекарство, и это помогло. Она стала очень тихой, хотя в кататонию и не вошла. Врачи говорили, что ее состояние стабилизировалось. Когда Дори выписалась из больницы и социальный работник привез ее на новое место жительства, ее взяла под свою опеку миссис Сэндс: нашла ей дом, подобрала работу и еженедельно с ней беседовала. Мэгги приехала было повидаться, но оказалось, что она единственный человек, которого Дори не могла видеть. Миссис Сэндс объяснила, что это естественно: возникает нежелательная ассоциация, и Мэгги ее поймет и простит.

Миссис Сэндс сказала, что, посещать или не посещать Ллойда, должна решать только Дори.

— Понимаете, я ведь здесь не для того, чтобы разрешать или запрещать. Как вы сами думаете, лучше вам станет, если вы его увидите? Или хуже?

— Не знаю.

Дори не могла объяснить, что она встречалась как бы и не с ним. Это было все равно что увидеть привидение. Такой бледный. И одежда на нем широкая и тоже бледная, и туфли такие, что шагов совсем не слышно, мягкие тапочки наверное. Ей показалось, что у него выпадают волосы. А раньше были такие густые, волнистые, цвета меда. Не было теперь ни широких плеч, ни ямки между ключицами, куда она, бывало, склоняла голову.

Полиции он тогда сказал, и это попало в газеты: «Я сделал это, чтобы спасти их от страданий».

Каких страданий?

«Страданий от того, что мать их бросила».

Эти слова горели в мозгу у Дори, и, возможно, она решила повидаться с ним только для того, чтобы заставить его взять их обратно. Заставить его понять и принять события такими, какими они были на самом деле.

«Ты сказал: прекрати спорить или убирайся из дому. Вот я и ушла».

«Я всего лишь пошла переночевать к Мэгги. Разумеется, я собиралась вернуться. Никого я не бросала».

Она очень хорошо помнила, с чего начался спор. Она купила банку спагетти, и на этой банке оказалась вмятина, совсем небольшая. Из-за этой вмятины банка продавалась со скидкой, и Дори обрадовалась, что можно сберечь немного денег, что она поступает разумно. Но мужу, когда он начал задавать вопросы, она про скидку не сказала. Почему-то решила сделать вид, что просто не заметила вмятины.

Ллойд заявил, что ее нельзя не заметить. Мы все можем отравиться. Да что с ней такое? Или она это сделала нарочно? Может, хотела посмотреть, что станет с детьми и с ним самим?

Она сказала: не сходи с ума.

Он ответил: ты сама сошла с ума. Кто, кроме сумасшедшей, станет покупать яд для своей семьи?

Дети наблюдали за ними, стоя в дверном проеме в гостиной. Это был последний раз, когда она видела их живыми.

Вот о чем она думала, когда отправилась к нему, — надо заставить его наконец понять, кто тогда был сумасшедшим.

Когда Дори осознала, с каким намерением едет к нему, ей следовало выйти из автобуса. Пусть даже на последней остановке, вместе с другими женщинами, но не плестись вслед за ними к тюремным воротам, а перейти дорогу и сесть в автобус, идущий назад в город. Наверное, кто-то из приезжавших сюда когда-нибудь так уже поступал. Собрался на свидание, а в последний момент передумал. Возможно даже, такое происходит здесь постоянно.

А может быть, и к лучшему, что она все-таки не ушла и увидела его таким странным, словно выжатым. Теперь некого проклинать и винить. Некого. Этот человек ей как будто приснился.

Ей снились сны. Однажды приснилось, что она выбегает из дому, увидев там их, а Ллойд вдруг принимается хохотать, да так весело, как раньше, а потом она слышит, как смеется у нее за спиной Саша, и тут до нее доходит, к ее огромному облегчению, что они ее просто разыграли.

— Вот вы спрашивали, стало ли мне легче или тяжелее, когда я его увидела. В прошлый раз спрашивали.

— Да-да, — подхватила миссис Сэндс, — ну и как?

— Мне это надо было обдумать.

— Разумеется.

— В общем, я решила, что стало тяжелее. И больше не поехала.

Ей было нелегко сказать это миссис Сэндс. Та в ответ только одобрительно кивнула.

Поэтому, когда Дори решила, что, так и быть, съездит еще раз, она не захотела упоминать об этом в разговоре с миссис Сэндс. А поскольку ей было трудно скрывать события своей жизни, даже совсем незначительные, она позвонила и отменила встречу. Сказала, что собирается в отпуск. Начиналось лето, и значит отпуска становились обычным делом. Уезжаю с подругой, — сказала она.

— А ты сегодня в другой куртке. Не в той, что неделю назад.

— Не неделю.

— А сколько?

— Это было три недели назад. А теперь жарко. Эта курточка полегче, хотя даже она сейчас не нужна. Теперь можно ходить совсем без куртки.

Он спросил, как она доехала, какими автобусами добиралась из Майлдмэя.

Дори ответила, что больше там не живет. Назвала город, в который перебралась, и перечислила автобусы.

— Да, не близко. Ну и как, тебе нравится жить в городе побольше?

— Там легче найти работу.

— Значит, ты работаешь?

Во время последней встречи она уже рассказывала ему и о том, где живет, и об автобусах, и о своей работе.

— Я убираю номера в мотеле. Я тебе уже говорила.

— А да, точно. Забыл. Извини. А в школу не собираешься? В смысле, окончить вечернюю школу?

Она сказала, что думала об этом, но так, не всерьез. Ее и работа горничной устраивает.

После этого им, похоже, стало не о чем разговаривать. Он вздохнул. Потом сказал:

— Ты извини. Я тут совсем отвык от разговоров.

— А чем же ты занимаешься целыми днями?

— Ну, я читаю довольно много. И типа того... медитирую.

— Вот как.

— Я тебе очень благодарен, что ты приехала. Это для меня очень важно. Но только не надо это делать все время. В смысле, ты приезжай, но только когда действительно захочешь. Если почувствуешь, что надо. В общем, я хочу сказать: уже то, что ты можешь приехать, что ты хоть раз приезжала, это для меня большое дело. Понимаешь?

Она сказала, что да, наверное, понимает.

Еще он прибавил, что не хотел бы вмешиваться в ее жизнь.

— А ты и не вмешиваешься, — ответила она.

— Ты точно это хотела ответить? Мне показалось, ты собиралась сказать что-то другое.

Да, действительно, она чуть не спросила: «Какую еще жизнь?»

Нет, ответила она, ничего. Ничего не собиралась.

— Ну и хорошо.

Через три недели зазвонил телефон. Это была миссис Сэндс — сама, а не кто-нибудь из ее помощниц.

— О, Дори! А я думала, вы еще не вернулись из отпуска. Значит, вернулись?

— Да, — ответила Дори, пытаясь придумать ответ на вопрос, где она была.

— Но вы пока не договорились о нашей следующей встрече?

— Еще нет. Не успела.

— Ничего страшного. Я просто хотела узнать, как вы. Вы в порядке?

— Да, в порядке.

— Отлично. Отлично. Вы знаете, где меня найти, если я вам понадоблюсь. Всегда рада с вами побеседовать.

— Да.

— Ну, всего доброго.

Она не упомянула Ллойда и не спросила, виделась ли Дори с ним снова. Но ведь Дори ей сказала, что больше не собирается туда ездить. Однако миссис Сэндс обычно проявляла недюжинную интуицию, чувствовала, что происходит. И всегда умела ее удержать, понимая, что может сделать это одним вопросом. Дори даже не задумывалась над тем, что она ответила бы, если бы ей задали прямой вопрос: стала бы изворачиваться, лгать или же сразу выдала правду. Она снова поехала к нему — на следующее воскресенье после того, как он сказал, что она может и не приезжать.

Он простудился. Сам не знал, как это вышло.

Скорее всего, был болен еще в прошлую встречу, оттого и казался таким брюзгливым.

«Брюзгливый». Ей уже давно не приходилось иметь дело ни с кем, кто употреблял подобные слова. Это слово показалось ей странным. У него и раньше была привычка так говорить, но тогда подобные выражения ее не удивляли.

— Я кажусь тебе другим человеком? — спросил он.

— Ну, в общем, ты изменился, — осторожно ответила Дори. — А я?

— Ты очень красивая, — ответил он с грустью.

У нее в груди потеплело, но она тут же подавила это чувство.

— А сама ты как? — спросил он. — Сама ты чувствуешь себя другой?

Она ответила, что не знает.

— А ты?

— И я тоже, — ответил он.

На той же неделе ей на работе вручили письмо в большом конверте, которое пришло на адрес мотеля. Внутри было несколько листков, исписанных с обеих сторон. Сначала она и не подумала, что это от него: ей почему-то казалось, что заключенным не разрешают писать письма. Но он был не совсем заключенный. Он вообще был не преступник, а невменяемый.

Ни даты, ни даже обращения «Дорогая Дори». Он сразу взял такой тон, что она подумала: это что-то религиозное.

Люди повсюду ищут решения. Их умы изъязвлены этими поисками. Как много всего теснится вокруг и вредит им. Это видно по их лицам их шрамам и болям. Им тяжело. Они мечутся. Им надо и в магазин и в прачечную и волосы подстричь и на жизнь заработать или пособие получить. Бедняки должны все это делать а богатые ищут способ получше потратить свои деньги. А это тоже работа. Им надо строить самые лучшие дома с золотыми кранами для горячей и холодной воды. И вот у них ауди и волшебные зубные щетки и всевозможные хитроумные изобретения и еще сигнализация чтобы защитить от убийства но и те и (друз) другие богатые и бедные не имеют мира в душах своих. Чуть не написал «друзья» вместо «другие» отчего бы это? У меня тут нет никаких друзей. Там где я сижу люди по крайней мере прошли через испытания. Они тут знают чем владеют и чем всегда будут владеть им не надо даже ничего ни покупать ни готовить. И выбирать не надо. Нет у них выбора.

Все мы здесь сидящие ничего не имеем кроме своих умов.

Вначале у меня в голове все было в пертурбации (не так написал?). Там все время бушевала буря и я колотился головой о бетон надеясь от нее избавиться. Чтобы остановить агонию и прекратить жить. Тогда мне назначили наказание.

Поливали из шланга и привязывали и кололи лекарства мне в кровь. Я не жалуюсь потому что понял что тут жаловаться без толку. И никакой разницы с так называемым реальным миром в котором люди пьют и дурят и совершают преступления чтобы избавиться от собственных болезненных мыслей. И их часто бьют и сажают в тюрьму но они вскоре выходят с другой стороны. И что там? Либо полное безумие либо покой.

Покой. Я прибыл сюда в покое и все еще в своем уме. Я представляю каково это читать ты думаешь что я расскажу что-нибудь о Боге Иисусе или хоть о Будде как будто я пришел к религиозному обращению. Нет. Я не закрываю глаза и меня не поднимает ввысь какая-то Высшая Сила. Я об этих делах понятия не имею. Что я Знаю так это Себя. А Познай Самого Себя — это такое повеление откуда-то может из Библии так что по крайней мере в этом я Христианин. А также Всего Превыше Верен Будь Себе — я пытался поскольку это тоже из Библии. Только не говорится какому себе — доброму или злому надо быть верным так что это не моральное наставление. И Познай Самого Себя не имеет отношения к морали поскольку мы познаем ее в Поведении. Однако Поведение меня не заботит поскольку меня судили правильно как человека которому нельзя доверять судить как он должен себя вести и поэтому я здесь.

Возвращаюсь к Познай из Познай Самого Себя. Говорю совершенно трезво что я себя знаю и знаю худшее на что способен и знаю что совершил. Меня Мир считает Чудовищем и я против этого не возражаю хотя могу заметить что люди которые сыплют бомбы как град или сжигают города или заставляют голодать или убивают сотни тысяч их обычно не считают Чудовищами а осыпают медалями и почетом а только кто пошел против небольшого числа людей считается ужасным и преступным. Это все не в оправдание мне а только наблюдение.

Что я Познал в Себе — это мое Зло. В этом тайна моего покоя. То есть я знаю Худшее в себе. Оно может быть хуже чем худшее в других людях но на самом деле мне не надо об этом думать или беспокоиться. Никаких извинений. Я в по-

*кое. Чудовище ли я? Мир считает что да и раз так то я со-
глашаюсь. Но я говорю Мир не имеет для меня никакого значения. Я Верен Себе и никогда не буду другим Собой. Я могу
признать что был тогда не в своем уме но что это значит?
Не в своем уме. В своем уме. Я не мог изменить свое Я тогда
и не могу изменить его сейчас.*

*Дори если ты дочитала до этого места я тебе хотел ска-
зать что-то важное но не могу написать на бумаге. Если ты
решишь еще раз приехать я может тебе скажу. Не думай
что я бессердечный. Если бы я мог что-то изменить я бы изменил но я не могу.*

*Посылаю это письмо тебе на работу потому что помню
название гостиницы и город так что мой мозг кое в чем работает отлично.*

Она подумала, что надо поговорить с ним об этом
письме во время следующей встречи. Перечитала его несколько раз, но так и не знала, как к этому отнестись.
Поговорить хотелось только об одном — о том, что он
считал невозможным выразить в письме. Но когда они
увиделись в следующий раз, он вел себя так, словно ничего не писал. Дори не могла найти темы для разговора и
принялась рассказывать об одной фолк-певице, некогда
очень известной, которая прожила целую неделю у них
в мотеле. К ее удивлению, оказалось, что он знал про эту
певицу даже больше, чем она. Выяснилось, что у него был
телевизор (или его пускали к общему телевизору) и он
постоянно смотрел разные шоу, ну и новости, конечно.
Это дало им чуть больше пищи для разговора, но потом
она не выдержала:

— Так о чем ты хотел сказать мне лично, не в письме?

Он ответил: лучше бы ты не спрашивала. Сказал, что
они пока не готовы к такому разговору.

Дори испугалась: а вдруг речь зайдет о чем-то таком,
чего она не может слышать, о чем-то невыносимом, например о том, что он ее до сих пор любит? Она совсем не
могла теперь слышать слова «любовь».

— Хорошо, — согласилась она. — Может быть, и правда не готовы.

Но потом передумала:

— А все-таки лучше скажи. Что, если я выйду отсюда и меня собьет машина? Тогда я никогда ничего не узнаю и ты уже не сможешь мне ничего сказать.

— Верно, — кивнул он.

— Ну так о чем речь?

— В следующий раз. В следующий раз. Я иногда совсем не могу говорить. Хочу сказать, но у меня слова не идут из горла.

Я все время думал про тебя Дори с тех пор как ты ушла извини что я тебя разочаровал. Когда ты сидишь напротив я волнуюсь гораздо больше чем наверно кажется извне. А я не имею права волноваться когда ты здесь поскольку у тебя права волноваться гораздо больше чем у меня а ты так хорошо владеешь собой. В общем я даю задний ход возвращаюсь к тому что говорил раньше потому что пришел к выводу что написать тебе будет лучше чем сказать.

Сейчас напишу.

Небеса существуют.

Звучит красиво но в моих устах неправильно поскольку я никогда не верил в Небеса в Ад и все такое прочее. Всегда считал разговоры про это кучей дерьма. Поэтому должно быть дико звучит то что я теперь заговариваю об этом.

Скажу прямо: я видел детей.

Я видел их и говорил с ними.

Там. Что ты сейчас думаешь? Ты конечно думаешь ну вот он и окончательно свихнулся. Или так видел сон и не понял что это сон не может отличить сна от яви. А я тебе говорю сон от яви я отличаю и то что я видел было они существуют. Понимаешь существуют. Я не говорю что они живы потому что жить можно в том Измерении где мы живем а я не говорю что они в нашем Измерении. Их тут нет. Но они существуют и значит есть другое Измерение а может и бесконечное множество Измерений но я знаю только что проник в одно из них то самое где они находятся. Наверно я добрался туда потому что был столько времени в одиночестве и все время думал и думал и думал все об одном. Поэтому после больших страданий и одиночества сошла Благодать и открыла мне это в награду. Мне который меньше всех на свете заслуживает по общему мнению.

Если ты дочитала до сих пор и не разорвала письмо значит ты хочешь узнать кое-что. То есть как они там.

С ними все хорошо. Они очень развитые и счастливые. И совсем не помнят ни о чем плохом. Может быть стали чуть постарше чем были но об этом трудно судить. Похоже они понимают на разных уровнях. Да. Там видно что Демитри научился говорить а раньше не мог. И у них там комната которую я частично узнал. Она как у нас в доме но лучше более просторная. Я спросил их кто за ними присматривает а они рассмеялись и ответили что-то вроде мы сами теперь можем за собой присмотреть. Мне показалось что это Саша ответил. Иногда они говорят отдельно а иногда мне не удавалось разделить их голоса но кто где я понимал ясно и скажу — им там весело.

Только не думай что я сумасшедший. Я этого так боялся что не стал тебе ничего говорить. Я действительно был какое-то время сумасшедшим но поверь мне я сбросил с себя все свое сумасшествие как медведь линяет шкуру. Нет наверно надо сказать как змея меняет кожу. Я знаю что если бы я этого не сделал у меня бы никогда не получилось соединиться с Сашей и Барбарой Энн и Демитри. И мне бы хотелось чтобы у тебя тоже получилось потому что если это зависит от заслуги то ты заслуживаешь гораздо больше. Тебе будет труднее потому что ты живешь в мире гораздо больше чем я но по крайней мере я тебе все рассказал — Истину — и рассказывая что видел их надеюсь что ты почувствуешь облегчение.

Дори попыталась представить, что сказала бы или подумала миссис Сэндс, прочитав это письмо. Она, разумеется, высказалась бы очень осторожно. Не стала бы выносить окончательный приговор — безумие, — но потихоньку, исподволь подвела бы Дори к этому выводу.

Или лучше сказать так: не подвела бы к выводу, а заставила бы Дори саму к нему прийти. И внушила бы, что всю эту опасную чушь — выражение миссис Сэндс — надо выбросить из головы.

Вот почему Дори стала избегать миссис Сэндс.

Нет, на самом деле Дори считала его сумасшедшим. И еще — в том, что он писал, был оттенок бахвальства, присущего ему и раньше. На письмо она не ответила. Проходили дни. Недели. Дори не меняла своего мнения, но в то же время хранила про себя то, что он написал, как хранят тайны. И иногда внезапно — когда брызгала моющим раствором на зеркало в ванной или расправляла простыню на кровати, — внезапно ее посещало странное чувство. Почти два года она не обращала ни малейшего внимания на то, что обычно радует людей: погожий денек, цветы или запах свежего хлеба из булочной. В общем-то, у нее и сейчас не возникало таких спонтанных приливов радости, но она как бы смутно припоминала, что они собой представляют. Причем все это не имело ничего общего ни с погодой, ни с цветами. Она все время думала о том, что дети находятся, говоря его словами, в «их Измерении». Мысль эта преследовала Дори помимо ее воли, и впервые за долгие годы она начинала чувствовать не боль, а облегчение.

С тех пор как все случилось, Дори старалась сразу прогонять любое воспоминание о детях, вытаскивать его поскорее, как нож из горла. Она не могла даже мысленно произносить их имена и если слышала какое-то из их имен, то тоже поскорей его отбрасывала. Даже детские голоса, крики и топот ножек возле бассейна в мотеле отторгались ее сознанием и звучали как бы за воротами, на которые она запирала свой слух. Теперь же у нее появилось убежище, куда можно было спрятаться всякий раз, если рядом возникали подобные опасности.

И кто подарил ей это убежище? Только не миссис Сэндс, это уж точно. Только не долгое сидение возле стола, на котором предусмотрительно поставлена коробка салфеток.

Ей подарил это Ллойд. Ллойд, этот ходячий кошмар, этот изолированный от общества невменяемый.

Хорошо, называйте его невменяемым, если хотите. Но ведь возможно же, что он сказал правду, что он действительно побывал на том берегу? И разве видения человека, который совершил такое и проделал такой путь, — пустой звук?

Такие мысли исподволь проникали ей в голову и оставались там.

А еще она думала, что из всех людей, живущих на свете, Ллойд — единственный, с кем ей следует быть вместе. А для чего еще я нужна на этом свете? — спрашивала Дори воображаемого собеседника, может быть миссис Сэндс. — На что еще я гожусь, кроме как слушать, что он говорит?

Я ведь не сказала «прощаю», — продолжала она мысленно объяснять миссис Сэндс. — И никогда этого не скажу. Никогда.

Но послушайте. Разве я не отрезана от мира точно так же, как и он? Никто из людей, знающих мою историю, не захочет терпеть меня рядом с собой. Я напоминаю людям о том, о чем они не желают помнить, потому что не способны выдержать такой памяти.

И без толку прятаться под чужой личиной. Эта корона из непослушных золотых волос у меня на голове выглядит просто жалко.

Дори очнулась и обнаружила, что снова едет по шоссе на автобусе. Вспомнила, как вскоре после смерти матери тайком бегала на свидания с Ллойдом. Приходилось лгать женщине, у которой она тогда жила. Припомнила даже имя этой маминой подруги: Лори.

А кто, кроме Ллойда, помнит теперь имена ее детей, кто может вспомнить, какого цвета были у них глаза? Миссис Сэндс, когда приходилось о них заговаривать, не произносила даже слова «дети», говорила «ваша семья», словно слепляя их в один комок.

Когда она бегала к Ллойду и лгала Лори, ей не было стыдно. Она подчинялась высшей силе, судьбе. Ей казалось, что она живет на свете только затем, чтобы быть с ним и пытаться его понять.

Ну, теперь-то все не так. Это не то же самое.

Дори сидела впереди, на противоположной от водителя стороне кресел, и смотрела на дорогу сквозь лобовое стекло. Поэтому она и оказалась единственной из пассажиров, не считая шофера, кто видел, как небольшой грузовичок, даже не притормозив, внезапно выскочил с боковой дороги, пересек пустое воскресное шоссе прямо перед носом у автобуса и влетел в придорожную канаву. А потом случилось нечто еще более странное: человек, сидевший за рулем грузовичка, взлетел и пронесся по воздуху — стремительно и как будто замедленно, нелепо и грациозно — и рухнул на гравий на обочине.

Остальные пассажиры поначалу не поняли, отчего водитель автобуса резко ударил по тормозам, заставив их всех качнуться вперед. Дори же в первый момент только удивилась: «Как же он оттуда вылетел?» Совсем молодой человек, мальчишка. Наверное, уснул за рулем. Но как же он так вылетел из машины, так красиво катапультировался?

— Парень там впереди... — объявил шофер по радио. Он старался говорить громко и спокойно, но в голосе чувствовалась дрожь изумления, даже ужаса. — Пролетел через дорогу — и прямо в канаву. Мы возобновим движение, как только сможем. Прошу всех не покидать автобус.

Дори, словно не услышав его или же почувствовав себя именно сейчас нужной, вышла из автобуса первой, даже раньше, чем водитель. Тот не сделал ей никакого замечания.

— Чертов придурок! — ругался он, пока они переходили дорогу, и теперь в его голосе звучали только гнев и раздражение. — Чертов придурок, молокосос! Что наделал, а?

Мальчик лежал на спине, широко раскинув руки и ноги, похожий на вылепленного из снега ангела, только вокруг него был гравий, а не снег. Глаза прикрыты не до конца. Совсем юный: вымахал ростом со взрослого, а еще, должно быть, ни разу не побрился. И наверняка без водительских прав.

Шофер говорил по телефону:

— Примерно миля от Бэйфилда, на двадцать первой. Восточная сторона дороги.

Тонкая розовая струйка показалась из-под головы мальчика, рядом с ухом. Она была совсем не похожа на кровь. Напоминала скорее пенку, которая получается, когда варят клубничное варенье.

Дори опустилась на колени рядом с ним и положила руку ему на грудь. Нет движения. Она наклонилась поближе и приложила ухо. Кто-то совсем недавно погладил ему рубашку — еще чувствовался запах глажки.

Дыхания не было.

Однако ее пальцы сумели нащупать на его гладкой шее пульс.

Дори вспомнила, как ее учили первой помощи. Это был Ллойд. Он говорил, что надо делать, если дети попадут в аварию, а его рядом не окажется. Язык. Если язык западет в горло, он может заблокировать дыхание. Дори положила одну руку мальчику на лоб, а двумя пальцами другой взяла его за подбородок. Придерживать голову за лоб и надавить под подбородок, чтобы открыть путь воздуху. Несильно, но решительно наклонить голову.

Если не начнет дышать, сделать искусственное дыхание.

ЭЛИС МАНРО

Дори зажала ноздри, сделала глубокий вдох, а потом впилась ртом в губы мальчика и начала дышать. Два выдоха — пауза. Два выдоха — пауза.

Послышался еще один мужской голос — не шофера. Видимо, остановилась какая-то машина.

— Может, одеяло ему под голову подложить?

Дори чуть покачала головой. Она вспомнила еще одно правило: нельзя двигать пострадавшего, чтобы не повредить спинной мозг. Снова припала ко рту мальчика. Надавила ему на грудь, ощущая теплую гладкую кожу. Выдох — пауза. Выдох — пауза. Лицо ее покрылось легкой испариной.

Шофер что-то говорил, но Дори не могла даже взглянуть на него. И тут она почувствовала наверняка: мальчик задышал. Дори распластала пальцы на коже его груди. Поначалу было трудно сказать, отчего поднимается грудная клетка, — может быть, это дрожь ее собственной руки.

Да! Да!

Это несомненно настоящее дыхание. Проход для воздуха открылся. Мальчик дышал самостоятельно. Дышал.

— Лучше прикройте его сверху, — сказала она мужчине, державшему одеяло. — Чтобы согрелся.

— Он жив? — спросил шофер, наклоняясь к ней.

Дори кивнула. Ее пальцы снова нащупали пульс. Жуткая розовая пенка больше не сочилась. Может быть, в ней и не было ничего страшного. Может быть, это и не из мозга.

— Я из-за вас не могу больше автобус держать, — сказал ей водитель. — Мы уже и так сильно опаздываем.

— Да ничего, поезжайте, — вмешался второй мужчина, — я тут побуду.

Тише, тише, — мысленно обращалась она к ним. Ей казалось, что тишина сейчас совершенно необходима, что все в мире за пределами тела мальчика должно сосредоточиться в едином усилии и помочь этому телу не сбиться, исполнить должное — дышать.

Робко, но равномерно из его горла стал вырываться хрип. Грудь покорно вздымалась. Держись, держись!

— Эй, вы слышали? Этот парень останется здесь и поможет, если что, — говорил шофер. — «Скорая» уже в пути.

— Поезжайте, — ответила Дори. — Я доеду со «скорой» до города, а к вам сяду вечером, когда вы будете возвращаться обратно.

Водителю пришлось наклониться пониже, чтобы ее расслышать. Она говорила еле слышно, не поднимая головы, словно стараясь потратить как можно меньше драгоценного дыхания.

— Вы точно решили? — спросил шофер.

Точно.

— Так, значит, в Лондон вам не надо?

Нет, не надо.

Вымысел

I

Зимой ей больше всего нравилось после рабочего дня ехать домой на машине — она давала уроки музыки в школах городка Раф-Ривера. Случалось, что при выезде из города падал снег, а на шоссе, идущем вдоль побережья, начинал хлестать ливень. Джойс ехала по лесу. И хотя лес был самый настоящий — кедры и огромные орегонские сосны, — здесь через каждую четверть мили попадался чей-то дом. Некоторые устраивали огороды, а были и такие, кто держал овец или верховых лошадей. Встречались и маленькие мастерские, как у Йона, — он реставрировал старую мебель и делал новую. Ну и вдоль дороги постоянно мелькала типичная для этой части света реклама: гадание на картах Таро, травяной массаж, решение семейных конфликтов. Кто-то жил в трейлерах, другие выстроили себе хибарки с соломенными крышами, а третьи, как Йон и Джойс, заняли старые фермерские дома.

Вечерние возвращения давали Джойс возможность наблюдать то особенное зрелище, которое так ей нравилось. Тогда многие здешние жители, не исключая владельцев хижин с соломенными крышами, принялись ставить в своих домах большие стеклянные двери, так называемые двери для патио, даже если у них, как у Йона с Джойс, и не было никакого патио. Занавесок на такие двери не вешали, и ярко сиявшие сквозь обе створки лучи света свидетельствовали о комфортабельной и безопасной жизни хозяев. Отчего эти двери считались престижнее, Джойс понятия не имела. Возможно, дело было не в престиже: людям хотелось не просто видеть лес из окон своего дома, но иметь прямой выход в лесную тьму, и, чтобы ощутить контраст, они противопоставляли этой тьме свое убежище. Сквозь стеклянные двери Джойс были хорошо видны обитатели домов, которые готовили еду или смотрели телевизор. Джойс почему-то притягивали эти сцены, хотя она и понимала, что изнутри они уже не производят такого впечатления.

Когда она сворачивала на неасфальтированную, всю в лужах дорожку, ведущую к ее собственному дому, то первым делом в глаза бросались те же двери для патио, которыми Йон обрамил ярко освещенный интерьер их жилища — вместе со всем беспорядком. Была видна стремянка, недоделанные кухонные полки, кусок лестницы и доски, освещенные лампочкой (которую Йон всегда оставлял гореть, где бы сам в это время ни работал). Обычно он целый день трудился в сарае, а когда начинало темнеть, отпускал свою ученицу и переходил в дом и там снова принимался за работу. Услышав приближающуюся машину, он на секунду поворачивал голову в сторону Джойс — это было приветствие. Руки у него вечно были заняты, так что помахать ей он не мог. Сидя в машине с выключенными фарами и собирая пакеты с покупками и почтой, Джойс радовалась, что остался последний рывок до двери сквозь эту тьму, ветер и холодный дождь. Она как будто стряхивала с себя длинный рабочий день, беспокойный и суетливый, с бесконечными уроками музыки, которые давала бесчисленным ученикам — то безразличным, то восприимчивым. Все-таки лучше иметь дело только с деревом и трудиться в одиночестве — ученица не в счет, — чем с этими непредсказуемыми юнцами.

Ничего этого она Йону не говорила. Он терпеть не мог разговоров о том, как это солидно, почетно и благородно — работать с деревом. Какое достоинство это придает человеку, какое уважение внушает и так далее.

Он на это отвечал коротко: брехня.

Йон и Джойс познакомились, когда еще учились в школе, в большом промышленном городе в провинции Онтарио. Джойс по коэффициенту интеллекта занимала второе место в классе, а у Йона IQ был самый высокий не только в школе, но и, наверное, во всем городе. Все ожидали, что Джойс станет выдающейся скрипачкой — это еще до того, как она сменила скрипку на виолончель. А из него должен был обязательно получиться один из тех сумасшедших ученых, чьи труды совершенно недоступны умам простых смертных.

Однако уже на первом курсе они вместе бросили университет и сбежали из города. Работали где придется, путешествовали по всему континенту, год прожили на берегу океана в Орегоне и, так и не вернувшись домой, помирились с родителями, для которых оба были как свет в окошке. Времена хиппи уже давно прошли, но родители называли их именно так. Сами молодые люди с этим не согласились бы. Они не принимали наркотиков, одевались вполне обычно, хотя и как придется. Йон никогда не забывал бриться, и Джойс регулярно стригла ему волосы. В конце концов им надоело менять одну низкооплачиваемую работу на другую. И тогда Йон и Джойс одолжили у разочаровавшихся в них родственников сумму, достаточную для того, чтобы можно было начать лучшую жизнь. Йон обучился ремеслу столяра, а Джойс получила диплом, дававший ей право вести уроки музыки в школе.

Работу она нашла в Раф-Ривере. Тогда же был куплен почти за бесценок этот полуразвалившийся дом, и началась новая жизнь. Они разбили сад и познакомились с соседями, причем некоторые оказались самыми настоящими старыми хиппи, которые до сих пор выращивали кое-что в лесной глуши, делали на продажу бусы и продавали пакетики с сушеными травами.

Йона соседи полюбили. Он оставался по-прежнему худощавым, бодрым и, хотя и обладал большим самомнением, был всегда готов выслушать другого. Тогда для многих компьютеры были в новинку, а Йон в них хорошо разбирался и умел терпеливо разъяснять. Джойс любили меньше. Считалось, что она подходит к обучению музыке как-то формально, без души.

Джойс и Йон обычно вместе готовили ужин, выпивая между делом немного домашнего вина (Йон всегда следовал одному и тому же рецепту, не допуская отклонений, получалось хорошо). Джойс рассказывала о всех неприятностях или забавных происшествиях этого дня. А Йон помалкивал и больше занимался готовкой. Но когда приступали к еде, то и он, случалось, тоже рассказывал о каком-нибудь заказчике или о своей ученице Эди. Они посмеивались над ее словечками, но без злобы: Джойс иногда приходило в голову, что Эди заменяет им домашнее животное. Или ребенка. Только если бы Эди была их дочерью и выросла такой, то забот оказалось бы куда больше, а веселья меньше.

Интересно почему? И какой такой она выросла? Глупой Эди точно не была. Йон говорил, что в плотницком деле она, конечно, не гений, но вполне обучаема и хорошо запоминает все, чему ее учат. И еще у Эди имелась важная для Йона черта: она не была болтлива. Когда им предложили взять ученицу, он больше всего боялся, что та его заболтает. Это была новая социальная программа: берешь ученика, и тебе, как наставнику, платят определенную сумму за преподавание, а ученик получает на все время обучения стипендию, достаточную для проживания. Сначала Йон хотел отказаться, но Джойс его уговорила. Она полагала, что это их долг перед обществом.

Эди говорила мало, но уж если говорила, то слова ее звучали сильно.

— Наркоты не принимаю, алкоголя тоже, — объявила она во время первой встречи с ними. — Посещаю собрания анонимных алкоголиков. Я выздоравливающая алкоголичка. «Выздоровевшая» у нас не говорят, потому что мы никогда не выздоравливаем. Пока жив, не зарекайся. Есть дочка девяти лет, родилась без отца, значит, полностью на мне, и я собираюсь поставить ее на ноги. Значит, моя цель — научиться работать по дереву, чтобы зарабатывать на себя и на ребенка.

Говоря это, она смотрела им прямо в глаза — то Йону, то Джойс, — сидя напротив них за кухонным столом. И ни по возрасту, ни по внешнему виду этой низкорослой, коренастой девахи никак нельзя было сказать, что у нее в прошлом длинная беспутная жизнь. Широкие плечи, густая челка, волосы собраны сзади в хвост. И ни малейшего намека на улыбку.

— Да, вот еще что, — сказала она.

Эди расстегнула и сняла свою блузку с длинными рукавами, под которой оказалась майка. Руки, грудь и — она повернулась — спина были покрыты татуировками. Ее кожа напоминала не то узорчатую ткань, не то комиксы со зловеще ухмыляющимися физиономиями в окружении драконов, китов, вспышек пламени, — рисунок был до того запутанным, что разобраться в нем, казалось, невозможно, и до того жутким, что разбираться и не хотелось.

Хотелось только спросить, все ли ее тело разукрашено таким же образом.

— Удивительное дело, — произнесла Джойс, стараясь говорить как можно ровнее.

— Ну, не знаю, удивительное или нет, но стоило бы кучу денег, если бы мне пришлось за это платить, — ответила Эди. — Вот, значит, чем я занималась в свое время. Я почему это показываю: некоторым такие дела не нравятся. Ну а вдруг мне там, в сарае, станет жарко и захочется поработать в одной майке?

— Мы не такие, — заверила ее Джойс, а сама поглядела на Йона.

Он только пожал плечами.

Джойс предложила Эди чашечку кофе.

— Да нет, спасибо, — ответила та, надевая блузку. — У нас в «Анонимных алкоголиках» многие теперь жить не могут без кофе. А я им говорю: зачем менять одну заразу на другую?

— Удивительная девушка, — говорила Джойс мужу позднее. — О чем с ней ни заговори, тут же прочтет лекцию. Жаль, я не решилась спросить о непорочном зачатии.

— Она сильная, — ответил Йон. — Это главное. Я поглядел на ее руки.

Слово «сильный» Йон всегда употреблял в прямом смысле. Он имел в виду, что Эди способна поднять бревно.

Работая, Йон слушал Си-би-си — музыку, но также и новости, аналитику, разговоры ведущих со слушателями. Иногда он пересказывал жене реакцию Эди на то, что они слушали вместе.

Эди не верила в эволюцию.

(Существовала программа на эту тему, иногда на радио дозванивались противники преподавания теории эволюции в школе.)

Почему же?

— А потому что в этих библейских странах, — заговорил Йон, искусно подражая монотонному голосу Эди, — в библейских странах полным-полно обезьян. И эти обезьяны покачаются-покачаются на ветках, а потом слезут. Вот люди там и решили, что обезьяны слезли с деревьев и стали людьми.

— Ну, вообще-то... — начала Джойс.

— Ну-ну, даже не пытайся. Ты что, забыла первое правило о том, как спорить с Эди? Даже не пытайся и молчи.

Эди верила также, что крупные медицинские компании открыли лекарство от рака, но вступили в сговор с врачами: держат его в секрете, чтобы те и другие могли побольше заработать.

Когда по радио передавали «Оду к радости», она заставила Йона выключить звук, потому что мелодия показалась ей жуткой — «как на похоронах».

И еще она сказала, что Йон и Джойс — на самом деле это относилось только к Джойс — не должны оставлять бутылки с вином на кухонном столе, на виду.

— А ей какое дело? — удивилась Джойс.

— Значит, считает, что есть дело.

— Да когда она вообще успела изучить наш кухонный стол?

— Она проходит мимо него в туалет. Не может же она писать в кустах.

— Но я правда не понимаю, какое ей…

— Еще она иногда заходит на кухню, чтобы сделать нам пару сэндвичей…

— Вот как? На мою кухню? На нашу?

— Послушай, речь идет только о том, что она опасается выпивки. Она все еще очень уязвима в этом смысле. Нам с тобой этого не понять.

Опасается. Выпивки. Уязвима.

Разве это слова Йона?

Джойс должна была в этот момент все понять, даже если Йон сам еще ничего не понимал. Он влюблялся.

Влюблялся. Это слово предполагает какой-то период времени, который надо прожить. Но бывает, что это происходит стремительно. Какая-то доля секунды — и ты сражен. Сейчас Йон еще не влюблен в Эди. Тик-так. А сейчас уже влюблен. Удар судьбы, делающий из человека калеку, злая шутка, которая превращает зрячего в слепца.

Джойс попробовала убедить Йона, что он ошибается. У него ведь не было почти никакого опыта общения с женщинами. Да вообще никакого, кроме ее самой. Они всегда считали, что эксперименты с разными партнерами — ребячество, а супружеская измена — дело грязное и разрушительное. И теперь она думала: а не лучше ли было дать ему наиграться в это побольше?

Он провел всю эту темную зиму запертым в мастерской, совершенно открытый флюидам самоуверенности, исходящим от Эди. Конечно, в таких условиях заболеешь — как при плохой вентиляции.

Эди свела его с ума, раз он принял все это всерьез.

— Ну да, я об этом думал, — ответил он. — Может, и правда свела.

Джойс заявила, что это дурацкий подростковый разговор, ему надо просто избавиться от наваждения. Нельзя быть таким беспомощным.

— Кем ты себя возомнил? Рыцарем Круглого стола? Кто-то подлил тебе любовного зелья?

Потом извинилась за свои слова. Все, что остается, — сказала она, — это отнестись к случившемуся как к общей проблеме. Очень опасной, ставящей на край пропасти. Но надо ее решить, и тогда она окажется всего лишь мелкой заминкой в истории их брака.

— Мы с тобой все преодолеем, — сказала она.

Йон посмотрел на нее как-то отстраненно. Взгляд его был даже добрым.

— Нет больше никакого «мы с тобой», — ответил он.

Как же это могло случиться? — спрашивала Джойс и Йона, и саму себя, и других. Тяжело ступающая, туго соображающая ученица столяра, которая летом одевалась в мешковатые штаны и фланелевую рубашку, а зимой в грубый свитер с прилипшими стружками. Своим умом способная только переходить от одного идиотского клише к другому и объявлять каждый свой вывод непреложным законом жизни. И такая особа затмила Джойс — с ее длинными ногами, тонкой талией и заплетенными в косу длинными шелковистыми волосами? Затмила ее остроумие, ее музыку, ее второе в классе IQ?

— Я вам скажу, в чем дело, — сказала Джойс.

Разговор происходил уже гораздо позже, когда дни стали длиннее и в канавах у дорог появились звездочки болотных лилий. Она ездила на уроки музыки, надев темные очки, чтобы скрыть глаза, опухшие от слез и выпивки. А после работы ехала не домой, а в Виллингдонский парк: Джойс надеялась, что Йон испугается, как бы она не покончила с собой, и отправится ее искать. (Один раз он приехал, но только один раз.)

— Дело в том, что она была шлюхой, — продолжала Джойс. — Проститутки делают наколки, чтобы мужчины сильнее возбуждались. И дело тут не только в самих наколках, хотя и в них, конечно, тоже, а в самом факте, что эти женщины продаются. В доступности и опыте. А теперь она, видишь ли, покаялась. Гребаная Мария Магдалина. А он-то — сущий младенец в этих делах, тошно смотреть!

Теперь у нее появились подруги, охотно ее слушавшие и сами находившие что рассказать. Некоторых она знала и раньше, но совсем с другой стороны. Они откровенничают, пьют, смеются, а потом начинают плакать. Восклицают: «Ну кто бы мог подумать!» Мужчины. Вот они каковы. Так глупо, так безобразно. Ну кто бы мог подумать!

Никто бы не подумал. Но это правда.

В середине подобного разговора Джойс успокаивается. Действительно успокаивается. Говорит, что у нее бывают минуты, когда она даже благодарна Йону, потому что чувствует себя теперь гораздо живее, чем раньше. Все ужасно, но все и прекрасно. Надо начинать сначала. Неприкрытая правда жизни.

Проснувшись в три или четыре часа ночи, Джойс не может понять, где находится. Она больше не у себя, не в их с Йоном доме. Там теперь живет Эди. Эди со своей дочкой и Йон. Джойс сама предпочла уехать — думала, это приведет Йона в чувство. Она переехала в городскую квартиру одной учительницы, взявшей годичный отпуск. Джойс просыпалась среди ночи и смотрела, как вспыхивают розовые огни ресторана напротив, освещая мексиканские сувениры, которые собирала хозяйка квартиры. Горшки с кактусами, свисающие на веревочках светоотражатели, одеяла с полосками цвета засохшей крови. И все ее пьяные озарения, все возбуждение выходили из нее, как рвота. Оставалось только похмелье. Похоже, она способна выпить целое море алкоголя и все равно проснуться ночью трезвой как стекло.

Жизнь закончилась. Произошла самая банальная катастрофа.

На самом деле Джойс была все еще пьяна и только чувствовала себя трезвой. Поэтому возникала опасность, что она сядет в машину и отправится домой. Опасность заключалась не в том, что она въедет в канаву, — ездила Джойс в таком состоянии очень медленно и уравновешенно, — а в том, что поставит машину во дворе, под темными окнами, и начнет кричать Йону, что пора все это прекратить.

Прекрати это! Это неправильно! Скажи ей, чтобы убиралась!

Вспомни, как мы заснули в поле, а проснувшись, увидели, что вокруг нас пасутся коровы, и не могли решить, видели мы их там накануне вечером или нет. Вспомни, как умывались в ледяном ручье. Как собирали грибы на острове Ванкувер, а потом полетели в Онтарио и продали их там, чтобы возместить расходы на поездку. Прилетели, потому что твоя мать заболела и мы решили, что она умирает. И говорили: забавно получилось, мы даже не наркоманы, мы и грибами торгуем только из любви к родителям.

Показалось солнце, цветастые мексиканские вещицы стали ярче. Джойс, полежав еще немного, поднялась, умылась, подкрасила щеки румянами и выпила кофе: заварила его крепким, как кровь, и немного пролила на новую одежду. Она недавно накупила себе новых цветных блузок и юбок, а также сережек, украшенных разноцветными перьями. Ходила в школу преподавать музыку, а сама выглядела как цыганская танцовщица или официантка в коктейль-баре. Смеялась любой шутке и со всеми кокетничала. С поваром, который готовил завтраки в забегаловке внизу, с мальчишкой на бензоколонке, с почтовым служащим, продававшим ей марки. Она втайне надеялась, что Йон услышит, как она замечательно выглядит, какая она счастливая и сексапильная, как она сражает наповал всех встречных мужчин. Выходя из квартиры, Джойс представляла себя актрисой на сцене, а Йона — самым главным, хотя и не новым зрителем. При этом она прекрасно знала, что Йона никогда особенно не привлекала яркая внешность и кокетство и в ней он ценил вовсе не это. Когда они путешествовали, гардероб был общий: шерстяные носки, джинсы, темные рубашки, ветровки.

И еще кое-что изменилось в поведении Джойс.

Теперь, когда она разговаривала даже с совсем маленькими или совсем бесталанными учениками, она принимала ласковый тон, шаловливо смеялась, стремилась воодушевить. Она готовила их к концерту, которым завершался учебный год. Раньше это представление ее особенно не занимало: ей казалось, что оно даже мешает прогрессу способных ребят, ставит перед ними задачу, к решению которой они еще не готовы. Все эти усилия сыграть получше их только дезориентировали, отвлекали от главного. Но теперь она вникала во все подробности подготовки концерта. Программа, освещение, конферанс и, разумеется, само исполнение. Все должно быть весело! — провозглашала она. Должно быть весело и исполнителям, и слушателям.

Разумеется, она рассчитывала, что Йон посетит концерт. Дочь Эди принимала в нем участие, и значит Эди обязательно приедет. А Йон будет ее сопровождать.

Первое появление Йона и Эди в городе в качестве супружеской пары. Их выход в свет. Нет, они от этого не смогут отказаться. Правда, в здешних краях такие резкие повороты в семейной жизни тоже случаются, особенно среди тех, кто живет в южных районах города. И хотя Йон и Эди не уникальны и все обошлось без скандала, это еще не значит, что на них никто не обратил внимания. Одно время ими в городе очень интересовались, пока все не устаканилось и народ не привык к этому новому союзу. А когда попривыкли, то стали при встрече здороваться и даже болтать с теми, кого еще недавно порицали.

Но Джойс готовила себе на этом концерте особую роль, которую должны были оценить Йон и Эди — ну, на самом деле только Йон.

На что она рассчитывала? Бог знает. Вряд ли, будучи в здравом уме, она думала, что Йон впечатлится и одумается в тот самый момент, когда она выйдет навстречу овациям всего зала. Вряд ли надеялась, что он откажется от своей дури, когда увидит ее счастливой, нарядной и талантливой, а не хнычущей и одержимой мыслями о самоубийстве. Но что-то вроде того — какая-то смутная, почти безотчетная надежда теплилась в ее сознании.

Концерт оказался лучшим за многие годы, это все признали. Он прошел куда живее и ярче, чем прежде. Было больше веселости, больше энергии. Детей одели в соответствии с музыкой, которую они исполняли. И грим хорошо скрывал их страх перед выступлением.

Джойс вышла на поклоны в самом конце. На ней была длинная черная юбка, отливавшая серебряными блестками при каждом движении, серебряные браслеты, и в волосах тоже светились блестки. Раздалось несколько свистков, но они потонули в овации.

А Йон и Эди на концерт не пришли.

II

Джойс и Мэтт устраивают вечеринку в своем доме в Норт-Ванкувере. Сегодня Мэтту исполняется 65 лет. Он нейропсихолог, а также неплохой скрипач-любитель.

Благодаря этому увлечению он и встретил Джойс (она теперь профессиональная виолончелистка и его третья жена).

— Ты только посмотри на гостей, — говорит ему Джойс. — Тут же вся твоя биография.

Она — стройная, энергичная женщина, с копной пепельных волос. Немножко сутулится — возможно, потому, что ей приходится все время нянчиться с виолончелью, а может, оттого, что она старается внимательно слушать людей и охотно вступает в диалог.

Разумеется, съехались коллеги Мэтта по университету — те из них, кого он считает своими друзьями. Человек он благородный, но весьма прямолинейный, и потому в категорию друзей попадают не все коллеги. Здесь же присутствует его первая жена Салли в сопровождении сиделки, которая за ней постоянно ухаживает. Салли получила серьезную травму головы в возрасте 29 лет; ее мозг поврежден, и она вряд ли узнает Мэтта и трех своих взрослых сыновей, а также и дом, в котором когда-то была молодой хозяйкой. Но доброжелательность ее не покинула, и она радостно приветствует гостей, даже если уже здоровалась с ними всего четверть часа назад. Сиделка — опрятная маленькая женщина родом из Новой Шотландии. Она часто сообщает окружающим, что не привыкла к шумным вечеринкам вроде этой и что на работе она не пьет.

Дорис, вторая жена Мэтта, прожила с ним меньше года, хотя официально их брак продлился целых три. Она пришла со своей молоденькой подружкой Луизой и с их ребенком, которого Луиза родила всего несколько месяцев назад. Дорис в хороших отношениях с Мэттом и особенно с младшим сыном Мэтта и Салли — Томми: она с ним нянчилась, когда была замужем за Мэттом. Два старших сына Мэтта привели своих детей и их мам, хотя одна из этих мам уже развелась с отцом ребенка, и потому этот отец пришел в сопровождении своей новой партнерши и ее сына, а этот сын тут же подрался с одним из родных сыновей своего отчима из-за того, кому первому качаться на качелях.

Томми впервые привел сюда Джея, своего нового любовника, который за весь вечер не сказал ни слова. Томми объяснил Джойс, что Джей чувствует себя неуютно в семейной обстановке.

— Я его понимаю, — смеется Джойс. — Было время, когда я чувствовала себя точно так же.

Ее разбирает смех, когда приходится объяснять, кто есть кто среди прямых и побочных членов этого большого семейства, которое Мэтт называет кланом. У нее самой детей нет, но есть бывший муж Йон. Он живет севернее на побережье, в фабричном городке, пришедшем сейчас в полный упадок. Она приглашала его на юбилей Мэтта, но он не смог приехать. Как раз на сегодня назначены крестины внука третьей жены Йона. Разумеется, Джойс приглашала и его жену: ее зовут Шарлин, и она держит булочную. Шарлин прислала в ответ милое письмо насчет крестин. Прочитав его, Джойс заметила Мэтту, что ей как-то не верится в то, что Йон стал верующим.

— Жалко, что они не смогли приехать, — говорит она в заключение соседке. (Соседей тоже пригласили, чтобы те не возмущались шумом.) — А то бы и я внесла свой вклад во всю эту путаницу. У Йона была еще вторая жена, но я понятия не имею, куда она делась, да и он, кажется, тоже не знает.

Столы ломятся от еды, которую приготовили Мэтт и Джойс и привезли с собой гости. Хватает и вина, и фруктового пунша для детей, и настоящего пунша, который сварил по такому случаю Мэтт — в память о добром старом времени, как он выразился, когда люди еще умели выпить. По его словам, пунш надо было сварить в дочиста вымытом мусорном ведре — так было принято раньше, — но теперь все стали такие привередливые, что не станут пить. Надо сказать, бо́льшая часть молодежи к пуншу даже не притронулась.

Вокруг дома просторные лужайки. Есть крокет, если кто-то хочет поиграть, и качели, из-за которых подрались дети. Эти качели стояли тут еще в детские годы самого Мэтта, а сегодня он вытащил их из гаража. Дети теперь настоящие качели видят исключительно в парках, а дома — только пластиковые, игрушечные, которые ставят на заднем дворе. Мэтт определенно один из последних жителей Ванкувера, сохранивший свои детские качели и к тому же живущий в том самом доме, где он вырос, — на Виндзор-роуд, на склоне Тетеревиной горы, где раньше начинался лес. Теперь дома взбираются все выше на гору, и к каждому замку обычно прилагается еще и здоровенный гараж. Но скоро жилье тут исчезнет, считает Мэтт. Налоги чудовищные. Жилье исчезнет, а на его месте построят какую-нибудь мерзость.

Джойс не представляет, как они с Мэттом смогут жить где-нибудь в другом месте. Здесь всегда происходит так много интересного. Люди приезжают и уезжают, оставляют свои вещи, потом забирают (с детьми тоже так случается). В воскресенье после полудня Мэтт репетирует у себя в кабинете со струнным квартетом, по вечерам в тот же день в гостиной собирается общество унитарианцев, а на кухне строят планы на будущее члены партии зеленых. На лужайке перед домом репетируют члены кружка любителей чтения с применением игрового метода, а в беседке — участники «документального театра», причем присутствие Джойс требуется в обоих местах. Мэтт с коллегами из университета вырабатывает стратегию дальнейших действий в кабинете за закрытыми дверями.

Так что Джойс часто замечает, что они с Мэттом остаются наедине только в постели.

И тогда он говорит: надо почитать что-нибудь серьезное.

В то время как она читает что-нибудь несерьезное.

Ну ничего. Зато в нем есть витальность, любовь к жизни, которая так ей нужна. Даже в университете, когда он занимается со старшекурсниками и соавторами — потенциальными врагами и клеветниками, — он движется так, словно захвачен вихрем. Когда-то это все казалось ей очень интересным. Скорее всего, и сейчас показалось бы таким, если бы у нее нашлось время взглянуть на свою жизнь со стороны. Она позавидовала бы сама себе. И люди наверняка ей завидуют или, уж точно, восхищаются: она так подходит своему мужу, ее друзья, занятия, увлечения и, конечно, карьера — все это так органично для их союза. Трудно поверить, что, приехав в Ванкувер, она чувствовала себя так одиноко, что согласилась встречаться с парнишкой, который работал в прачечной и был на десять лет моложе ее. А потом он ее бросил.

Сейчас Джойс идет по газону к старой миссис Фаулер — матери Дорис (второй жены и поздно осознавшей свою ориентацию лесбиянки) — и несет на руке покрывало. Миссис Фаулер плохо переносит солнечный свет, а в тени ее начинает бить озноб. В другой руке Джойс держит бокал только что приготовленного лимонного сока с водой для миссис Гован — той сиделки, которая сопровождает Салли и потому находится сейчас на работе. Миссис Гован нашла детский фруктовый пунш слишком сладким. Салли она ничего пить не разрешает: та может забрызгать свое красивое платье или, разыгравшись, кинуть бокал в кого-нибудь из гостей. Салли, похоже, не замечает такой дискриминации.

Проходя по лужайке, Джойс огибает группу молодых людей, усевшихся в кружок. Здесь Томми со своим новым другом, а также другие ребята: некоторые из них часто бывают у них в доме, а других она, кажется, раньше не видела.

Она слышит, как Томми говорит:

— Нет, я не Айседора Дункан.

Все смеются.

Должно быть, играют в ту сложную игру, которая была популярна много лет назад, — по жестам угадать фамилию. Джойс не помнит, как она называется. Наверное, Томми загадал фамилию, которая начинается на «б». А она-то думала, что теперь молодежь такая демократичная и не станет заниматься такими снобистскими играми.

Букстехуде! Она сказала это вслух:

— Букстехуде.

— Ну, букву «б» ты угадала правильно, — хохочет Томми, и другие присоединяются к нему.

— Ну-ну, хватит, — останавливает он их, — моя *belle mère*[1] вовсе не глухая. Просто она музыкантша. Ведь этот Букстахуди был музыкантом?

— Букстехуде прошел пешком пятьдесят миль, чтобы послушать, как Бах играет на органе, — отвечает Джойс с некоторым раздражением. — Да, он был музыкантом.

— Надо же! — качает головой Томми.

Одна из девушек встает и выходит из круга.

— Эй, Кристи! — зовет ее Томми. — Кристи! Ты что, больше не играешь?

— Я сейчас вернусь. Только покурю в кустах, а то ведь тут нельзя.

На девушке короткое черное платье с оборками, напоминающее комбинацию или ночную рубашку, и строгий, хотя и декольтированный черный пиджачок. Светлые волосы растрепаны, черты лица какие-то неуловимые, брови не видны. Она не нравится Джойс с первого взгляда. Из тех девиц, думает она, чья главная цель в жизни — мешать людям спокойно жить. Таскается за другими. Джойс решает, что эта девушка обязательно ходит за знакомыми по пятам, является в гости к незнакомым людям и считает себя вправе их презирать. За их веселость (значит, не-

---

[1] Мачеха *(фр.).*

серьезность) и за их буржуазное гостеприимство (интересно, сейчас кто-нибудь еще использует слово «буржуазный»?).

Никто не запрещает гостям курить где им вздумается. Тут нет этих дурацких наклеек с перечеркнутой сигаретой — нигде, даже в доме. Джойс чувствует, что ее хорошее настроение куда-то испарилось.

— Томми, — говорит она вдруг. — Томми, будь добр, отнеси это покрывало бабушке Фаулер. Ей, должно быть, холодно. А лимонад — миссис Гован. Знаешь ее? Та, что заботится о твоей матери.

В таком напоминании о семейных связях и обязанностях нет ничего оскорбительного.

Томми быстро и грациозно вскакивает на ноги.

— Я загадал Боттичелли, — говорит он, забирая у нее покрывало и бокал.

— Извини. Я не хотела испортить вам игру.

— Да ничего, мы все равно не годимся в нее играть, — говорит парень, которого она знает, Джастин. — Мы не такие образованные, как были вы в свое время.

— Были, да, — отвечает Джойс. Секунду она стоит, словно потерянная, не зная, что дальше делать, куда идти.

Они моют тарелки на кухне. Джойс, Томми и его новый друг Джей. Вечер окончен. Гости разъехались, позади все поцелуи, объятия и восклицания. Кое-кто увез с собой большие тарелки с едой, для которых у Джойс не хватило места в холодильнике. Подсохшие салаты, пирожные с кремом, яйца, печенные в пряностях, — все это теперь выбрасывается. Печеных яиц почти никто и не попробовал. Старомодно. Слишком много холестерина.

— Жаль, столько труда на них ушло! — говорит Джойс, вываливая почти полное блюдо в мусорное ведро. — Наверное, они напомнили гостям церковные ужины.

— Моя бабушка такие делала, — подает голос Джей.

Это первая фраза, которую он адресует Джойс, и она видит, что Томми благодарно улыбается. Она отвечает улыбкой, хотя ее только что приравняли к бабушке.

— Мы их попробовали, нам понравилось, — говорит Томми.

Они с Джеем работают рядом с ней уже не менее получаса: собирают бокалы, тарелки и столовые приборы на веранде, по всему дому и по всей лужайке. Находят их даже в цветочных горшках и под подушками на диванах.

Мальчики — мысленно она называет их мальчиками — заполняют посудомоечную машину гораздо лучше, чем получилось бы у нее самой в ее теперешнем измотанном состоянии. Готовясь мыть бокалы, они наливают в одну раковину горячую воду с мылом, а в другую — холодную для ополаскивания.

— Бокалы тоже можно поставить в машину со следующей загрузкой, — предлагает Джойс, но Томми решительно мотает головой.

— Ты бы ни за что такого не сказала в нормальном состоянии, — говорит он. — У тебя от усталости ум зашел за разум.

Джей моет бокалы, Джойс вытирает их, а Томми расставляет по местам. Он до сих пор помнит, где что должно находиться в этом доме. На улице Мэтт энергично спорит о чем-то с коллегой по кафедре. Судя по всему, он совсем не так пьян, как можно было подумать при расставании с гостями, когда он лез ко всем обниматься и никак не мог распрощаться.

— У меня, наверно, и правда ум зашел за разум, — говорит Джойс. — Хочется перебить все эти бокалы и купить пластмассовые.

— Послевечеринковый синдром, — констатирует Томми. — Это мы проходили.

— А что за девушка в черном платье? — спрашивает Джойс. — Та, что отказалась играть.

— Кристи? Это, должно быть, Кристи. Кристи О’Делл. Жена Джастина, но фамилия у нее не по мужу. Ты же знакома с Джастином.

— Разумеется. Только я не знала, что он женат.

— Ах, боже мой, как они все выросли! — дразнится Томми. — Джастину тридцать лет, — добавляет он. — А ей, наверно, еще больше.

— Точно больше, — подтверждает Джей.

— Она интересная девушка, — говорит Джойс. — А чем занимается?

— Писательница. У нее по жизни все тип-топ.

Джей, склонившийся над раковиной, хмыкает.

— Правда, она не слишком приветливая, держится особняком, — продолжает Томми, обращаясь к Джею. — Правильно я говорю? Ты согласен?

— Думает, что она очень крутая, — внятно произносит Джей.

— Ну, она только что выпустила первую книжку, — говорит Томми. — Забыл, как называется. Название типа «Как сделать то-то и то-то», точно не помню. Когда выпускаешь первую книгу, какое-то время считаешь себя крутым.

Через несколько дней Джойс проходит мимо книжного магазина в Лонгсдейле и видит лицо девушки на рекламном постере. Там же значится ее имя: Кристи О’Делл. Она сфотографирована в черной шляпе и в том самом черном пиджачке, в котором была у них на вечеринке. Пиджак сшит в ателье, строгий, но сверху слишком открытый. Хотя ей там сверху практически нечего показывать. Кристи смотрит прямо в камеру, взгляд хмурый, обиженный, отстраненный и словно бы обвиняющий.

Встречала ли Джойс ее раньше? Ну да, конечно, на вечеринке. Тогда Джойс ни с того ни с сего почувствовала неприязнь, и ей показалось, что она видела это лицо раньше.

Может, ученица? У нее раньше было столько учениц!

Джойс заходит в магазин и покупает книгу. «Как нам жить». Без знака вопроса. Продавщица говорит:

— Приходите сюда с этой книгой в пятницу с двух до четырех, автор вам ее подпишет. Только не срывайте золотую наклеечку — это знак, что вы купили ее у нас.

Джойс никогда не понимала, зачем людям нужно стоять в очереди, а потом, лишь мельком увидев автора, брать автограф у незнакомого человека. Поэтому она бормочет в ответ что-то вежливо-невнятное — ни да ни нет.

Она пока даже не решила, будет читать эту книгу или нет. Ее и так дожидается пара отличных биографий, которые уж точно интереснее, чем это.

«Как нам жить» не роман, а сборник рассказов. Уже одно это разочаровывает. Сразу снижает ценность книги. Автор сборника рассказов выглядит человеком, которого не пускают в Большую Литературу, и он только околачивается у ворот.

Несмотря на все эти мысли, перед сном Джойс берет книгу с собой в постель и покорно открывает содержание. Ее внимание привлекает название одного рассказа, где-то в середине:

«Kindertotenlieder»[1].

Малер. Знакомая тема. Ободренная, она открывает начало рассказа. Кто-то, может быть сам автор, счел нужным дать перевод:

«Песни о смерти детей».

Мэтт, который лежит рядом с ней и тоже читает, фыркает.

Она понимает: ему не понравилось что-то из прочитанного, и он хотел бы, чтобы она спросила его об этом. Она спрашивает.

— Господи, да это же идиот!

---

[1] «Песни о смерти детей» (*нем.*).

Джойс кладет «Как нам жить» на одеяло обложкой кверху и произносит: «Ну», давая понять, что слушает.

На спинке обложки помещена фотография автора, похожая на уже виденную, но без шляпы. Кристи по-прежнему не улыбается, выглядит угрюмо, но не так претенциозно. Пока Мэтт говорит, Джойс поднимает колени так, чтобы книга оказалась перед глазами, и читает несколько предложений из аннотации:

Кристи О'Делл выросла в Раф-Ривере, маленьком городке на побережье Британской Колумбии. Окончила литературное отделение Университета Британской Колумбии. Живет в Ванкувере со своим мужем Джастином и котом Тиберием.

Объяснив наконец, в чем состоит идиотизм того, что он читает, Мэтт поднимает глаза на ее книгу и говорит:

— Да ведь эта девица была у нас на вечеринке.

— Та самая. Ее зовут Кристи О'Делл. Жена Джастина.

— Значит, она написала книгу? Документальную или художественную?

— Художественную. Вымысел.

— Понятно.

Мэтт снова принимается за чтение, но тут же снова спрашивает, не без нотки раскаяния:

— Ну и как?

— Пока не знаю.

«Она жила с матерью, — начинает читать Джойс, — в доме, стоявшем между горами и морем...»

От этих слов ей становится как-то не по себе, продолжать почему-то не хочется. Или так: не хочется продолжать, когда рядом лежит Мэтт. Джойс закрывает книгу и говорит:

— Я спущусь ненадолго вниз.

— Тебе свет мешает? Я уже тушу.

— Да нет. Просто чая захотелось. Скоро вернусь.

— А я, наверное, уже засну.

— Тогда спокойной ночи.

— Спокойной ночи.

Она целует мужа и уходит, прихватив книгу.

Она жила с матерью в доме, стоявшем между горами и морем. А до этого она жила у миссис Ноланд, которая на время брала к себе детей, оставшихся без родителей. Число питомцев все время менялось, но их всегда было много. Малыши спали в большой кровати, стоявшей посреди комнаты, а дети постарше — в отдельных кроватках, приставленных к этой кровати вплотную с обеих сторон, чтобы маленькие не скатывались. Утром всех будил звонок. Миссис Ноланд появлялась в дверях и жала на кнопку. До следующего звонка надо было успеть пописать, умыться, одеться, чтобы идти на завтрак. Старшие должны были помочь маленьким застелить кровать. Иногда оказывалось, что малыши намочили ночью постель, потому что не успели выбраться оттуда. Кое-кто из старших доносил об этом миссис Ноланд, но были и ребята подобрее — они просто расправляли простыни и оставляли их сушиться. К вечеру, когда приходилось снова залезать в кровать, простыни высыхали еще не до конца. Вот главное, что она помнила про жизнь у миссис Ноланд.

Потом ее отправили жить с матерью, и та таскала ее каждый вечер на собрания анонимных алкоголиков. Мать брала ее с собой, потому что посидеть с девочкой было некому. У анонимных алкоголиков имелась для детей коробка с «Лего», но ей этот конструктор не очень нравился. Когда она начала учиться музыке в школе, то носила с собой детскую скрипочку. Играть на ней на собраниях было, конечно, нельзя, и она просто сидела, не выпуская скрипочку из рук, потому что та напоминала о школе. А если собравшиеся говорили очень громко, то можно было и чуть поиграть — тихо-тихо.

Уроки игры на скрипке давали в школе. Если кто-то вообще не хотел играть на инструменте, ему вручали музыкальный треугольник, но учительнице больше нравились те, кто брался за что-то посерьезнее. Учительница была высокой шатенкой, волосы она заплетала в длинную косу. От нее даже пахло не так, как от других учителей. Те пользовались духами или одеколоном, а она никогда. От нее пахло древесиной, дровяной печью, деревьями. Позднее девочка решит, что это запах кедровых стружек. Когда мать станет ходить на работу к мужу учительницы, то будет пахнуть очень похоже, но все-таки не совсем так. Мать пахла просто древесиной, а учительница — деревом и музыкой.

Особо талантливой девочка не была, но занималась усердно. И не оттого, что любила музыку, а оттого, что любила учительницу.

Джойс кладет книгу на кухонный стол и снова смотрит на фотографию писательницы. Напоминает ли она хоть чем-то Эди? Нет. Ничего общего ни в чертах, ни в выражении лица.

Джойс достает из буфета бутылку бренди и подливает немного в чай. Пытается припомнить имя дочери Эди. Только не Кристи. Не вспоминается ни одного случая, когда бы Эди привела дочь к ним в дом. А в школе было несколько девочек, учившихся играть на скрипке.

Вряд ли ученица была совсем бесталанной, иначе Джойс дала бы ей играть на менее сложном инструменте. Но вряд ли она была и одаренной — иначе ее имя сохранилось бы в памяти. Значит, правильно сказано в книге — «не была особо талантливой».

Пятно вместо лица. Что-то детски бесформенное. Ни одной знакомой черты, которую Джойс смогла бы узнать и в лице взрослой женщины.

Может, она приезжала к ним в дом по субботам, когда Эди бралась помогать Йону в выходной? В такие дни Эди вдруг становилась чуть ли не гостьей — она не работала, но смотрела, как идут дела, и в случае чего была готова помочь. Усаживалась и глазела на то, чем занимался Йон, и встревала в его разговоры с Джойс — и это в драгоценный выходной день.

Кристина! Ну конечно. Вот как ее звали. Легко переделать в Кристи.

Кристина, наверное, в какой-то мере была посвящена в их отношения. Йон, скорее всего, заезжал к ним на квартиру точно так же, как Эди заглядывала к ним в дом.

И она наверняка выпытывала у ребенка:

«Нравится тебе Йон?»

«А как тебе его дом?»

«А неплохо бы к нему переехать, как ты считаешь?»

«Мамочка и Йон нравятся друг другу, а когда люди друг другу нравятся, они хотят жить в одном доме. А твоя учительница музыки и Йон не нравятся друг другу так сильно, как мамочка и Йон, и поэтому мамочка с Йоном будут жить в доме у Йона, а твоя учительница музыки переберется куда-нибудь на квартиру».

Нет, это все ерунда: Эди не стала бы так много болтать, надо отдать ей должное.

Джойс кажется, что теперь она может угадать, как будут развиваться события в рассказе. Девочка окончательно запутается в обманах и отношениях взрослых, ее начнут таскать туда-сюда. Но, вновь взявшись за книгу, она обнаруживает, что о перемене места жительства едва упоминается.

Все вращается вокруг любви девочки к учительнице.

Четверг — самый важный день недели, день урока музыки. Окажется он счастливым или несчастливым, зависит от того, как сыграет девочка и что ей скажет учительница. Нет сил ждать. Если учительница постарается говорить помягче, станет шутить, чтобы скрыть свое разочарование, то ученица почувствует себя несчастной. Но вот учительница говорит, беззаботно и весело:

— Отлично, отлично! Сегодня ты на высоте.

И девочка счастлива невероятно, до колик в желудке.

Затем, в один из четвергов, девочка падает, споткнувшись на детской площадке, и сильно расшибает коленку. Учительница промывает ранку теплой мокрой тряпкой и тихо замечает, что надо бы съездить к врачу. А сама берет банку с конфетками «Смартиз», которые держит для поощрения самых маленьких.

— Какую хочешь?

Пораженная девочка отвечает:

— Любую.

Не это ли перемена в их отношениях? Или все дело в том, что уже пришла весна и началась подготовка к выпускному концерту?

Девочка чувствует, что ее выделяют из числа других. Она должна сыграть соло. А это значит, что надо оставаться на репетиции по четвергам после уроков. Она не будет успевать на школьный автобус, который отвозит ее в тот дом, где они с матерью теперь живут.

Ее подвозит учительница. По пути она спрашивает девочку, волнуется ли та из-за предстоящего концерта.

Да, немного.

Ну что же, говорит учительница, когда волнуешься, надо подумать о чем-нибудь хорошем. Представить, как летит птица в небе. Какая птица тебе нравится больше всего?

Опять это «нравится больше всего». Девочка не может сейчас вспомнить ни одной птицы и отвечает: «Ворона».

Учительница смеется:

— Ладно, думай про ворону. Перед тем как начать играть, представь себе ворону.

Потом, видимо почувствовав, что ребенок обижен ее смехом, и чтобы загладить свою вину, учительница предлагает съездить в Виллингдонский парк — проверить, открылся ли там уже летний киоск с мороженым.

— Они же не станут волноваться, если ты немного задержишься?

— Они знают, что я с вами.

Киоск открыт, но выбор пока небольшой: лучших сортов еще не завезли. Девочка выбирает клубничное. Она держится настороженно, несмотря на всю свою радость. Учительница выбирает ванильное — так часто поступают взрослые. Однако при этом шутливо говорит продавцу, чтобы он поскорей заказал ромовое с изюмом, если не хочет растерять всех покупателей.

Может, это еще одна перемена в их отношениях? Послушав, как разговаривает учительница — грубовато, как говорят старшеклассницы, — девочка успокаивается. Она уже не так зажата, хотя по-прежнему чувствует себя счастливой. Они подъезжают к пристани — взглянуть на пришвартованные яхты, и учительница говорит, что ей всегда хотелось жить в плавучем доме. Это было бы так здорово, говорит она, и девочка, разумеется, соглашается. Они решают, какой корабль взяли бы себе, и останавливаются на одном плавучем доме, похоже самодельном, выкрашенном в голубой цвет. В нем множество крошечных окошек, в которых видны горшки с геранью.

Это подталкивает их к разговору о том доме, где теперь живет девочка и где раньше жила учительница. Почему-то по пути они все время возвращаются к этой теме. Девочке нравится, что у нее теперь есть собственная спальня, но не нравится, что снаружи так темно. Иногда ей кажется, что за окном рычат дикие звери.

— Какие еще звери?

— Ну, медведи, пумы. Мама говорит, что они там живут в лесу, и никогда туда не ходит.

— А когда ты их слышишь, ты прячешься у мамы в постели?

— Нет, туда нельзя.

— Господи, да почему же?

— Потому что там Йон.

— А что Йон говорит про пум и медведей?

— Говорит, в лесу только олени ходят.

— А он не рассердился на твою мать за то, что она тебе наговорила?

— Нет.

— А что, он никогда не сердится?

— Как-то раз рассердился. Когда мы с мамой вылили все его вино в раковину.

Учительница говорит: очень жаль, что ты боишься леса. Там можно гулять, и дикие звери тебя не тронут, особенно если шуметь так, как ты обычно шумишь. Она знает там совершенно безопасные дорожки, а также названия всех цветов, которые сейчас распускаются. «Собачий зуб». Триллиум. Арум — он расцветает, когда прилетает малиновка. Фиалки и водосборы. Шоколадные лилии.

— У этих лилий есть настоящее название, но мне больше нравится «шоколадные». Звучит очень вкусно. Но дело, конечно, не во вкусе, а в том, как они выглядят. Точь-в-точь как шоколад, с пурпурными крапинками, словно в нем ягодки. Они редко попадаются, но я знаю, где их искать.

Джойс снова откладывает книгу. Ей кажется, что теперь-то она поняла, к чему все идет: сейчас начнется ужастик. Невинное дитя, ненормальная мерзавка, соблазнение. Можно было раньше догадаться. Очень модно в наше время, почти обязательно. Лес, весенние цветы. Именно в этом месте авторша добавит к взятым из жизни людям и ситуациям уродливую выдумку, потому что ей просто лень придумать что-нибудь более жизненное и менее зловредное.

Хотя какие-то отголоски реальных событий здесь можно уловить. Джойс припоминает совершенно забытые вещи. Она несколько раз отвозила домой Кристину, но никогда даже в мыслях не называла ее Кристиной, только «дочь Эди». Вспоминает, что не могла заставить себя заехать во двор, чтобы развернуться, и всегда высаживала девочку на обочине, а потом ехала еще примерно полмили до места, где можно сделать разворот. Про мороженое Джойс ничего не помнит. А вот плавучий дом, пришвартованный к пристани, точно такой, как описан в рассказе, действительно был. И цветы, и эти ужасные расспросы ребенка исподтишка — все это могло быть в действительности.

Надо продолжать читать. Джойс выпила бы еще бренди, но завтра в девять утра у нее репетиция.

Нет, ничего подобного! Джойс снова ошиблась. Лес и шоколадные лилии исчезают из рассказа, и концерт почти не описан. Просто закончился учебный год. В воскресенье на последней неделе девочка просыпается рано утром. Она слышит во дворе голос учительницы и подбегает к окну. Учительница сидит в машине с опущенным стеклом и разговаривает с Йоном. К ее легковушке прикреплен прицеп, который называют «сам-себе-перевозчик». Йон ходит по двору голый по пояс, в одних джинсах и босиком. Он зовет мать девочки. Та появляется из кухонных дверей, делает несколько шагов, но близко к машине не подходит. На ней рубашка Йона, которую она носит вместо халата. Она всегда носит одежду с длинными рукавами, чтобы скрыть свои татуировки.

Разговор идет о вещах, оставшихся в квартире, которые Йон обещает забрать. Учительница бросает ему ключи. Потом Йон и ее мать начинают наперебой уговаривать ее что-то взять с собой. Однако учительница смеется неприятным смехом и говорит: «Пусть все будет ваше». Йон быстро соглашается: «Ладно. Пока!» Учительница откликается, как эхо: «Пока!» Мать девочки ничего не говорит или говорит так тихо, что ее не слышно. Учительница снова смеется тем же смехом, а Йон объясняет ей, как развернуть машину с прицепом во дворе. Девочка бежит вниз, прямо в пижаме, хотя и знает, что учительница сейчас вряд ли захочет с ней поговорить.

— Ты опоздала, — говорит мать. — Она только что уехала. Спешила на паром.

Слышится автомобильный гудок. Йон поднимает руку. Потом возвращается к дому и говорит матери девочки:

— Вот и все.

Девочка спрашивает, приедет ли учительница к ним еще раз, и он отвечает:

— Вряд ли.

Дальше девочка примерно полстраницы постепенно осознает произошедшее. Став постарше, она припоминает вопросы учительницы, раньше казавшиеся ей случайными. Какие-то сведения — впрочем, совершенно бесполезные — о Йоне (которого она никогда не называла по имени) и о ее матери. А рано они встают по утрам? А что едят? А вместе они готовят? А что слушают по радио? (Ничего, они купили телевизор.)

Чего добивалась учительница? Надеялась услышать дурное? Или просто жаждала узнать хоть что-нибудь, поговорить хоть с кем-то, кто ночует с ними под одной крышей, ест за одним столом, находится поблизости от них?

Ответов на эти вопросы девочка так и не получила. Она поняла только, как мало сама она значила во всей этой истории, как использовали ее обожание и какой дурочкой она была. И это, разумеется, вызывает горечь. И еще пробуждает гордость. Она клянется, что никогда не позволит так поступать с собой.

Однако происходит кое-что еще. Неожиданный поворот в финале. Детская обида на учительницу в один прекрасный день исчезает. Героиня сама не знает почему и когда, но почему-то больше не считает происходившее тогда обманом. Думает о музыке, которая так трудно ей давалась (музыку она, разумеется, бросила еще подростком). Вспоминает счастливое, полное надежд время, внезапные вспышки счастья, забавные и чудесные названия лесных цветов, которые она так и не увидела.

Любовь. Какое счастье, что она ее повстречала. Ей теперь кажется, что есть какая-то случайная и несправедливая экономия чувств, когда величайшее счастье одного человека — пусть недолгое и непрочное — отчего-то должно зависеть от величайшего несчастья другого.

Ну разумеется, — думает Джойс. — Так и есть.

В пятницу к двум часам Джойс отправляется в книжный магазин. Берет с собой книгу, чтобы ее подписать, а также подарочную коробку конфет из «Ле бон шоколатье»[1]. Встает в очередь. Она немного удивлена тем, сколько пришло народу. Есть женщины ее возраста, есть постарше и помоложе. Несколько мужчин — эти все моложе, и некоторые из них явно всего лишь сопровождают своих подруг.

Продавщица узнает Джойс.

— Как здорово, что вы пришли! — восклицает она. — А вы читали рецензию в «Глоуб»? Ничего себе, да?!

Джойс смущена, она даже дрожит. Ей трудно говорить.

Продавщица проходит вдоль очереди, объясняя, что автографы ставятся только на книги, купленные в этом магазине, а также что некий сборник, в котором напечатан рассказ Кристи О'Делл, пока в продажу не поступил, приносим свои извинения.

Перед Джойс стоит высокая и широкоплечая женщина, поэтому она не видит Кристи до тех пор, пока эта покупательница не наклоняется, чтобы положить книгу на столик для автографов. Тогда Джойс видит молодую женщину, не похожую ни на девушку на рекламном постере, ни на гостью у них на вечеринке. Нет ни черного костюма, ни шляпы. Кристи О'Делл одета теперь в пиджак из розово-красного глазета с крошечными золотыми бусинками на лацканах. Под ним тонкий розовый топик.

---

[1] «Добрый шоколадник» (фр.).

Волосы недавно покрашены в золотистый цвет, в ушах золотые сережки, а на шее — золотая цепочка, тонкая, как волосок. Губы поблескивают, как лепестки цветов, а веки покрыты умброй.

Ну а что? Все правильно. Кто захочет покупать книгу, написанную брюзгой или неудачницей?

Джойс не решила заранее, что скажет. Слова придут сами.

К ней снова обращается продавщица:

— Откройте, пожалуйста, книгу на той странице, где хотите получить автограф.

Чтобы сделать это, Джойс приходится поставить на стол коробку. Она чувствует, что у нее ком в горле.

Кристи О'Делл поднимает голову и улыбается ей с гламурной приветливостью и профессиональной непринужденностью:

— Как вас зовут?

— Достаточно имени — Джойс.

Время, ей отведенное, проходит очень быстро.

— Вы родились в Раф-Ривере?

— Нет, — отвечает Кристи О'Делл с некоторым неудовольствием. По крайней мере приветливость ее уменьшается. — Я только жила там какое-то время. Дату поставить?

Джойс берет в руки свою коробку. В «Добром шоколаднике» делают цветы из шоколада, но не лилии. Только розы и тюльпаны. Поэтому она купила тюльпаны, которые на самом деле не сильно отличаются от лилий. В конце концов, и те и другие — луковицы.

— Я хотела бы поблагодарить вас за рассказ «Kindertotenlieder», — произносит Джойс так стремительно, что почти проглатывает длинное слово. — Он очень много значит для меня. Я принесла вам подарок.

— Ах да, да, какой чудесный рассказ! — забирает коробку продавщица. — Он меня просто сразил.

— Вы не беспокойтесь, это не бомба, — говорит Джойс, смеясь. — Это шоколадные лилии. Хотя на самом деле тюльпаны. Лилий не было, пришлось купить тюльпаны, поскольку они больше всего похожи на лилии.

Она замечает, что продавщица уже не улыбается и смотрит на нее исподлобья.

— Спасибо! — говорит Кристи О'Делл.

Ни малейшего признака, что она узнала Джойс. Она просто не знакома ни с той Джойс, жившей много лет назад в Раф-Ривере, ни с этой, у которой была две недели назад на вечеринке. Должно быть, и название собственного рассказа она не узнала. Можно подумать, что Кристи О'Делл не имеет ко всему этому ни малейшего отношения. Словно все прошедшее — кожа, из которой она вывернулась и оставила лежать на траве.

Кристи О'Делл сидит и подписывает свое имя — словно это единственный вид письма, за который она отвечает на свете.

— Было очень приятно поболтать с вами, — говорит продавщица, все еще поглядывая на коробку, которую девушка в «Добром шоколаднике» перевязала закручивающейся серпантином желтой ленточкой.

Кристи О'Делл уже подняла глаза на следующую читательницу, и Джойс наконец понимает, что пора двигаться дальше, пока она не стала объектом всеобщего внимания, а ее коробка, чего доброго, предметом интереса полиции.

Проходя по Лонгсдейл-авеню и поднимаясь в гору, Джойс поначалу чувствует себя раздавленной, но постепенно обретает прежнее спокойствие. Все это может со временем превратиться в забавную историю, которую она когда-нибудь кому-нибудь расскажет. Вполне возможно, а почему бы и нет?

Венлокский кряж

У моей мамы был двоюродный брат-холостяк, который раз в год, летом, приезжал к нам на ферму. Он привозил с собой свою матушку, тетю Нелл Боттс. А его звали Эрни Боттс. Это был высокий румяный мужчина, с добродушной квадратной физиономией, низким лбом и белокурыми волнистыми волосами. Руки и ногти у него были чисты, как мыло, бедра слегка полноваты. Я его дразнила «Эрнст Толстопоп», — в детстве у меня был злой язык.

Но обидеть его я не хотела. Вряд ли хотела. После смерти тети Нелл он перестал приезжать, но присылал поздравительные открытки на Рождество.

Потом я поступила в университет в Лондоне — то есть в Лондоне в провинции Онтарио, где жил Эрни, и тогда он завел обычай раз в две недели по воскресеньям приглашать меня на ужин. Приглашал просто потому, что я была его родственницей, и даже не задумывался, не скучно ли будет нам вдвоем. Мы ездили всегда в одно и то же место — в ресторан «Старый Челси», который находился на холме, а его окна смотрели на Дандас-стрит. Там были бархатные портьеры, белоснежные скатерти и маленькие лампы с розовыми абажурами на столах. Наверное, для Эрни ресторан был дороговат, но я об этом не беспокоилась. Любой деревенской девчонке кажется, что все горожане, надевающие каждый день костюмы и выставляющие напоказ чистые ногти, уже достигли того уровня процветания, при котором такое излишество, как посещение ресторана «Старый Челси», — обычное дело.

Я выбирала в меню самые экзотические блюда, такие как *vol au vent*[1] с курицей или утка *à l'orange*[2], а он всегда заказывал ростбиф. Десерты нам привозили на специальном столике на колесиках, — большой кокосовый торт, пирожные с заварным кремом, украшенные сверху редкой в это время года клубникой, а также покрытые шоколадной глазурью рогалики со взбитыми сливками. Я долго глядела на них и не могла выбрать что-то одно, словно пятилетняя девочка у лотка мороженщика, а по понедельникам воздерживалась от пищи, возмещая постом воскресное обжорство.

Эрни выглядел недостаточно пожилым, чтобы сойти за моего отца, и мне не хотелось, чтобы кто-нибудь из университета увидел нас и решил, будто это мой ухажер.

Он расспрашивал меня про учебу и кивал с серьезным видом, когда я ему в который раз рассказывала, что слушаю дополнительные курсы на отделении английской филологии и на философском факультете, чтобы получить диплом с отличием. Услышав это, он не закатывал глаза (так делали мои домашние), но говорил, как высоко ценит образование и сожалеет о том, что сам он после окончания школы не смог продолжить учебу, а пошел работать на Канадскую железную дорогу кассиром. Теперь он был каким-то начальником.

Эрни говорил, что ему нравится читать серьезную литературу, но, по его мнению, это не может заменить университетского образования.

Я была уверена, что под «серьезной литературой» он понимает краткое изложение журнала «Ридерз дайджест», и, чтобы сменить тему и не обсуждать мою учебу, начинала рассказывать о пансионе, в котором жила. В те времена в университете не было общежития, и все мы либо жили в таких пансионах-меблирашках, либо снимали дешевые квартиры, либо вступали в студенческие брат-

---

[1] Слоеный пирог *(фр.)*.
[2] Утка под апельсином *(фр.)*.

ства, у которых были собственные здания. Моя комната находилась в мезонине старого дома и была довольно просторной, хотя и с очень низким потолком. Раньше это помещение предназначалось для прислуги и потому имело отдельную ванную. Комнаты второго этажа занимали две студентки-старшекурсницы, которые, как и я, получали пособие. Их звали Кей и Беверли, и они заканчивали отделение современных европейских языков. А на первом этаже, в помещении с высокими потолками, но разрезанном перегородками на маленькие комнатушки, разместилось семейство студента-медика, который почти не бывал дома, но зато его жена Бет сидела дома постоянно — с их двумя маленькими детьми. Бет выполняла функции домоправительницы и сборщицы платы за проживание, между ней и жилицами второго этажа то и дело вспыхивали междоусобные войны из-за того, что девушки стирали свои вещи в ванной и там же вывешивали их сушиться. Когда студент-медик появлялся дома, он иногда пользовался этой ванной, поскольку другая ванная, внизу, была вся занята детскими вещами, и Бет считала, что ее муж не обязан бороться с лезущими в лицо чулками и другими интимными женскими штучками. Кей и Беверли отражали ее атаки: они заявляли, что, когда въезжали сюда, им была обещана отдельная ванная комната.

Обо всем этом я рассказывала Эрни, а он краснел и говорил, что девушкам следовало прописать пункт про ванную в договоре аренды.

Кей и Беверли меня не интересовали. Они учились на лингвистическом отделении, но разговоры у них были точь-в-точь как у девиц из банка или какой-нибудь конторы. Они завивали волосы, накручивая их на бигуди, а по субботам красили ногти, потому что вечером отправлялись на свидания со своими ухажерами. А по воскресеньям они мазали лосьоном свои лица, расцарапанные бакенбардами этих ухажеров. Что касается меня, то я еще не встретила ни одного молодого человека, который мне хоть сколько-нибудь понравился бы, и только удивлялась, как им это удалось.

Девушки рассказывали, что когда-то у них была совершенно безумная мечта — стать переводчицами в ООН, но теперь они рассчитывали только получить места школьных учительниц и, если повезет, выйти замуж.

Еще они давали мне непрошеные советы.

Я подрабатывала в университетской столовой. Собирала на тележку грязные тарелки и, освободив столы, вытирала их. А также расставляла блюда по полкам, чтобы покупатели потом брали их оттуда самостоятельно.

Девушки сказали, что зря я согласилась на такую работу.

— Если парни увидят тебя за этим делом, то на свидания уже не позовут.

Я рассказала Эрни и об этом, и он спросил:

— Ну и что ты им сказала?

— Ничего страшного: я и не стану встречаться с тем, кто так смотрит на вещи.

Тут оказалось, что я взяла верный тон. Румяные щеки Эрни еще больше зарумянились, он даже всплеснул руками.

— Совершенно верно! — воскликнул он. — Вот это правильная позиция. Ты честно делаешь свое дело. Никогда не слушай того, кто осуждает тебя за то, что ты честно выполняешь работу. Продолжай и не обращай ни на кого внимания. Будь выше. А если кому не нравится, вели им заткнуться — и все!

Его горячая речь, чувство собственной правоты, раскрасневшееся лицо, горячее одобрение и дурацкие телодвижения пробудили во мне первые сомнения, первое глухое подозрение, что сделанное девицами предупреждение все-таки имело определенные основания.

Я обнаружила у себя под дверью записку: Бет хотела со мной поговорить. Я решила, что это насчет пальто, которое я оставила сушиться на перилах лестницы, или насчет того, что я слишком громко топаю, поднимаясь к себе днем, в то время как ее муж Блейк (иногда) или детишки (обычно) спят.

Войдя к ним, я увидела картину бедности и беспорядка, в которых проходила вся жизнь Бет. Белье из стирки — пеленки и пахучие шерстяные детские вещички — висело на веревках под потолком, булькали и позвякивали бутылочки, стерилизовавшиеся на плите. Окна запотели, на стульях валялась сырая одежда и перепачканные мягкие игрушки. Старший мальчик цеплялся за перильца манежа и возмущенно вопил, — по-видимому, Бет только что его туда сунула. А младший сидел на высоком стульчике, и его рот и подбородок были покрыты, как сыпью, какой-то кашицей цвета тыквы.

Бет вынырнула из этого хаоса, сохраняя на своем крошечном совином личике выражение превосходства, словно хотела сказать, что немногие способны справляться с кошмаром жизни так же, как она, хотя мир пока не настолько щедр, чтобы воздать ей по заслугам.

— Когда ты сюда въезжала, — сказала Бет, повышая голос, чтобы переорать старшего, — когда ты сюда въезжала, я тебя предупреждала, что в твоей комнате места хватит на двоих, помнишь?

Только не по части высоты потолков, хотела я ответить, но она уже говорила дальше, не дожидаясь ответа. Бет объявила, что в моей комнате поселится еще одна девушка. Она будет слушать кое-какие курсы в университете и жить тут только со вторника до пятницы.

— Блейк сегодня вечером доставит тахту. Эта девушка сильно тебя не стеснит. И одежды много не привезет, потому что живет она тут, в городе. Ничего страшного: ты целых шесть недель прожила одна и теперь будешь оставаться одна по выходным.

И ни слова про уменьшение квартирной платы.

———

Нина действительно много места не заняла. Она оказалась маленькой и несуетливой, так что ни разу не стукнулась головой о потолочные балки, в отличие от меня. По большей части она сидела, скрестив ноги, на своей тахте, со свесившимися на лицо светло-каштановыми волосами, одетая в японское кимоно поверх белого детского нижнего белья. Вся одежда у нее была замечательная: пальто из верблюжьей шерсти, кашемировые свитера, плиссированная юбка из шотландки с большой серебряной пряжкой. Такую одежду можно увидеть на витринах с рекламной вывеской: «Нарядите вашу маленькую мисс для новой жизни в колледже!» Но вернувшись с занятий, она тут же меняла свой наряд на кимоно. Обычно Нина не заботилась о том, чтобы развесить свои вещи. У меня тоже была привычка переодеваться сразу по возвращении домой, однако я гладила юбку и аккуратно вешала блузку и свитер на плечики, чтобы они сохраняли приличный вид. По вечерам я носила шерстяной банный халат. Ужинала я в университетской столовой довольно рано — это была часть моей зарплаты. Нина, видимо, тоже где-то ела днем, только я не знала где. Возможно, миндаль, апельсины и маленькие печенья-безе в шоколаде, которые она поедала весь вечер, извлекая из блестящей фиолетово-золотой упаковки, — это и был ее ужин.

Как-то раз я спросила, не простудится ли она в своем легком кимоно.

— Не-а, — ответила она и, взяв мою руку, приложила к своей шее. — Мне всегда жарко.

И действительно, тело ее оказалось горячим. И сама ее кожа выглядела горячей, хотя Нина утверждала, что это всего лишь летний загар, да и тот уже сходит. Наверное, с этой особенностью был связан пикантный и даже острый запах Нины. Он был не то чтобы неприятный, но пахло явно не так, как от человека, который постоянно принимает ванну или душ. (Я не назвала бы себя в то время образцом по части свежести, потому что Бет установила для всех правило мыться раз в неделю. Тогда многие мылись не чаще чем раз в неделю, и запах плоти был довольно сильный, несмотря на повсеместное использование талька и дезодорантов из песчанистой пасты.)

Перед сном я обыкновенно допоздна читала. Сначала мне казалось, что в присутствии другого человека делать это будет труднее, однако Нина мне не мешала. Она делила на дольки свои апельсины и шоколадки и раскладывала пасьянсы. Если ей приходилось потянуться, чтобы передвинуть карту, она издавала звук вроде тихого стона или ворчания, словно жаловалась на то, что приходилось менять позу, но в то же время явно получала удовольствие. В остальное время она была совершенно спокойна и могла заснуть прямо при свете, свернувшись клубком, в любой момент. В такой непринужденной обстановке мы вскоре разговорились и рассказали друг другу о себе.

Нине было двадцать два года, и вот что происходило с ней начиная с пятнадцатилетнего возраста.

Во-первых, она очень рано залетела (так она сама выразилась) и вышла замуж за отца будущего ребенка, — он не был старше ее. Они жили в маленьком городке где-то неподалеку от Чикаго. Городок назывался Лэйнивиль, и рассчитывать на интересную работу не приходилось, выбор был небольшой: зерновой элеватор и ремонтная мастерская для мальчиков и магазин — для девочек. Нина мечтала стать парикмахером, но для этого надо было оставить городок. Сама Нина не всегда жила в Лэйнивиле; там жила ее бабушка, которой ее отдали: отец умер, а мать снова вышла замуж, и отчим ее, Нину, выгнал.

Потом у нее родился второй ребенок, снова мальчик, и мужу предложили работу в другом городке, куда он и отправился. Он обещал вызвать Нину к себе, но так и не сделал этого. Тогда она оставила детей с бабушкой, села на автобус и поехала в Чикаго.

В автобусе она познакомилась с девушкой по имени Марси — та тоже направлялась в Чикаго. Марси была знакома с владельцем некоего ресторана, который мог дать им обеим работу. Но когда они добрались до места и отыскали ресторан, оказалось, что этот знакомый вовсе не был владельцем, а всего лишь работал там раньше, а теперь уволился и куда-то уехал. Настоящий владелец ресторана предложил девушкам поселиться в свободной комнате на втором этаже, за что они должны были каждый вечер убирать помещение. Им приходилось пользоваться женским туалетом в ресторане, но днем не разрешалось там засиживаться, потому что это все-таки был туалет для клиентов. Кроме того, вечером, после закрытия ресторана, они еще занимались стиркой.

Спать им почти не доводилось. Нина и Марси познакомились с барменом из заведения напротив, — парень был голубой, но очень милый, он бесплатно угощал их имбирным элем. Потом девушки встретили человека, который пригласил их на вечеринку, а потом их стали звать на другие вечеринки, и как раз в это время Нина познакомилась с мистером Пёрвисом. Кстати, именно он дал ей имя Нина, а прежде ее звали Джун. И она переехала в дом мистера Пёрвиса в Чикаго.

Она долго выжидала удобный момент, чтобы поговорить о своих детях. У мистера Пёрвиса было столько места, что, как ей казалось, мальчиков тоже можно было туда перевезти. Но как только она об этом заикнулась, мистер Пёрвис заявил, что терпеть не может детей. И он не хотел, чтобы она беременела. Но ей все-таки как-то это удалось, и тогда они с мистером Пёрвисом отправились в Японию, чтобы сделать аборт.

До самой последней минуты она готовилась к аборту, но потом вдруг решила, что не станет этого делать. Пусть родится ребенок.

Что ж, ладно, сказал мистер Пёрвис. Он оплатит ей билет до Чикаго, а дальше она будет предоставлена самой себе.

В Чикаго она к тому времени уже неплохо ориентировалась и потому вскоре нашла заведение, где за женщиной присматривают, пока не родится ребенок, а потом помогают пристроить и малыша. Родилась девочка. Нина назвала ее Джеммой и решила, что никому не отдаст, оставит себе.

У нее была одна знакомая, которая тоже родила в этом заведении и оставила себе ребенка. И они договорились, что поселятся вместе и будут поочередно работать и сидеть с детьми и так вырастят их. Они сняли квартиру по своим средствам и устроились на работу — Нина в коктейль-холл; и в первое время все шло хорошо. А потом Нина вернулась домой как раз накануне Рождества — Джемме было уже восемь месяцев — и увидела, что вторая мамаша напилась и валяет дурака с каким-то мужиком, а малышка Джемма лежит с температурой и ей так плохо, что она даже кричать не может.

Тогда Нина завернула Джемму в одеяльце, вызвала такси и повезла девочку в больницу. А накануне Рождества пробки были страшные, и когда они наконец добрались до места, им сказали, что они приехали не в ту больницу, и послали в другую, и по пути туда у Джеммы начались судороги, и она умерла.

Нина хотела устроить дочери настоящие похороны, а не как бывает, когда сунут ребенка в гроб к какому-нибудь старому бомжу (она слышала, что так делают с телами младенцев, если денег совсем нет), и поэтому поехала к мистеру Пёрвису. Он отнесся к ней лучше, чем она ожидала: заплатил за гробик и за все прочее, купил даже надгробный камень с именем Джеммы, а когда все закончилось, снова взял Нину к себе. И они поехали в долгое путешествие — в Лондон, Париж и еще в другие места, чтобы она восприяла духом. А когда вернулись, он запер свой дом в Чикаго и переехал сюда. У него здесь тоже есть собственность, в деревне, он держит беговых лошадей.

Мистер Пёрвис спросил Нину, не хочет ли она получить образование, и она ответила, что хочет. Он предложил ей послушать разные лекции и выбрать, что именно она хотела бы изучать. Нина попросила разрешения часть времени жить как обычные студенты, одеваться и учиться, как они, и он ответил, что это можно устроить.

Слушая ее, я почувствовала себя какой-то дурочкой-простушкой.

Я спросила, как зовут мистера Пёрвиса.

— Артур.

— А почему ты не называешь его по имени?

— Ну, это звучало бы неестественно.

Нине не разрешалось никуда выходить по вечерам, за исключением некоторых университетских мероприятий — спектаклей, концертов или лекций. Кроме того, она должна была завтракать и обедать в университете. Но, как я уже говорила, не знаю, где именно она питалась и ела ли вообще. С утра она пила «Нескафе» в нашей комнате и доедала вчерашние пончики, принесенные мной из столовой. Мистеру Пёрвису это, должно быть, сильно не нравилось, но он принимал это как часть Нининой игры в студенческую жизнь. Поскольку раз в день она всетаки ела горячую пищу, а потом еще сэндвич и суп, он был удовлетворен. То есть это он думал, что она так питается. Нина изучила меню в нашей столовой и потом сообщала ему, что брала сосиски, или рубленый бифштекс «Солсбери», или лосося, или сэндвичи с яичным салатом.

— Слушай, а как он узна́ет, если ты куда-нибудь отлучишься?

Нина вскочила, издав свой характерный звук, выражавший не то жалобу, не то удовольствие, и легким шагом подбежала к окну мезонина.

— Иди сюда, — позвала она меня. — Встань тут, за занавеской. Видишь?

Не прямо напротив нашего дома, а чуть в стороне, в сотне метров, стояла черная машина. При свете уличного фонаря можно было разглядеть светлые волосы женщины, сидевшей за рулем.

— Это миссис Виннер, — сказала Нина. — Она будет тут дежурить до полуночи. А может, и позже, я даже не знаю. Если я выйду, то она последует за мной и будет держаться неподалеку, куда бы я ни пошла.

— А если она уснет?

— Не уснет. Или заснет, но вскочит как ужаленная, как только я попробую что-нибудь сделать.

Однажды вечером, чтобы дать миссис Виннер возможность поупражняться — так выразилась Нина, — мы вышли из дому, сели на автобус и поехали в городскую библиотеку. В заднее окно была хорошо видна длинная черная машина, которой приходилось то притормаживать, когда автобус подходил к остановке, то снова ускоряться, чтобы не отстать от него. От последней остановки нам надо было пройти целый квартал до библиотеки, и тогда миссис Виннер обогнала нас, припарковала машину у главного входа и, как нам показалось, принялась наблюдать за нами в зеркало заднего вида.

Я собиралась взять «Алую букву» Готорна, входившую в список обязательной литературы по моему курсу. Купить ее мне было не по карману, а в университетской библиотеке разобрали все экземпляры. Кроме того, мне хотелось взять книгу и для Нины — из тех, где даются упрощенные таблицы по истории.

У Нины имелись учебники по всем курсам, которые она слушала. Кроме того, у нее были подходящие друг к другу по цвету блокноты и ручки — самые лучшие, какие только выпускались в то время. Блокноты и ручки для курса «Центральноамериканские доколумбовы цивилизации» были красного цвета, для курса «Поэты-романтики» — синего, для «Викторианских и георгианских английских романистов» — зеленые, а для «Сказок от Перро до Андерсена» — желтые. Она посещала все лекции, садилась на последний ряд, считая, что там ей самое место. Ей доставляло удовольствие проходить по корпусу искусств сквозь толпу студентов, выбирать себе место в аудитории, открывать учебник на указанной странице, вынимать ручку. Но блокноты оставались пустыми.

Проблема, как я понимаю, заключалась в том, что у Нины не было базовых знаний, основ, к которым можно было добавлять новые сведения. Она не понимала, что значит «викторианский», «романтический» или «доколумбовый». Хотя она и побывала в Японии, на Барбадосе и во многих европейских странах, указать эти места на карте она не могла. И что произошло раньше — Великая французская революция или Первая мировая война, — ей было неведомо.

Я удивлялась: так зачем же ей все эти курсы? Может, ей понравились названия? Или мистер Пёрвис переоценил ее способности? А может, он выбрал их специально, цинично полагая, что так ей быстрее надоест играть в студентку?

Разыскивая нужную книгу на полках, я вдруг столкнулась с Эрни Боттсом. Он держал целую стопку детективов, предназначавшихся для старой подруги его матери. Эрни объяснил, что постоянно привозит старушке детективы, а по субботам обязательно ездит в Дом ветеранов войны, чтобы сыграть в шашки с закадычным другом своего отца.

Я представила его Нине. Рассказала, чем она занимается, хотя, разумеется, ни словом не упомянула о ее прошлой и настоящей жизни.

Эрни пожал Нине руку и сказал, что рад с ней познакомиться, а потом предложил подвезти нас до дому.

Я хотела было уже поблагодарить и отказаться, мол, мы прекрасно доберемся на автобусе, но Нина спросила, где стоит его машина.

— За библиотекой, — ответил он.

— Задняя дверь есть?

— Ну да, у меня седан.

— Да нет, я не о том, — терпеливо продолжала Нина. — В библиотеке есть задняя дверь? Выход?

— Ну да. Есть, точно, — засуетился Эрни. — Вы меня простите. Я думал, вы про машину спрашиваете. Есть. Задняя дверь, то есть выход, в библиотеке. Я сюда через нее и вошел. Простите.

Он раскраснелся и, наверное, продолжил бы извиняться, если бы Нина не рассмеялась — впрочем, так добродушно, что это могло ему даже польстить.

— Ну что ж, — сказала она наконец, — значит, выйдем через заднюю дверь. Заметано. Спасибо!

Эрни довез нас до дому. По пути он предложил сделать небольшой крюк и заехать к нему на чашку кофе или горячего шоколада.

— Нет, извините, мы, типа, торопимся, — ответила Нина. — Но спасибо за приглашение.

— Я понимаю, вам надо делать домашнее задание.

— Именно. Домашнее задание, — кивнула Нина. — Обязательно надо сделать.

Я тем временем прикидывала: а приглашал ли он меня хоть раз к себе в гости? Нет, не приглашал. Вот понятия о пристойности. Одну девушку звать нельзя, двух — пожалуйста.

Когда мы прощались с Эрни у нашего дома, черной машины напротив не было. И из окна мезонина ее было не видно. Вскоре зазвонил телефон на площадке, позвали Нину, и я услышала, как она говорит:

— Нет-нет, мы только съездили в библиотеку, взяли книги и сразу, никуда не заезжая, вернулись домой на автобусе. Да, сразу же подошел. У меня все хорошо. Да, все. Спокойной ночи!

Она поднялась к нам в комнату, виляя бедрами и улыбаясь.

— А миссис Виннер получит сегодня по башке.

Тут она накинулась на меня и принялась щекотать, — она взяла это за моду, причем без всякого предупреждения, после того, как узнала, что я ужасно боюсь щекотки.

Однажды утром Нина не встала с кровати. Сказала, что у нее болит горло и повышенная температура.

— Потрогай мой лоб!

— Но ты же всегда такая горячая.

— Сегодня я горячее, чем обычно.

Была пятница. Нина попросила меня позвонить мистеру Пёрвису и сказать, что она хочет остаться тут на выходные.

— Он разрешит. Он не выносит, если рядом с ним находится больной. Просто повёрнут на этом.

Мистер Пёрвис спросил, вызван ли врач. Нина предвидела этот вопрос и велела ответить, что она просто нуждается в отдыхе и вызовет доктора или попросит меня вызвать, если почувствует себя хуже. Ну что же, пусть выздоравливает, сказал он, а затем поблагодарил меня за звонок и за то, что я такая хорошая подруга. А потом, уже прощаясь, вдруг предложил мне заехать к нему в субботу на ужин. Он сказал, что в одиночестве ему ужинать скучно.

Нина и это предвидела.

— Если он тебя пригласит на завтрашний вечер, соглашайся. Почему бы тебе не сходить? По субботам там всегда можно съесть что-нибудь вкусное, необычное.

Студенческая столовая по выходным была закрыта. Возможность познакомиться с мистером Пёрвисом волновала и интриговала меня.

— Пойти, что ли, если он зовет?

Наверх я поднималась, уже согласившись поужинать с мистером Пёрвисом, — он так и сказал: «поужинать». Спросила Нину, что лучше надеть.

— Да чего ты сейчас об этом беспокоишься? Это же будет только завтра вечером.

Действительно, зачем беспокоиться? Тем более что у меня было только одно хорошее шелковое платье, бирюзовое. Я купила его сама, потратив часть своего пособия, чтобы надеть на церемонию вручения аттестатов в школе, где я произносила прощальную речь.

— И в любом случае это неважно, — добавила Нина. — Он не заметит.

За мной приехала миссис Виннер. Волосы у нее оказались не просто светлые, а платиновые — цвет, который почему-то вызывал у меня ассоциации с жестокосердием, аморальными поступками и тяжелым жизненным опытом — скитаниями по грязным закоулкам жизни. Тем не менее я решительно потянула ручку передней дверцы машины, чтобы сесть рядом с ней: мне казалось, что так будет скромнее и демократичнее. Она стояла сзади и не стала мне мешать, а потом энергичным движением открыла и тут же захлопнула заднюю дверцу.

Я ожидала, что мистер Пёрвис живет в одном из тех безликих солидных особняков, окруженных лужайками и необработанными полями, каких много к северу от города. Должно быть, упоминание о скаковых лошадях заставило меня так думать. Однако вместо этого мы двинулись на восток — в богатый, но не слишком респектабельный район, застроенный кирпичными домами, в подражание тюдоровскому стилю. Еще только начинало темнеть, но их окна уже вовсю светились, и в заснеженных кустах мигала рождественская иллюминация. Мы свернули на узкую подъездную дорожку, обрамленную высокой живой изгородью, и остановились у дома, который я мысленно назвала *современным* из-за плоской крыши и множества окон, да и построен он был, судя по всему, из бетона. Здесь не горела ни иллюминация, ни вообще какие-либо огни.

Не было видно и мистера Пёрвиса. Машина въехала в подземный гараж-пещеру, мы поднялись оттуда наверх на лифте и вышли в переднюю, полутемную и обставленную как гостиная: обитые материей жесткие стулья, полированные столики, зеркала и ковры. Миссис Виннер указала мне на дверь, которая вела в комнату, лишенную окон. Там стояла только скамья, и к стенам были приделаны крючки. Похоже на школьную раздевалку, если не считать полированного дерева и ковра на полу.

— Оставьте здесь свою одежду, — сказала миссис Виннер.

Я сняла сапоги, сунула рукавички в карманы пальто и повесила его на крюк. Миссис Виннер не уходила. Я полагала, что теперь она покажет, куда идти дальше. В кармане у меня была расческа, и мне хотелось причесаться, но так, чтобы она за мной не наблюдала. А кроме того, в этой раздевалке не было зеркала.

— А теперь все остальное.

Она смотрела на меня, желая удостовериться, что я ее поняла. Когда выяснилось, что я не понимаю (хотя в каком-то смысле я догадалась, поняла, но все-таки надеялась, что ошиблась), она сказала:

— Не бойтесь простудиться. Во всем доме хорошее отопление.

Я по-прежнему не двигалась, и тогда она произнесла самым будничным тоном, словно презирать меня ей было неохота:

— Ну вы же не маленькая.

Я могла в этот момент схватить свое пальто. Могла потребовать, чтобы меня отвезли обратно в пансион. Если бы она отказалась, я бы дошла туда самостоятельно. Дорогу я помнила и, хотя было холодно, добралась бы до дома меньше чем за час.

Вряд ли дверь, ведущая наружу, была закрыта, и вряд ли кто-либо попытался бы меня задержать.

— Ну, — сказала миссис Виннер, видя, что я все еще стою не двигаясь. — Вы думаете, вы какая-то особенная? Думаете, я раньше таких не видела?

Ее презрение отчасти и послужило причиной того, что я осталась. Отчасти. Ее презрение и моя гордость.

Я села. Сняла туфли. Отцепила и скатала вниз чулки. Встала, расстегнула и сдернула платье, в котором произносила прощальную речь, последние слова которой звучали на латыни: «Ave atque vale»[1].

Все еще пристойно скрытая комбинацией, я завела руки назад и отстегнула крючки бюстгальтера, а потом кое-как его сбросила. Пришла очередь пояса с подвязками, потом трусиков. Сняв, я смяла их в комок и спрятала под бюстгальтер. Затем снова надела туфли.

— Босиком, — сказала миссис Виннер, вздохнув.

Похоже, про комбинацию ей даже говорить было лень, однако после того, как я вновь сняла туфли, она все-таки сказала:

— И остальное. Вы слова понимаете? Все остальное.

Я сняла комбинацию через голову, и она протянула мне бутылку с каким-то лосьоном:

— Натритесь этим.

Бутылочка пахла так же, как Нина. Я стала втирать лосьон в руки и плечи — единственные части моего тела, которых я могла касаться в то время, как миссис Виннер стояла рядом и наблюдала. Затем мы вышли в переднюю. Я старалась не смотреть в зеркала, а она распахнула еще одну дверь, и я вошла в следующую комнату уже одна.

Мне и в голову не приходило, что мистер Пёрвис мог тоже оказаться раздетым, но такого не произошло. На нем был темно-синий блейзер, белая рубашка, галстук с широкими концами — он называется аскотский, но тогда я не знала этого слова — и широкие серые брюки. Он был только немного выше меня, худой и старый, почти лысый, и когда улыбался, на лбу у него появлялись морщины.

Мне также не приходило в голову и то, что раздевание могло оказаться только прелюдией к изнасилованию

---

[1] «Здравствуй и прощай» (*лат.*).

или к какому-нибудь ритуалу, а не к ужину. (Ничего этого и не случилось, в комнате на буфете стояли блюда, прикрытые серебряными крышками, и от них исходил аппетитный запах.) Почему я тогда ни о чем страшном не думала? Почему почти не тревожилась? Может быть, из-за моих представлений о стариках? Мне казалось, дело не только в импотенции, но и в том, что долгий жизненный опыт и упадок сил не оставляют в них никакого интереса к женщинам. Я, конечно, не могла не понимать, что раздевание должно иметь какое-то отношение к сексу, но приняла это условие скорее за какой-то вызов нá спор, чем за преамбулу к посягательству, и мое согласие, как я уже говорила, было больше похоже на безрассудную причуду гордости, чем на что-либо другое.

Вот я какая, — хотелось мне сказать. Я стыжусь своего тела не больше, чем того, что у меня не прикрыты зубы. Это, разумеется, было неправдой, меня прошибал пот — но не из страха перед насилием.

Мистер Пёрвис пожал мне руку, нисколько не удивившись отсутствию на мне одежды. Сказал, что рад познакомиться с Нининой подругой. Словно я была одноклассницей Нины, которую та привела из школы.

Хотя в каком-то смысле так оно и было.

Сказал, что я Нину вдохновляю.

— Она вами просто восхищается. Ну-с, вы, наверное, голодная. Посмотрим-ка, что они там приготовили!

Он принялся поднимать крышки и накладывать мне еду. На ужин были корнуэльские куры, которых я приняла за карликовых цыплят, рис с шафраном и изюмом, разные нарезанные веером овощи, превосходно сохранившие свои естественные цвета. Было блюдо с какими-то зелеными соленьями и еще одно — с темно-красным соусом.

— Много не берите, — предупредил мистер Пёрвис про соленья и соус. — Они очень острые.

Он усадил меня за стол, вернулся к буфету, положил себе на тарелку совсем немного еды и тоже уселся.

На столе стоял кувшин с водой и бутылка вина. Мне налили воды. Если бы я у себя в доме стал поить вас вином, сказал он, это, вероятно, квалифицировали бы как серьезное преступление. Я была несколько разочарована, поскольку никогда еще не пробовала вина. Когда мы ходили в «Старый Челси», Эрни всегда выражал удовлетворение тем, что там по воскресеньям не подавали ни вина, ни крепких напитков. Сам он не только не пил по воскресеньям и по всем остальным дням, но и не любил смотреть, как пьют другие.

— Нина говорит, — начал мистер Пёрвис, — что вы изучаете английскую философию, но я думаю, имеется в виду английская филология *и философия*, не так ли? Потому что вряд ли найдется такое количество исключительно английских философов.

Я проигнорировала его предупреждение и попробовала немного солений, — и теперь была в таком ошеломлении, что не могла ответить. Он вежливо подождал, пока я отопью воды.

— Мы начали с древних греков. Это обзорный курс, — ответила я, когда обрела дар речи.

— Да, конечно, Греция. Ну а если вы занимаетесь греками, то скажите, кто ваш любимый... А, нет, подождите-ка! С этим гораздо проще разделаться вот так.

И он продемонстрировал, как надо отделять кости от мяса у корнуэльских цыплят. Сделано это был прекрасно, без всякого покровительственного тона, скорее в качестве шутки, над которой мы оба должны посмеяться.

— Так кто ваш любимый философ?

— Мы пока проходим досократиков и до него еще не дошли, — ответила я, — но это Платон.

— Значит, ваш любимый философ — Платон. И вы читаете вперед, не ограничиваетесь тем, что задают? Платон. Да, можно было догадаться. Вам нравится пещера?

— Да.

— Конечно. Пещера. Это же прекрасно, правда?

Пока я сидела, наиболее вызывающая часть моего тела оставалась не видна. Вот если бы у меня были такие груди, как у Нины, — крошечные, какие-то декоративные... Но они у меня большие, с широкими сосками и как бы откровенно предлагающие свои услуги. Я старалась глядеть на него, когда отвечала, но поневоле все время вспыхивала. Когда это случалось, мне казалось, что его голос становился чуть мягче, как бы вежливо-удовлетворенным. Словно он сделал победный ход в игре. Но при этом он продолжал легко и интересно говорить, рассказывал про свою поездку в Грецию. Дельфы, Акрополь, знаменитый маяк — самая сущность Пелопоннеса...

— А затем на Крит — вы слышали про минойскую цивилизацию?

— Да.

— Разумеется, слышали. Разумеется. А знаете ли вы, как одевались минойские дамы?

— Знаю.

На этот раз я посмотрела ему в лицо, прямо в глаза. Я была полна решимости не скорчиться от стыда, хотя и чувствовала жар в горле.

— Очень мило, именно в этом духе, — сказал он почти с грустью. — Очень мило. Странно, как в одни эпохи что-то выставляют на всеобщее обозрение, а в другие — прячут.

На десерт был ванильный крем и взбитые сливки с накрошенными в них кусочками бисквита, а также клубника. Он съел всего несколько ложек. Мне не удалось как следует насладиться первыми блюдами, и теперь я была полна решимости не упустить ничего из сладкого и с большим аппетитом, сосредоточенно поглощала ложку за ложкой.

Он разлил кофе по крошечным чашечкам и предложил перейти в библиотеку.

Мои ягодицы, отлепляясь от гладкой обивки стула, произвели звук, похожий на шлепок. Его, правда, почти не было слышно из-за дребезжания тонких кофейных чашек на подносе, который он держал своими старыми трясущимися руками.

О библиотеках в особняках я прежде только читала в книгах. Библиотеку отделяла от столовой панель, которая отодвинулась без малейшего звука, как только мистер Пёрвис коснулся ее ногой. Он извинился за то, что входит первым, поскольку несет поднос с кофе. Однако для меня это было большим облегчением. Я считала, что зад (не только мой, но и любого человека) — самая непристойная часть тела.

Когда я уселась на предложенный мне стул, он подал кофе. Сидеть в библиотеке было труднее, чем в столовой, поскольку теперь я оказалась вся на виду. Кроме того, стул в столовой был обит гладким полосатым шелком, а тут — каким-то темным плюшем, который покалывал меня и даже вызывал возбуждение.

Библиотека была ярко освещена, и выстроившиеся на полках книги смотрели на меня словно бы с упреком. Во всяком случае, они беспокоили меня больше, чем пейзажи на стенах столовой — тускло освещенной, да еще обитой поглощающими свет панелями.

Пока мы переходили из одного помещения в другое (для этого потребовалось лишь несколько секунд), мне вспомнилась одна из тех историй, о которых я в те годы только слышала, — где комната, называвшаяся библиотекой, превращалась в спальню с мягким светом, пухлыми подушками и всевозможными пуховыми одеялами. Но я не успела подумать, как буду действовать в подобных обстоятельствах, поскольку комната, в которую мы вошли, оказалась именно библиотекой. Лампы для чтения, книги на полках, бодрящий запах кофе. Мистер Пёрвис вытащил одну книгу, перелистал ее страницы и нашел то, что искал.

— Я буду очень благодарен, если вы мне почитаете. У меня глаза устают к вечеру. Знаете эту книгу?

«Шропширский парень».

Я знала. Даже помнила многие стихотворения наизусть.

Хорошо, ответила я, почитаю.

— А нельзя ли... нельзя ли вас попросить... не класть ногу на ногу?

Руки мои дрожали, когда я брала у него книгу.

— Да, — ответила я, — хорошо.

Он сел на стул возле книжного шкафа, прямо напротив меня.

— Итак...

Я начала читать:

> Венлокский кряж, стихией огорошенный,
> Стрижет руно на Рекине-холме,
> Гнет буря деревца, листвою сброшенной
> Река играет в снежной кутерьме.

Знакомые слова и ритм успокоили меня, захватили, и я почувствовала себя увереннее.

> Дуй, ветер, в клочья рви подлесок пригнутый,
> Пусть сгинет навсегда, как сгинул он —
> Могучий римлянин и город им воздвигнутый,
> В ничто ушедший грозный Урикон.

Где этот Урикон? Кто знает?

Нельзя сказать, что я совсем забыла, кто я, где нахожусь и в каком виде. Но настроение у меня стало какое-то отстраненное, философское. Мне пришло в голову, что все мы в этом мире в каком-то смысле голые. И мистер Пёрвис голый, хотя на нем есть одежда. Все мы несчастные, голые, раздвоенные существа. Стыд куда-то отступил. Я переворачивала страницы, читала стихи одно за другим. Мне нравился звук собственного голоса. А потом вдруг — неожиданно и почти что к моему неудовольствию — мистер Пёрвис меня прервал. Встал и вздохнул.

— Довольно, довольно, — сказал он. — Это было замечательно. Спасибо. Ваш деревенский выговор очень подходит к этим стихам. А теперь мне пора спать.

Я протянула ему книгу. Он поставил ее на место и прикрыл стеклянную дверцу шкафа. «Деревенский выговор»? Для меня это было нечто новенькое.

— Боюсь, что вам пора домой.

Он открыл еще одну дверь, — как оказалось, она вела в прихожую, где я была так давно, в самом начале вечера, — я прошла мимо него, и дверь за мной закрылась. Возможно, я пожелала ему спокойной ночи. Или даже поблагодарила за ужин, а он в ответ сказал несколько скучных слов («не за что», «спасибо за компанию», «с вашей стороны было очень мило приехать», «спасибо, что почитали Хаусмана») неожиданно усталым, дребезжащим, безразличным голосом. До меня он даже не дотронулся.

Та же темная гардеробная. Моя одежда, та же самая. Бирюзовое платье, чулки, пояс. Миссис Виннер появилась, когда я пристегивала чулки. Она сказала мне только одно, когда я уже была готова:

— Вы забыли свой шарф.

И действительно, у меня был шарф, связанный еще в школе на уроках домоводства, — единственная вещь, которую я связала за свою жизнь. И я чуть не забыла его в этом месте.

Когда я выходила из машины, миссис Виннер сказала:

— Мистер Пёрвис хотел бы перед сном поговорить с Ниной. Напомните ей об этом.

Напоминать оказалось некому: Нины в комнате не оказалось. Кровать ее была застелена. Пальто и сапоги исчезли. Какие-то другие ее вещи продолжали висеть в кладовке.

Беверли и Кей разъехались по домам на выходные, поэтому я побежала вниз к Бет: может быть, она что-то знает?

— Ты уж меня извини, пожалуйста, — сказала Бет, которая никогда в жизни ни перед кем не извинялась, — не могу же я уследить за всеми вами — когда вы уходите, а когда приходите.

Я повернулась к двери, и она добавила:

— Тебя сколько раз просили не топать, когда поднимаешься по лестнице? Я только что уложила Салли Лу.

По пути домой, в машине, я не могла решить, что сказать Нине. Спросить, ходила ли она раздетой в этом доме и знала ли, что за ужин ждет меня? Или ничего не говорить, подождать, пока она сама спросит? Но и тогда я могла бы с невинным видом рассказать, что подавали корнуэльских цыплят и желтый рис и что все было очень вкусно. А потом я читала вслух «Шропширского парня».

Пусть удивляется.

Но теперь, когда она ушла, все это потеряло значение. Миссис Виннер позвонила после десяти, нарушив тем самым еще одно правило, установленное Бет, и когда я сказала, что Нины нет дома, спросила:

— Это точно?

Тот же вопрос прозвучал, когда я сказала, что понятия не имею, куда ушла Нина:

— Точно?

Я попросила ее не звонить до утра, поскольку у Бет спят дети.

— Ну, не знаю. Тут серьезное дело, — ответила миссис Виннер.

Когда я проснулась утром, машина стояла напротив нашего дома. Через некоторое время миссис Виннер позвонила в дверь и объявила Бет, что ей поручено проверить Нинину комнату. Даже Бет была не в состоянии сдержать напор миссис Виннер, и та поднялась по лестнице, не услышав ни слова упрека или предупреждения. Она осмотрела все, что можно, в нашей комнате, заглянула в ванную, кладовку и даже потрясла одеяла, лежавшие там сложенными на полу.

Я сидела в пижаме, писала работу по поэме «Сэр Гавейн и Зеленый Рыцарь», попивая «Нескафе».

Миссис Виннер сказала, что ей пришлось обзвонить все больницы, разыскивая Нину, и что мистер Пёрвис сам ездил искать ее в те места, где она могла быть.

— Если узнаете что-нибудь, вам лучше нас известить, — предупредила она. — Если хоть что-нибудь узнаете.

Она начала спускаться по лестнице, но потом обернулась и сказала менее грозным тоном:

— А есть у нее знакомые в университете? Кто-нибудь, кто может знать?

Я ответила, что вряд ли.

В университете я видела Нину всего два раза. Как-то во время перемены она шла в толпе студентов по длинному нижнему коридору корпуса искусств. В другой раз сидела в столовой. В обоих случаях она была одна. Нет ничего особенного в том, что человек в одиночку торопится из одной аудитории в другую, но немного странно сидеть одному в столовой с чашкой кофе в начале четвертого, когда там почти никого нет. Она сидела и улыбалась, словно хотела показать, как ей тут нравится, какая для нее честь быть здесь и что она готова откликнуться на вызовы этой жизни, как только поймет, в чем они заключаются.

К вечеру пошел снег. Машина, припаркованная напротив нашего дома, отъехала, чтобы дать дорогу снегоочистителю. Зайдя в ванную, я заметила дрожание ее кимоно на крючке и почувствовала то, что пыталась в себе подавить, — страх за Нину. Я представила, как она, потерянная, плачущая, вытирающая слезы распущенными волосами, бредет куда-то по снегу в своем белом исподнем, а не в пальто из верблюжьей шерсти, хотя отлично знала, что пальто она взяла с собой.

Телефон зазвонил в понедельник утром, когда я собиралась на первую пару.

— Это я, — сказала Нина быстро и в то же время с ликованием. — Слушай. Пожалуйста. Ты можешь мне помочь?

— Где ты? Они тебя ищут.

— Кто?

— Мистер Пёрвис. Миссис Виннер.

— Ну, ты же им не скажешь? Не говори им ничего. Я здесь.

— Где?

— У Эрнеста.

— Какого Эрнеста? — переспросила я. — У *Эрни*?

— Тсс! Тебя кто-нибудь слышит?

— Нет.

— Послушай, не могла бы ты привезти мне все мои шмотки? Мне нужен мой шампунь. Мое кимоно. А то приходится ходить в халате Эрнеста. Видела бы ты меня! Я выгляжу как старая шерстистая коричневая псина. А машина все еще дежурит?

Я прошла наверх и поглядела:

— Да.

— Ладно. Тогда тебе надо сесть на автобус и доехать до университета, как обычно. А потом пересесть на тот, который идет в центр. Ты знаешь, где выходить? На углу Кэмпбелл и Хау. А затем пешком до Карлайл-стрит. Дом триста шестьдесят три. Ты же там была?

— А Эрни дома?

— Не-а. На работе. Он же должен зарабатывать нам на жизнь? Правильно?

Нам? Эрни и Нина. *Эрни и Нина.*

— Ну пожалуйста! — сказала Нина. — Ты единственный человек, который у меня остался.

Я сделала все так, как она просила. Села на автобус, идущий до кампуса, потом пересела на тот, что идет в центр. Вышла на углу Кэмпбелл и Хау, прошла в западном направлении до Карлайл-стрит. Снегопад кончился, небо прояснилось. День был ясный, безветренный, морозный. Белизна слепила глаза, и снежок поскрипывал под ногами.

Пройдя полквартала на север по Карлайл-стрит, я дошла до дома, в котором Эрни жил сначала с матерью и отцом, потом только с матерью, а потом один. А теперь — нет, кто бы в это поверил? — теперь живет с Ниной.

Дом выглядел так же, как тогда, давно, когда мы с мамой пару раз сюда заезжали. Кирпичное бунгало с крошечным двориком, полукруглым окном в гостиной, у которого верхняя часть была из цветного стекла. Тесновато и прилично.

Нина была завернута, как она себя и описала, в шерстистый коричневый халат с кисточками, от которого шел свойственный Эрни мужской, но в то же время совершенно невинный запах — пены для бритья и мыла «Лайфбой».

Она схватила меня за руки, совсем закоченевшие даже в перчатках. В каждой было по большому полиэтиленовому пакету.

— Совсем ледышки, — сказала она. — Иди сюда, мы их сейчас отогреем теплой водой.

— Не ледышки, — ответила я. — Просто чуть-чуть замерзли.

Но Нина не слушала. Она помогла мне раздеться и повела в кухню. Налила в миску теплой воды и, пока кровь не без боли возвращалась в мои пальцы, принялась рассказывать, как Эрнест — Эрни — приехал в пансион в субботу вечером. Привез журнал, где была куча картинок с древними руинами, замками и другими вещами, которые, как он считал, могли быть интересны Нине. Она вылезла из кровати и спустилась вниз, поскольку наверх он, разумеется, подняться не мог. А когда он увидел, как она больна, то объявил, что ей надо поехать к нему домой, а он будет там за ней ухаживать. И действительно, ухаживал он так хорошо, что горло у нее почти совсем прошло и температура тоже. И тогда они решили, что она останется у него. Просто останется с ним и никогда не вернется туда, где была раньше.

Похоже, она не хотела даже произносить имя мистера Пёрвиса.

— Но все это — ужасно большой секрет, — предупредила она. — Ты единственная, кто все знает. Потому что ты наша подруга и благодаря тебе мы встретились.

Она варила кофе.

— Ты только посмотри на это, — сказала она, указывая на открытый сервант. — Посмотри, как он замечательно хранит вещи. Кружки стоят. Тут же чашки и блюдца. У каждой чашки свой крючочек. Сама аккуратность. И так во всем доме. Мне очень нравится.

Да, мы встретились благодаря тебе, — повторила она. — Если у нас родится девочка, мы назовем ее в твою честь.

Я взяла двумя руками кружку, все еще чувствуя дрожь в пальцах. На полке над раковиной стояли африканские фиалки. Тот же порядок в серванте, что и при его маме, те же растения в горшках. На окне в гостиной, должно быть, по-прежнему высится большой папоротник, а кресла прикрыты полотняными салфеточками. То, что Нина говорила про них с Эрни, казалось мне безрассудным и — особенно когда я думала про Эрни — страшно пошлым.

— Вы собираетесь пожениться?

— Ну...

— Ты же сказала, что у вас может быть ребенок.

— Ну, этого никогда не угадаешь, а мы могли бы пока пожить без брака, — сказала Нина с озорным видом.

— С Эрни? — спросила я. — С *Эрни*?

— А почему бы и нет? Эрни очень милый, — ответила она. — И потом, я зову его Эрнест.

Она запахнулась в халат.

— А мистер Пёрвис?

— А что он?

— Ну, если... Если в тебе уже что-то началось, то разве это не может быть его...

Нина вдруг изменилась на глазах. Лицо ее стало злым и мрачным.

— *Его?* — спросила она презрительно. — С чего ты вообще о нем заговорила? Не может это быть его. Он никогда не был на это способен.

— Вот как?

Я хотела было спросить про Джемму, но она прервала меня:

— Чего ради говорить о прошлом? Не надо меня злить. Все прошло и быльем поросло. Для нас с Эрнестом все это не имеет значения. Мы теперь вместе. Мы любим друг друга.

Любят. Они с Эрни. С Эрнестом. Теперь.

— Хорошо, — ответила я.

— Ты прости, что я на тебя наорала. Я ведь орала? Прости. Ты наша подруга, ты привезла мои вещи, и я тебе очень благодарна. Ты двоюродная сестра Эрнеста и член нашей семьи.

Она зашла сзади, запустила пальцы мне под мышки и принялась щекотать — сначала лениво, а потом яростно, приговаривая:

— Правда? Правда?

Я пыталась освободиться, но это никак не получалось. Я заходилась в приступах страдальческого смеха, выкручивалась, громко кричала и умоляла ее прекратить.

Что она и сделала, когда я совсем перестала сопротивляться и обе мы запыхались.

— Ты самая щекотливая из всех, кого я знаю.

Автобуса пришлось дожидаться долго. Я стояла на остановке, притоптывая от холода. В этот день пришлось не только пропустить две первые пары, но даже опоздать на работу в столовую. В кладовке, где хранили швабры, я переоделась в зеленую хлопчатобумажную спецодежду и убрала под косынку свои черные космы («У вас самые неудачные волосы с точки зрения нахождения их клиентом в пище», — предупреждал меня менеджер).

Мне полагалось расставить сэндвичи и салаты по полкам до того, как столовая откроется для ланча, но сегодня я делала это на глазах нетерпеливо глазеющей на меня очереди и оттого чувствовала себя неловко. Это не то же самое, что идти с тележкой между столов и собирать на нее грязные тарелки. Одно дело, когда люди сосредоточены на еде и разговорах, и совсем другое, когда они просто стоят и таращатся на тебя.

Вспомнились слова Беверли и Кей, что я сама порчу себе жизнь, выбрав неправильную работу. И мне показалось, что так оно и есть.

Протерев все столы, я переоделась обратно в свою обычную одежду и отправилась в университетскую библиотеку писать курсовую. После обеда занятий у меня не было.

Корпус искусств и библиотеку соединял подземный коридор-туннель, и у входа в него всегда висели афиши фильмов, рекламы ресторанов, объявления о продаже подержанных велосипедов и пишущих машинок, а также афиши предстоящих спектаклей и концертов. Музыкальное отделение извещало, что состоится бесплатный концерт, где будут исполнены песни на стихи английских «сельских» поэтов. Судя по дате, он уже прошел. Я видела эту афишу раньше, и мне не надо было ее читать, чтобы вспомнить фамилии Геррика, Хаусмана и Теннисона. Но не успела я спуститься на несколько ступенек в туннель, как в голове зазвучали строки:

> Венлокский кряж, стихией огорошенный,
> Стрижет руно на Рекине-холме...

Нет, никогда я не смогу больше вспомнить эти стихи, не почувствовав покалывания обивки стула на своих голых ляжках. Липкий колкий стыд. Теперь все казалось еще стыднее, чем тогда. Что-то он такое все-таки сделал со мной.

> Из света и из мрака,
> От дальних берегов
> Меня принес на Землю
> Порыв семи ветров.

Нет.

> Где шпили, фермы и холмы
> Родимой стороны?

Нет, никогда.

> Белеет под луной тропа,
> Прощай, моя любовь!

Нет. Нет. Нет.

Мне всегда это будет напоминать то, на что я согласилась. Меня не заставляли, не приказывали, даже не убеждали. Я сама согласилась.

Нина знала. В то утро она была слишком занята Эрни, чтобы заговорить об этом, но придет день, когда она надо мной посмеется. Не жестоко, а так, как она смеется над многими вещами. Или начнет меня дразнить. А дразнится она так же, как щекочет: упорно и бесстыдно.

Нина и Эрни. В моей жизни. С сего дня.

———

Университетская библиотека — красивое здание с высокими потолками. Люди, построившие его, считали, что тем, кто будет здесь сидеть за длинными столами и читать книги, — даже тем, кого будет мучить похмелье, или тем, кого будет клонить в сон, или озлобленным на весь мир, или ничего не понимающим, — нужен простор над головами, их должны окружать панели из темного мерцающего дерева и высокие окна с латинскими увещеваниями между ними — окна, в которые видно небо. Прежде чем стать школьными учителями, или заняться бизнесом, или начать растить детей, они должны получить все это в свое распоряжение. И сейчас моя очередь, мне все это тоже причитается.

«Сэр Гавейн и Зеленый Рыцарь».

Курсовая у меня получалась. Скорее всего, поставят высший балл. Потом снова будут курсовые и снова высшие баллы, — это я умею. Те, кто распределяет стипендии и пособия, те, кто строит университеты и библиотеки, по-прежнему будут потихоньку расходовать свои средства на то, чтобы я могла и дальше этим заниматься.

Но все это не спасало.

Нина не прожила с Эрни и недели. Очень скоро настал вечер, когда он вернулся домой и обнаружил, что ее нет. Исчезли ее пальто и сапоги, все ее любимые вещи, включая кимоно, которое я ей привезла. Исчезли ее волосы цвета кленового сиропа, ее дурные привычки — например, щекотаться. Исчезла повышенная температура кожи и словечки типа «не-а». Все исчезло без объяснения причин, ни слова на клочке бумаги она не оставила. Ни слова.

Эрни был не из тех, кто переживает свое горе, заперевшись в одиночестве дома. Он позвонил мне, чтобы сообщить о случившемся и узнать, готова ли я к воскресному ужину. Мы поднялись по лестнице к ресторану «Старый Челси», и он заметил, что это наш последний ужин перед рождественскими каникулами. Помог мне снять пальто, и я почувствовала Нинин запах. Неужели он так впитался в его кожу?

Нет. Источник запаха был другой. Это выяснилось, когда Эрни протянул мне нечто, похожее на большой носовой платок.

— Сунь себе в карман пальто, — попросил он.

Это был не платок. Ткань погрубее, гофрированная. Майка.

— Не хочу, чтобы она у меня болталась, — сказал он так, как будто дело было именно в майке, а не в том, что эта майка принадлежала Нине и пахла Ниной.

Он заказал ростбиф, разрезал его и съел с прежней расторопностью и аппетитом. Я рассказала ему, что происходило у нас в округе. На этот раз в рассказе фигурировали огромные сугробы, пробки на дорогах — в общем, тот хаос, который принесла с собой зима, ничего необычного для этого времени года.

Спустя некоторое время Эрни сказал:

— Я подъезжал к его дому. Там никого нет.

— К какому дому?

— К дому ее дяди, — ответил он.

Он знал, чей это дом, потому что как-то раз они с Ниной ехали мимо, уже после наступления темноты.

— Там теперь никого нет, — сказал он, — они уложили вещи и уехали. Что же, в конце концов, это она так решила. Сердце красавицы, — заметил он. — Знаешь, как поется: «Сердце красавицы склонно к измене...»

Я взглянула ему в глаза и увидела, что они у него сухие, изголодавшиеся, запавшие и окружены морщинками. Он сжал губы, пытаясь сдержать дрожь, а потом снова заговорил, всем видом показывая, что старается быть объективным и все понять.

— Она не могла оставить своего старого дядюшку, — сказал он. — Ей никак не хватало духу его бросить. Я предлагал взять его к нам, я-то умею заботиться о ста-

риках, но она сказала, что скорее сама к нему уедет. Тут
я догадался, что ей не хватает духу его бросить. Лучше не
ожидать слишком многого. Есть такие вещи, что лучше б
их совсем не было.

Выйдя в туалет, я достала майку из кармана и сунула ее в кучу использованных полотенец, оказавшуюся на
пути.

В тот день, когда я сидела в библиотеке, я почувствовала, что не смогу заниматься «Сэром Гавейном». Я вырва-
ла листок из блокнота, взяла ручку и вышла. На площадке у входа был платный телефон, а рядом с ним висела
городская телефонная книга. Я пролистала ее и записала
на листке две цифры. Это были не номера телефонов,
а адреса.

Хэнфрин-стрит, дом 1648.

Второй адрес мне надо было только проверить, я его
видела недавно и на самом доме, и на рождественских
открытках.

Карлайл-стрит, дом 363.

Я пошла по туннелю в корпус искусств, потом в мага-
зинчик напротив комнаты отдыха. У меня хватило мело-
чи и на конверт, и на марку. Потом я оторвала от листка
ту часть, где был выписан адрес на Карлайл-стрит, и сунула обрывок в конверт. Запечатала конверт и написала
на нем другой адрес: Хэнфрин-стрит, прибавив фамилию
адресата: мистер Пёрвис. Все большими печатными буквами. Лизнула марку и наклеила на конверт. Думаю, это
была четырехцентовая марка, — в те времена использовали именно такие.

Сразу при выходе из магазина висел почтовый ящик.
Я кинула туда конверт и пошла по широкому нижнему
коридору корпуса искусств. Меня обгоняли те, кто торопился на занятия, и те, кто спешил покурить или, может
быть, сыграть в бридж в комнате отдыха.

Они спешили по делам, еще не зная, что их ждет.

Глубокие-скважины

Салли упаковывала яйца, печенные в пряностях, — вот что она ненавидела брать на пикник: пачкаются, как ни оберни. Сэндвичи с ветчиной, крабовый салат, ватрушки с лимоном — все это тоже уложить непросто. Еще надо взять лимонадный порошок, чтобы приготовить напиток детям, а для них с Алексом — маленькую бутылочку шампанского. Сама Салли сделает буквально один глоточек, она ведь все еще кормит грудью. Для сегодняшней поездки она купила пластмассовые бокалы для шампанского, но когда она их укладывала, Алекс вытащил из серванта настоящие — свадебный подарок. Она, конечно, возмутилась, но он настоял на своем и сделал все сам: обернул их и упаковал.

— Папа у нас настоящий буржуа-*gentilhomme*[1], — скажет ей через несколько лет Кент, тогда он будет уже подростком и отличником по всем предметам. (В семье считали, что он станет ученым, и прощали ему все, включая французские словечки.)

— Не смей насмехаться над отцом! — автоматически отреагирует Салли.

— А я и не насмехаюсь. Только все эти геологи какие-то жутко неопрятные.

Пикник был устроен в честь первой статьи Алекса, написанной им единолично и опубликованной в «Zeitschrift für Geomorphologie»[2]. Они отправились на гору

---

[1] Благовоспитанный человек *(фр.)*.
[2] Журнал геоморфологии *(нем.)*.

Ослер-блафф — поскольку она упоминалась в статье, а еще потому, что Салли и дети никогда там не были.

Сначала ехали по вполне приличной, хотя и не заасфальтированной дороге, потом свернули и протряслись пару миль по ухабистой проселочной и наконец нашли место, где паркуют машины, однако в тот момент никаких машин там не было. Рядом на деревянном щите было грубо намалевано объявление, которое давно следовало бы обновить:

ОСТОРОЖНО!
ГЛУБОКИЕ-СКВАЖИНЫ.

«Зачем тут дефис?» — подумала Салли. Хотя какая разница?

Опушка леса выглядела вполне обычно. Салли, конечно, понимала, что лес растет на вершине высокой горы, и ждала, что вот-вот где-нибудь откроется устрашающая панорама. Но вдруг она увидела нечто, что ее совершенно поразило.

Глубокие полости в скале прямо под ногами. Одни величиной с гроб, другие гораздо больше — целые комнаты, высеченные в камне. Полости соединялись зигзагообразными коридорами, стены их были покрыты лишайником и заросли папоротником. Этой зелени, однако, было бы недостаточно, чтобы смягчить падение на камни, видневшиеся глубоко, на самом дне. Тропинка шла по неровной поверхности скалы, петляя между этими скважинами.

— Ух ты! — раздался крик забежавших вперед мальчишек, Кента и Питера. Старшему было девять, младшему шесть лет.

— Не вздумайте тут носиться сломя голову! — объявил им Алекс. — Никакого выпендрежа, слышите? Вы меня поняли? Отвечайте!

Услышав «ладно», Алекс взял корзинку и двинулся вперед. По-видимому, решил, что сурового отцовского предупреждения будет достаточно. Салли с трудом ковыляла следом: в одной руке она держала сумку с подгузниками, а в другой — маленькую Саванну. Однако она старалась идти побыстрее, чтобы не выпускать из виду сыновей. Те бежали вперед, заглядывали в попадающиеся на пути черные скважины, и вопили якобы от ужаса. Салли чуть не плакала от тревоги и усталости и чувствовала, как в ней постепенно нарастают злость и раздражение.

Пока они двигались по тропинке, ступая то по земле, то по камням, панорама не открывалась. Салли показалось, что они преодолели не меньше полумили, хотя на самом деле не набралось бы и четверти. Но вот показался прогал, распахнулось небо, и муж, который шел впереди всех, остановился. «Пришли! Смотрите!» — объявил он, и мальчишки заорали от восторга. Салли, вышедшая из леса последней, увидела, что они стоят на уступе скалы, который возвышается — и сильно возвышается — над верхушками деревьев, а за ними далеко внизу расстилаются до горизонта поля, отливающие всеми оттенками зеленого и желтого.

Как только Саванну положили на одеяло, она начала плакать.

— Проголодалась, — объяснила Салли.

— А разве она не поела в машине? — спросил Алекс.

— Поела. А теперь опять проголодалась.

Она переложила Саванну в левую руку, дала ей грудь, а правой стала развязывать корзинку для пикника. Алекс, конечно, представлял себе праздник совсем иначе. Однако он только добродушно вздохнул, вынул из карманов тщательно обернутые бокалы для шампанского и поставил их на траву, между собой и Салли.

— Буль-буль-буль! И я пить хочу! — крикнул Кент, и Питер сразу же стал повторять:

— Буль-буль! Я тоже! Буль-буль!

— А ну, закрой рот! — приказал Алекс.

— Питер, закрой рот! — сказал Кент.

— Ты им взяла что-нибудь попить? — спросил Алекс у Салли.

— Там, в синей кружке, растворимый порошок. А под ней пластмассовые стаканчики, завернуты в полотенце.

Алекс, конечно, понимал, что Кент завел всю эту шарманку вовсе не потому, что захотел пить, а потому, что разволновался, увидев грудь Салли. Пора переводить Саванну на питание из бутылочки, часто говорил Алекс, ей ведь уже почти шесть месяцев. А кроме того, он считал, что Салли уж слишком просто относится к процедуре кормления. Иногда она занималась хозяйством, расхаживая по кухне с ребенком на руках, в то время как девочка жадно ела. А Кент тем временем подглядывал, да и Питер отпускал замечания насчет маминых молочных кружек. Это все Кент, говорил Алекс. Он проныра и проказник, и мысли у него нечистые.

— Ну что же делать, пока надо продолжать кормить, — отвечала Салли.

— Вовсе не обязательно грудью. Могла бы дать ей бутылочку уже завтра.

— Скоро дам. Не завтра, но скоро.

Но на пикнике все шло по-прежнему. Саванна сосала грудь, и молочные кружки были у всех на виду.

Порошок растворен, шампанское открыто. Салли и Алекс чокаются, — бокалы соприкасаются почти у лица Саванны. Салли отпивает немного и чувствует, что с удовольствием выпила бы еще. Она улыбается Алексу, чтобы он угадал это желание. А может быть, и еще одно желание: остаться с ним наедине. Он выпивает весь бокал, ее улыбки оказалось достаточно, чтобы он успокоился и принялся раскладывать еду. Салли руководит, указывая, какие сэндвичи сделаны с той горчицей, которую любит он, какие — с той, которую любит она сама и Питер, а какие предназначены для Кента, который вообще не любит горчицу.

Пока все это происходит, Кент незаметно подкрадывается сзади, хватает мамин бокал и допивает шампанское. Питер прекрасно это видит, но по каким-то своим причинам решает не рассказывать родителям. Чуть погодя Салли обнаруживает пропажу, но Алекс уже успел забыть о том, что у нее в бокале что-то оставалось, и, не обратив внимания на исчезновение шампанского, аккуратно упаковывает ее бокал вместе со своим, одновременно рассказывая мальчикам про доломит. Они слушают — или делают вид, что слушают, — и поглощают сэндвичи, игнорируя печеные яйца и крабовый салат, а потом принимаются за ватрушки.

Доломит, — объясняет Алекс, — это массивная покрывающая порода, которая сейчас находится у них перед глазами. Под ней расположен глинистый сланец, то есть глина, превратившаяся в камень, очень тонкая, тонкозернистая. Вода просачивается сквозь доломит, но, достигнув сланца, проникнуть дальше не может и остается в породе. Ей не пробиться через тонкозернистый слой. Поэтому происходит эрозия, то есть разрушение доломита. Вода стремится вытечь обратно, пробивает каналы, и в покрывающей породе образуются вертикальные трещины. Вы понимаете, что значит «вертикальные»?

— Это значит вверх-вниз, — вяло отвечает Кент.

— Образуются слабые вертикальные трещины. Они выходят наружу и оставляют расселины. А через миллионы лет скалы полностью разваливаются.

— Мне надо отойти, — говорит Кент.

— Куда?

— Пописать.

— Ну так иди.

— И я с ним, — говорит Питер.

Салли так и хочется сказать: «Будьте осторожнее!», но она подавляет это желание. Алекс смотрит на нее одобрительно. Они тихонько улыбаются друг другу.

Саванна уснула, губки ее ослабевают. Когда рядом нет мальчишек, ее легче оторвать от груди. Салли вытирает отрыжку и усаживает дочку на одеяло, ничуть не беспокоясь о том, что грудь остается на виду. А если Алексу это неприятно — а она знает, что это так, ему вообще не нравится сочетание секса с кормлением и то, что грудь его жены превращается в вымя, — то пусть смотрит в сторону. Он так и делает.

Когда она застегивает блузку, вдруг раздается крик — не пронзительный, а глухой, замирающий. Алекс вскакивает быстрее, чем она, и мчится по тропинке. Затем слышится крик погромче, он приближается. Это кричит Питер:

— Кент свалился! Кент свалился!

— Иду, иду! — кричит ему в ответ отец.

Впоследствии Салли будет казаться, что она догадалась о падении Кента даже раньше, чем услышала крик Питера. Если с кем и мог произойти несчастный случай, то никак не с ее младшим, шестилетним: он был смелый, но не забияка и не хвастун. Только с Кентом. Она так и видит эту картину: Кент писает прямо в скважину, балансируя на самом краю, дразнит Питера и подзадоривает самого себя.

Кент был жив. Он лежал внизу, на дне глубокой расщелины, и пытался приподняться на руках. Но попытки были совсем слабенькие. Одна нога подвернута под тело и не видна, другая странно изогнута.

— Можешь отнести Саванну? — спросила она у Питера. — Возвращайся туда, где мы сидели, положи ее на одеяло и следи за ней. Ты хороший мальчик. Ты у меня сильный.

Алекс уже спускался вниз, протискиваясь в расщелину и призывая Кента не двигаться. Добраться до дна целым и невредимым было несложно. Сложнее было вытащить оттуда ребенка.

Наверное, надо сбегать к машине и поискать там веревку. Потом привязать ее к стволу дерева. Другой конец обвязать вокруг тела Кента, и тогда она будет потихоньку поднимать его наверх, а Алекс подталкивать снизу.

Только нет там никакой веревки. Откуда ей там взяться?

Алекс добрался до Кента. Наклонился и поднял его. Кент издал умоляющий стон. Алекс взвалил его себе на плечи так, что голова Кента свешивалась с одной стороны, а бессильные ноги — одна из них торчала очень странно — с другой. Выпрямился, с трудом сделал несколько шагов и, все еще придерживая руками Кента, опустился на колени. Он решил, что лучше выбираться ползком, и теперь двигался, как поняла Салли, к валуну на дальнем конце расщелины. Алекс что-то выкрикнул, не поднимая головы, какое-то указание, и Салли поняла его, хотя не разобрала ни слова. Она поднялась с колен — и зачем она на них опускалась? — и стала пробираться сквозь подлесок к краю расщелины, где этот огромный валун примерно на метр выходил на поверхность. Алекс продвигался вперед ползком, а Кент лежал у него на плечах, как подстреленный олень.

— Я здесь! — крикнула она. — Здесь!

План состоял в том, что отец приподнимет Кента и положит его на каменную полку — выступ в скале, а оттуда его вытянет мать. Кент был худеньким мальчиком, еще не начавшим быстро расти, но сейчас он казался тяжелым, словно мешок с цементом. С первой попытки Салли не сумела его поднять. Тогда она решила действовать иначе: вместо того чтобы тянуть, лежа на животе, села, сгруппировавшись, и задействовала таким образом все тело. Вместе с Алексом, который подталкивал Кента снизу, они наконец подняли сына. Салли завалилась на спину, не выпуская Кента из рук, и увидела, что глаза его открыты, но зрачки закатились: он снова потерял сознание.

Когда Алекс, цепляясь за камни и подтягиваясь, выбрался из расщелины, они посадили детей в машину и поехали в коллингвудскую городскую больницу. Внутренних повреждений у Кента не оказалось, но обе ноги были сломаны. Один перелом врач называл «чистым», а вторая нога оказалась раздроблена.

— Если едете в такие места, с детей глаз нельзя спускать, — сказал доктор.

Кента в больницу сопровождала Салли, в то время как Алекс оставался с младшими.

— Разве вы не видели предупредительных знаков?

Наверное, с Алексом он говорил бы другим тоном, подумала она. Тот ответил бы: ну вы же знаете этих мальчишек. Стоит только отвернуться, и они уже несутся сломя голову туда, куда нельзя. Мальчишки и есть мальчишки.

Однако ее благодарность — и Богу, в которого она не верила, и Алексу, в которого она верила, — была столь безгранична, что она даже не обиделась.

Следующие полгода Кент в школу не ходил: сначала лежал в больнице с подвешенной ногой, потом сидел дома. Салли брала в школе задания и отвозила обратно уже сделанные, — выполнял их Кент моментально. Потом ему стали давать факультативные задания. Одно из них называлось «Путешествия и исследования: выбери себе страну».

— Я хочу выбрать такую, какую больше никто не выберет! — объявил Кент.

И тогда Салли рассказала ему нечто такое, о чем никогда никому не рассказывала. О том, как ее влекли дальние острова. Не Гавайи, не Канары, не Гебриды и не греческие острова, куда всякий хочет поехать, но крошечные и никому не известные островки, о которых никогда не говорят и где люди вообще редко появляются. Остров Вознесения, Тристан-да-Кунья, Сан-Кристобаль, остров Рождества, остров Одиночества и Фарерские острова. Они с Кентом начали собирать сведения об этих местах — все, что могли добыть, но только настоящие сведения, без выдумок. Алексу они про это ничего не говорили.

— Он решит, что мы свихнулись, — сказала Салли.

Главной достопримечательностью острова Одиночества был уникальный овощ — особенная древняя капуста.

Они представляли себе, каковы могут быть церемонии поклонения этой капусте, ритуальные костюмы, капустные парады в ее честь.

Салли рассказала сыну, что еще до его рождения она видела по телевизору аборигенов острова Тристан-да-Кунья: после сильного землетрясения их эвакуировали, и они высаживались в аэропорту Хитроу. Как же странно они выглядели — покорные и в то же время сохраняющие чувство собственного достоинства, совсем как люди другого века. Должно быть, они потом более-менее приспособились к жизни в Лондоне, но как только вулкан стих, пожелали вернуться домой.

Когда Кент пошел в школу, все, конечно, изменилось, но он по-прежнему казался старше своего возраста, терпеливо возился с Саванной, которая росла смелой и упрямой, и с Питером, вечно бушевавшим в доме, как настоящая буря. С отцом Кент был особенно предупредителен: например, приносил ему, тщательно сложив, бумаги, спасенные от Саванны, или выдвигал стул перед ужином.

— Отдаю должное человеку, который спас мою жизнь, — говорил он. — «Герой вернулся домой».

Произносилось это хоть и в декламационной манере, но не совсем саркастически. Но все равно действовало Алексу на нервы. Кент действовал ему на нервы еще и до того, как свалился в «глубокую-скважину».

— А ну кончай это! — приказывал он, а потом, оставшись наедине с Салли, жаловался на сына.

— Алекс, он говорит, что ты его, наверное, очень любишь, раз решил спасти.

— Господи! Да я бы спас любого, кто оказался на его месте.

— Только, пожалуйста, не говори этого при нем. Пожалуйста.

Когда Кент учился в старших классах, его отношения с отцом улучшились. Он взялся за науку. Выбрал именно «строгие» естественные науки — физику и математику, а не науки о земле, и даже это не вызывало сопротивления Алекса. Чем «строже», тем лучше.

В колледже Кент проучился всего полгода, а потом вдруг исчез. Те, кто был с ним немного знаком — другом никто не назвался, — рассказали, что он подумывал о поездке на Западный берег. Потом пришло письмо — как раз в тот день, когда родители собрались заявить в полицию. Оказалось, что он устроился на работу в магазин розничной торговли в северном пригороде Торонто. Алекс отправился туда с намерением вернуть сына в университет. Однако Кент отказался и заявил, что и так вполне доволен и неплохо зарабатывает — ну, или начнет неплохо зарабатывать очень скоро, как только получит повышение. Тогда туда же отправилась Салли, ничего не сказав Алексу. Она нашла сына веселым и пополневшим фунтов на десять. Кент сказал, что это от пива. У него появились друзья.

— Это определенная фаза развития, — сказала она Алексу после того, как призналась, что ездила к сыну. — Ему хочется побыть независимым.

— Да пусть хоть подавится своей независимостью!

Кент не сообщил ей своего адреса, но это оказалось неважно, поскольку в ее следующий приезд выяснилось, что он уже уехал из Торонто. Салли пришла в замешательство, ей показалось, что сотрудник магазина, сообщивший новость, ехидно усмехнулся, — и не спросила, куда отправился Кент. Должен же он прислать весточку, как только устроится на новом месте.

Кент прислал весточку, но только три года спустя. Письмо пришло из городка Нидлз в Калифорнии, но Кент писал, что искать его там не надо: он перелетает с места на место. Как Бланш, — добавил он, и Алекс спросил:

— Какая еще, к черту, Бланш?

— Не важно. Это он шутит, — сказала Салли.

Кент не писал ни о том, где работает, ни о том, где жил все это время, ни о своих связях с какими-либо людьми.

Не извинялся за то, что держал их столько лет в неведении, и не спрашивал, как поживают родители или как дела у брата и сестры. Зато он исписал несколько страниц рассуждениями о жизни. Но не о практической ее стороне, а о том, как следует жить и как он уже сейчас живет.

«Мне кажется смешным, — писал он, — что люди почему-то должны заключать себя в костюмы. Я использую это слово в переносном смысле — костюм инженера, или врача, или геолога. А потом он прирастает к коже, этот костюм, и оказывается, что его не снять. У нас есть столько возможностей открыть для себя мир — и внешний, и внутренний — и жить так, чтобы испытать все: и духовное, и физическое, все самое прекрасное и самое ужасное, что только доступно человечеству, и боль, и радость, и смятение. Вам, наверное, кажется, что я слишком пышно выражаюсь, но я, знаете ли, научился избавляться от всякой умственной гордыни...»

— Он наркоман, — сказал Алекс. — К гадалке не ходи. Испортил себе мозги наркотой.

Потом, глубокой ночью, он вдруг произнес:

— Секс.

Салли лежала рядом с ним и не спала.

— Что секс?

— Секс — вот что заставляет человека вести ту жизнь, которая не нравится Кенту. Надо занять определенное положение, чтобы иметь возможность зарабатывать на жизнь. Тогда ты сумеешь оплатить постоянные занятия сексом и их последствия. Он не принимает это во внимание.

— О господи, как романтично! — сказала Салли.

— Когда речь заходит о насущных потребностях, романтизму места не остается. Но он ненормальный — вот и все, что я хочу сказать.

Дальше в этом письме — или в этом бреде буйнопомешанного, как выразился Алекс, — Кент заявлял, что он счастливее многих людей, потому что побывал, как говорится, на волосок от смерти, и тогда в нем многое изменилось, и он благодарит отца, который вытащил его обратно на этот свет, а также мать, которая с любовью его приняла.

«Возможно, я тогда родился заново».

— Ну спасибо, — проворчал Алекс. — Я отказываюсь от чести быть его родителем повторно.

— Оставь, — попросила Салли. — Ты же так не думаешь.

— Я сам не знаю, думаю или нет.

Это письмо, где перед подписью стояли слова «С любовью», оказалось последним.

Питер стал врачом, Саванна — юристом.

Салли, неожиданно для самой себя, увлеклась геологией. Однажды, в доверительном настроении после секса, она рассказала Алексу про острова — но не захотела высказать вслух предположение, что Кент живет теперь на одном из них. Салли сказала, что уже забыла многие подробности и надо бы поискать все эти места в энциклопедии, откуда она изначально про них и узнала. Алекс ответил, что теперь все можно найти в Интернете. Да нет, вряд ли, засомневалась она, про них же почти никто не знает. Тогда он вытащил ее из кровати и повел вниз. И вскоре она уже смотрела на фотографии острова Тристан-да-Кунья, зеленой тарелки в Южной Атлантике, и читала информацию о нем. Салли была в шоке и даже отвернулась. Алекс спросил, в чем дело.

— Не знаю. У меня такое чувство, будто я его потеряла.

Он сказал, что все это не дело. Ей нужно чем-нибудь заняться всерьез. Сам Алекс только что вышел на пенсию и собирался теперь написать книгу. Нужен помощник или помощница, а пригласить кого-нибудь из аспирантов уже нельзя, поскольку он больше не преподает. (Салли не знала, верить ему или нет.) Она сказала, что ничего не понимает в скалах, а Алекс ответил: ничего, твоя главная задача — фотографироваться рядом с ними, для масштаба.

Так она стала маленькой фигуркой, одетой в черную или, наоборот, в яркую одежду, контрастирующую с полосами силурских или девонских пород. Или с гнейсом, который сформировался в результате интенсивного сжатия и был изогнут и деформирован столкновением Американской и Тихоокеанской плит в те времена, когда возник нынешний континент. Постепенно новые знания научили ее видеть то, чего она не видела раньше. Стояла на пустой улице в пригороде и осознавала, что глубоко под ногами находится кратер, наполненный щебнем, который никто никогда не видел и не увидит: когда он возник, еще не было ничьих глаз, а потом он оказался на миллионы лет скрыт напластованиями пород. Алекс с почтением относился к таким вещам, изучая их со всей тщательностью, и она восхищалась им за это. Они с мужем стали очень близки в последние годы его жизни, — тогда она еще не знала, что они последние. А он, может быть, и знал. Алекс лег в больницу на операцию, взяв с собой свои карты и фотографии, и в тот день, когда его должны были выписать, внезапно умер.

Это произошло летом, а осенью в Торонто случился страшный пожар. Салли смотрела об этом репортажи по телевизору. Пожар разгорелся в районе, хорошо ей известном — или, лучше сказать, который она хорошо знала раньше, когда его населяли хиппи, с их картами Таро, бусами и бумажными цветами размером с тыкву. А спустя некоторое время вегетарианские рестораны сменились там дорогими бистро и бутиками. Теперь квартал, построенный еще в девятнадцатом веке, полностью выгорел, и репортер оплакивал его, показывая телезрителям людей, живших в старых квартирах над магазинами: люди спаслись — их вытащили подальше от опасности на улицу, — но лишились крова над головой.

И ни слова о владельцах домов, подумала Салли, которые наверняка вышли сухими из воды и теперь не будут отвечать ни за искрящую электропроводку, ни за тараканов, клопов и прочую заразу, поскольку перепуганные бедняки жаловаться не станут. Ей иногда казалось, что у нее в голове звучит голос Алекса, — именно это сейчас и происходило. Салли выключила телевизор.

Минут через десять зазвонил телефон. Это была Саванна.

— Ма, ты смотришь передачу? Видела?

— Про пожар? Да, смотрела, потом выключила.

— Да нет же. Ты видела... не могу теперь найти... я его видела минут пять назад. Ма, это Кент! Вот теперь не могу найти. Но я видела, это точно!

— Он что, ранен? Сейчас, сейчас, включаю. Он обгорел на пожаре?

— Нет, он помогал спасателям. Он с каким-то парнем тащил носилки, а на них лежало тело. Может, мертвый, а может, раненый. Но это Кент, точно. Было даже видно, что он прихрамывает. Включила?

— Да.

— Отлично. Уф, мне надо успокоиться. Он наверняка опять пошел в это здание.

— Но туда же не разрешают...

— А вдруг он врач? Или... Блин, опять этот старый хрен! Его уже показывали, он говорил, что его семья владела тут магазином аж сто лет. В общем, сиди и смотри на экран не отрываясь. Кента опять покажут, обязательно.

Однако его не показали. Кадры стали повторяться.

Саванна позвонила снова.

— Ничего, я с этим разберусь. У меня есть один знакомый, он работает в службе новостей. Я добуду этот кадр, мы должны все выяснить.

Саванне не довелось как следует узнать старшего брата, так почему же она поднимает такую бучу? Может быть, после смерти отца ей захотелось иметь побольше близких? Ну так она скоро выйдет замуж, пойдут дети. Саванна такая упрямая: если ей втемяшится что-нибудь в голову, то никак не выбьешь. Ну как она найдет Кента? Недаром отец сказал ей, еще десятилетней: тебе бы стать юристом, — такие, как ты, всегда все догрызут до конца, даже косточки не оставят. С тех пор она и говорила: буду юристом.

Салли совсем измучилась от страха, ожидания и усталости.

Это оказался действительно Кент. Не прошло и недели, как Саванна все про него узнала. Точнее было бы сказать так: узнала все, что он посчитал нужным о себе сообщить. Он жил в Торонто уже много лет. Часто проходил мимо здания, где Саванна работала, и пару раз замечал ее на улице. Один раз они чуть не столкнулись на перекрестке. Она, разумеется, его не узнала, поскольку он был одет во что-то вроде рясы.

— Он кришнаит? — спросила Салли.

— Послушай, мама, монах — совсем не обязательно кришнаит. Но в любом случае он сейчас уже этим не занимается.

— А чем он занимается?

— Говорит: живу настоящим. Тогда я спрашиваю: а мы что, не живем в настоящем? А он такой: я имею в виду настоящее настоящее.

«В котором мы сейчас находимся», — пояснил он, и Саванна спросила:

— Ты имеешь в виду эту помойку?

Потому что забегаловка, где он назначил ей встречу, была самой настоящей помойкой.

— Я смотрю на это иначе, — ответил он и тут же прибавил, что не имеет ничего против ее точки зрения — ее или чьей бы то ни было.

— Ну спасибо, одолжил! — выпалила Саванна, но потом сумела обратить это в шутку. Он даже улыбнулся.

Кент сказал, что читал в газете некролог Алекса, и, на его взгляд, написано было хорошо. Наверняка Алексу понравились бы геологические термины. Но Кента удивило, что туда попало его собственное имя, среди подписей других членов семьи. Очень странно. Может, отец, умирая, дал указание, чьи имена поставить под некрологом?

Саванна ответила: нет, отец вообще не собирался умирать так рано. Но после его смерти семья собралась и решила, что имя Кента там тоже должно быть.

— Значит, не отец, — сказал Кент. — Ну ладно.

Потом он спросил про мать.

Салли почувствовала, что у нее в груди словно надулся воздушный шар.

— И что ты ответила?

— Ну, я сказала, что ты в порядке. Может, немного растеряна, не знаешь, чем заняться. Мол, вы с отцом были так близки, и ты никогда подолгу не оставалась одна. Тогда он сказал: передай, чтобы она пришла ко мне, если хочет. Я говорю — передам.

Салли молчала.

— Эй, мам, ты слышишь?

— А он сказал когда и где?

— Нет. Но мы договорились встретиться на неделе в том же самом месте, и я спрошу. По-моему, он любит сам все решать. Ты же согласишься поехать туда, куда он скажет?

— Соглашусь, конечно.

— А одна пойти не побоишься?

— Не говори глупостей. Скажи лучше, это точно он был на пожаре?

— Я спрашивала, но он не ответил ни да ни нет. По моим сведениям, это был он. Выяснилось, что кое-кто в городе его очень хорошо знает.

———

Салли получила письмо. Это само по себе было необычно, поскольку ее знакомые или пользовались электронной почтой, или звонили по телефону. Но она была рада, что он не позвонил, а написал. Салли сама не знала, как отреагировала бы на его звонок. В письме говорилось, что она должна оставить машину на парковке у конечной станции подземки, а потом доехать на метро до определенного места, где он ее встретит.

Она ожидала увидеть его сразу на выходе из метро, но там его не оказалось. Возможно, он имел в виду, что встретит снаружи. Салли поднялась по ступенькам и вышла на солнечный свет. Стала ждать, вглядываясь в спешащих и толкающихся людей. Она была и растеряна, и смущена. Растеряна, потому что не знала, как быть дальше, если Кент не придет. А смущена видом обитателей этого района. Такое же смущение часто испытывали многие ее соотечественники, хотя сама она никогда не говорила ничего такого: мол, не поймешь, где ты — в Конго, в Индии или во Вьетнаме, но только не в Онтарио. Повсюду чалмы, сари, африканские цветастые рубашки. В общем-то, Салли нравился их шик, их яркие цвета. Но их носили тут не туристы из других стран. Обладатели экзотических одежд приехали не вчера, они давно прошли стадию иммиграции. И теперь она мешала их проходу.

На ступенях бывшего здания банка, возвышавшегося над входом в метро, она увидела несколько человек — одни сидели, другие полулежали, третьи спали, развалившись. От банка давно осталось только название, высеченное в камне. Салли покосилась в ту сторону — скорее на вывеску, чем на людей, сутулившихся от постоянного бессмысленного сидения или лежания. Они выделялись на фоне пусть и бывшего, но все-таки здания банка и отличались от толпы, торопливо выбирающейся из метро.

— Мама!

Один из сидевших на ступеньках не спеша поднялся ей навстречу. Он слегка приволакивал ногу. Салли поняла, что это Кент, и стала ждать, пока он подойдет.

Стояла не двигаясь, хотя чувствовала, что готова убежать. Однако тут она заметила, что не все сидевшие там были грязны и выглядели бродягами. Кое-кто, услышав, что она мать Кента, смотрел на нее без вызова или презрения, доброжелательно-удивленно.

Кент не носил рясу. На нем были серые брюки с поясом, несколько великоватые, футболка без всякой надписи и сильно поношенный пиджак. Волосы пострижены так коротко, что кудряшки почти не заметны. Он был совсем седой, лицо морщинистое, зубов не хватало, и такой худой, что выглядел старше своих лет.

Он не обнял ее, да она и не ждала этого, но положил ей руку на спину и чуть подтолкнул в том направлении, куда им надо было идти.

— Ты все еще куришь трубку? — спросила она, уловив некий запах.

Она вспомнила, как он обзавелся трубкой, когда учился в старших классах.

— Трубку? Нет, что ты. Это от пожара запах гари остался. Мы его уже не замечаем. Там, куда мы идем, будет пахнуть сильнее.

— Мы пройдем мимо пожарища?

— Нет-нет. Даже если бы мы захотели, там не пройдешь. Все перекрыто. Опасно для прохожих. Некоторые дома будут сносить. Но ты не волнуйся, у нас все в порядке. От нашего дома до центра пожара больше квартала.

— Ты живешь в многоквартирном доме? — спросила она, несколько встревоженная этим «мы».

— Ну, типа того. Да. Сейчас увидишь.

Голос у Кента был мягкий, отвечал он сразу, с готовностью, но чувствовалось, что он делает над собой усилие, как человек, который пытается из вежливости говорить с иностранцем на его языке. Он даже немного пригибался к ней, чтобы она лучше слышала. Похоже, он хотел, чтобы она заметила усилия, которые он вкладывал в разговор, словно стараясь поточнее перевести все на ее язык.

Расплата.

Когда они сходили с тротуара на проезжую часть, он немного запнулся, задел ее рукав и тут же извинился. И ей показалось, что он вздрогнул.

СПИД. Ну конечно. Как же она раньше не догадалась?

— Нет-нет, — сказал он, хотя Салли ничего не произнесла вслух. — Я сейчас совершенно здоров. Ты не думай, что я ВИЧ-инфицированный или что-нибудь в этом роде. Несколько лет назад подхватил малярию, но сейчас все в порядке. Я просто немного подустал, но волноваться не о чем. Давай вот здесь свернем, мы живем в этом квартале.

Опять «мы».

— И не думай, что я псих, — добавил он. — Я просто понял, чего добивалась Саванна, и решил, что надо тебя успокоить. Все, пришли.

Дом был из тех, у которых входную дверь отделяют от тротуара всего несколько ступенек.

— Я, знаешь ли, соблюдаю целибат, — сказал он, открывая дверь.

Часть двери заменял кусок картона.

Пол из голых досок скрипел под ногами. В нос ударила тяжелая вонь. Запах гари с улицы проникал, разумеется, и сюда, но тут он смешивался с ароматами какой-то ископаемой стряпни, пережженного кофе, туалета, болезни и гниения.

— Ну, наверное, «целибат» не точное слово. Когда так говорят, имеют в виду волевое усилие. Лучше сказать так: «Я существо бесполое». Но только не надо думать, что в этом есть заслуга. Заслуги в этом нет.

Ведя ее за собой, он обогнул лестницу и направился в кухню. Там возилась какая-то огромная женщина: стоя к ним спиной, она что-то помешивала на плите.

— Привет, Марни! — сказал Кент. — Это моя мама. Ты ведь поздороваешься с моей мамой?

Салли заметила, что голос у него изменился. Теперь он звучал расслабленно, искренне, может быть, даже уважительно — совсем не похоже на притворную легкость в разговоре с ней.

— Здравствуйте, Марни! — сказала она.

Женщина повернулась к ним. У нее было какое-то приплюснутое кукольное личико, втиснутое в буханку плоти, и расфокусированный взгляд.

— Марни — наша повариха на этой неделе, — пояснил Кент. — Пахнет отлично, Марни.

Матери он сказал: «Пойдем-ка ко мне в убежище!» — и повел ее.

Они спустились на несколько ступенек и прошли по коридору в заднюю часть дома. Двигаться там было сложно, поскольку повсюду лежали стопки газет, рекламных листовок и журналов. Все это было аккуратно перевязано.

— Надо бы выкинуть все это, — сказал Кент. — Я говорил Стиву сегодня утром. Опасно же при пожаре. «Господи Исусе!» — как я, бывало, раньше говорил. Теперь я понимаю, что это значит.

«Господи Исусе». Она гадала, не принадлежит ли он к какой-то секте, члены которой носят обычную одежду? Но если бы дело обстояло так, вряд ли он упомянул бы имя Иисуса всуе... Хотя есть ведь и нехристианские секты.

Его комната оказалась еще на один лестничный пролет ниже, то есть в подвале. Там помещались койка, потрепанный письменный стол-бюро с полочками и пара стульев с утраченными перекладинами.

— Стулья совершенно надежные, — сказал Кент. — Конечно, мы почти все где-нибудь подбираем, но я всегда отличу стулья, на которых сидеть нельзя.

Салли устало опустилась на стул.

— Так кто же ты? — спросила она. — Чем занимаешься? Что это за дом? Общежитие для освободившихся из тюрьмы?

— Вовсе нет. Ничего похожего. Мы принимаем сюда любого, кто захочет.

— И меня примете?

— И тебя, — ответил он без улыбки. — Нас никто не поддерживает, кроме нас самих. Мы подбираем вещи на улице, сдаем их на переработку отходов. Газеты вот эти. Бутылки. Понемножку, то одно, то другое. Ну и по очереди собираем у людей.

— Собираете на благотворительность?

— Просим милостыню.

— На улице?

— Ну а где же еще? Да, на улице. Еще просим в некоторых пабах, куда нас пускают, хотя это и незаконно.

— И ты тоже это все делаешь?

— Вряд ли они стали бы меня слушаться, если бы я этого не делал. Пришлось преодолеть кое-что в себе. Всем нам надо что-нибудь в себе преодолеть. Стыд, например. Или представление о самом себе. Когда кто-нибудь приносит в общую кассу десятку или даже долларовую монету, наносится удар по частной собственности. Чьей, а? Индивидуальной или — аж сердце ёкнуло — нашей? Если ответить «индивидуальной», то она обычно моментально улетучивается и вместо нее образуется некто, пахнущий алкоголем, который говорит: «И что со мной такое случилось, ума не приложу, даже перекусить не успел». Потом ему становится плохо, и он начинает исповедоваться. Ну, или не исповедоваться, неважно. Такие исчезают на целые дни или недели, потом снова являются сюда, когда становится совсем плохо. А иногда встречаешь их на улице и видишь: сами по себе работают и тебя никогда не узнают. И уже не возвращаются. Ну и это в порядке вещей. Можно сказать, что они окончили наше заведение. Если ты веришь в систему...

— Послушай, Кент...

— Вообще-то, меня тут зовут Иона.

— Иона?

— Да, я сам выбрал. Сначала думал взять имя Лазарь, но это слишком патетично. Впрочем, если хочешь, можешь называть меня Кент.

— Расскажи, что у тебя в жизни происходило? Я имею в виду не этих людей...

— Эти люди и есть моя жизнь.

— Так и знала, что ты это скажешь.

— Ну да, согласен, звучит как-то самодовольно. Но ведь это, именно это я и делал... сколько?.. Семь лет? Девять? Девять лет.

— А до этого что было? — продолжала она настаивать.

— До этого? Ну... Дни нашей жизни, они ведь как трава. Скосил — и в печь. Послушай, что я скажу. Как только мы с тобой встретились, я стал разыгрывать какую-то роль. Стараюсь выглядеть получше. Скосил — и в печь, это меня не интересует. Я живу настоящим. Тем, что есть. Ты этого не поймешь. Я не принадлежу к вашему миру, а вы — к моему. А знаешь, почему мне захотелось с тобой сегодня повидаться?

— Нет. Я не думала об этом. В смысле: думала, что как-то само собой пришло время...

— Да, пришло. Когда я прочел в газете о смерти отца, мне само собой пришло в голову: «Так-так, а где деньги?» Ну что ж, решил я, она мне об этом расскажет.

— Деньги унаследовала я, — ответила Салли. Она была ошарашена, но сумела сохранить самообладание. — Так же как и дом, если тебя это интересует.

— Я так и думал. Что ж, это нормально.

— А когда я умру, все перейдет к Питеру и его мальчикам и к Саванне.

— Отлично.

— Отец ведь вообще не знал, жив ты или...

— Ты думаешь, я прошу для себя? Считаешь меня идиотом, который хочет денег для одного себя? Однако как я ошибся, когда начал думать, куда их потратить. Да, думал о семейных деньгах, что могу их использовать. Это искушение. Но теперь я рад, что они мне не достанутся.

— Но я могла бы...

— Ты понимаешь, в чем дело, это место на самом деле проклято...

— Но я могла бы одолжить тебе.

— Одолжить? Мы не одалживаем денег. Вообще принципиально не делаем никаких одолжений. Извини, мне надо выйти, чтобы прийти в себя. Ты не хочешь супа?

— Нет, спасибо.

Когда он вышел, ей захотелось сбежать. Найти бы черный ход, чтобы не идти через кухню. Но это означало бы, что она его больше никогда не увидит. Да и черный ход в таком доме, построенном еще до автомобильной эры, скорей всего, ведет не на улицу, а в закрытый двор.

Прошло, должно быть, не меньше получаса, прежде чем он вернулся. Салли не надела часы, когда шла сюда. Подумала что-то вроде: часы не в чести у тех, кто ведет такую жизнь, как он. Ну что ж, по крайней мере, в этом она оказалась права.

Кент, похоже, удивился или даже пришел в замешательство, увидев, что мать еще здесь.

— Извини. Надо было уладить кое-какие дела. И, кроме того, я поговорил с Марни, она всегда меня успокаивает.

— Ты ведь написал нам письмо, — напомнила Салли. — Это была последняя весточка от тебя.

— Ох, пожалуйста, не напоминай мне об этом.

— Почему же? Это было хорошее письмо. Ты пытался объяснить свой образ мыслей...

— Пожалуйста, не напоминай!

— Объяснить свою жизнь...

— Моя жизнь, мой путь вперед, все, что мне удалось раскопать в своей вонючей душе... Цель моего существования. Мое дерьмо. Моя духовность. Мой интеллект. Послушай, Салли, нет никакой внутренней духовности. Ничего, если я буду называть тебя Салли? Все на самом деле проще. Есть только внешнее — то, что ты делаешь в данную секунду. Поняв это, я стал счастлив.

— Ты? Счастлив?

— Разумеется. Я избавился от тупого себялюбия. Думаю теперь только: «Как помочь?» — и больше ни о чем себе думать не позволяю.

— То есть живешь в настоящем?

— Если тебе кажется, что я говорю глупости, мне все равно. Я не обижусь, если ты надо мной посмеешься.

— Да я не...

— Мне все равно. Послушай. Если ты думаешь, что мне нужны твои деньги, пусть так и будет. Мне нужны твои деньги. И ты мне нужна. Разве ты не хочешь изменить свою жизнь? Я не говорю, что люблю тебя, таких дурацких слов я не произношу. Или что я, типа, хочу тебя спасти. Спасти человек может только самого себя. Так вот о чем я. Я обычно не пытаюсь достучаться до людей. Избегаю личных отношений. Да, именно избегаю.

Отношений.

— Я смотрю, ты сдерживаешь улыбку? — сказал он. — Это из-за слова «отношения»? Ханжеское слово? Но о словах я тоже не забочусь.

— Я подумала об Иисусе, — ответила Салли. — «Женщина, что мне до тебя?»

Лицо его исказилось, оно выражало чуть ли не ярость.

— Салли, а тебе не надоело, нет?! Не надоело быть такой умной? Все, извини, я этот разговор больше продолжать не могу. У меня есть еще дела.

— Да и у меня тоже, — ответила Салли. Это была полная ложь. — Ну, мы с тобой еще...

— Не говори ничего! Молчи! Не надо говорить «увидимся».

— ...может быть, увидимся. Так ведь лучше?

На обратном пути Салли заблудилась, но потом выбралась. Вот опять здание банка, и на его ступенях — те же самые бездельники. А может быть, новые. Целый полк. Поездка на метро. Парковка, ключи, шоссе, пробки. Потом дорога поспокойней, солнце уже заходит рано, но снега еще нет, голые деревья и темнеющие поля.

Она любит этот загородный пейзаж, это время года. И что, она должна считать саму себя, свою личность ничего не стоящей?

Кошка радуется приходу хозяйки. В компьютере — пара писем от друзей. Она подогревает себе порцию лазаньи. Теперь она покупает готовые замороженные продукты. Вполне съедобные и к тому же недорогие, если хочешь сэкономить. Пока еда разогревается — семь минут, — Салли отпивает глоток вина.

Иона.

Ее трясет от гнева. И что ей прикажете делать — вернуться в этот проклятый дом, драить там гнилой линолеум и готовить куриные окорочка, которые кто-то выбросил на помойку, потому что вышел срок годности? И ей там будут каждый день говорить, что она недотягивает в развитии до Марни или до кого-нибудь еще из этих чокнутых? И все это ради того, чтобы оказаться ему полезной в той жизни, которую он себе выбрал?

Кент болен. Изжил самого себя, может быть, умирает. И он даже не поблагодарит ее за чистые простыни или свежую пищу. Нет, ни за что. Скорее умрет на этой своей койке под прожженным одеялом.

Да, но чек... Она же может выписать ему чек, совершенно реальный. На какую-то сумму — не слишком большую, но и не слишком маленькую. Ему эти деньги, конечно, не помогут. И разумеется, он от этого не перестанет ее презирать.

Презирать? Нет. Это не презрение. Ничего личного.

Но, как бы там ни было, Салли прожила этот день, и он не стал концом всего. Стал или не стал? Она сказала: «может быть, увидимся». А он ее не поправил.

Свободные радикалы

Поначалу знакомые звонили Ните, чтобы узнать, не впала ли она в депрессию, справляется ли с одиночеством, что ест и не слишком ли много пьет. (Когда-то она любила вино, и теперь многие забыли, что в последнее время ей вообще запрещено пить.) Она отвечала сдержанно, и в ее интонациях не было ни возвышенной скорби, ни неестественной живости, ни рассеянности, ни смущения. Говорила, что продуктов привозить не нужно, у нее всего предостаточно. И лекарств, и марок, чтобы наклеивать их на открытки с благодарностями за соболезнования.

Лучшие подруги, вероятно, подозревали, что на самом деле все иначе: о еде она совсем перестала заботиться, а письма с выражениями сочувствия выбрасывает в помойное ведро. И откуда только берутся эти письма, если она даже не написала тем, кто живет далеко? Ни бывшей жене Рича в Аризону, ни его брату в Новую Шотландию (впрочем, человеку давно чужому), хотя они, наверное, лучше других поняли бы, почему она так обошлась с похоронами.

В то утро Рич крикнул ей, что хочет съездить в хозяйственный магазин в деревне. Было около десяти, и он начал красить перила на террасе. Точнее, стал отдирать прежнюю краску, чтобы потом нанести новую, и тут старый скребок развалился напополам прямо у него в руках.

Нита даже не начала беспокоиться, что его долго нет. Он умер мгновенно — упал на выносной рекламный щит, который стоял перед входом в магазин и обещал скидки на газонокосилки. Даже не успел зайти внутрь. Ричу исполнился восемьдесят один год, но со здоровьем у него все было в порядке, если не считать некоторой глухоты в правом ухе. Он был у врача всего неделю назад. Подруги Ниты высказались в том духе, что все эти недавние осмотры с чистыми страницами в карточке оборачиваются потом внезапными смертями. Вас послушать, отвечала она, так лучше вообще к врачам не ходить.

Впрочем, так она разговаривала только со своими ближайшими подругами-сплетницами, Вирджи и Кэрол, почти ее ровесницами, а ей было уже шестьдесят два. Люди помоложе старались избегать таких скользких тем. В первые дни они выражали готовность помогать Ните, кто чем сможет. При этом никто не заговаривал о том, как она переживет свое горе. Но Нита боялась, что в любой момент это может начаться.

Занявшись похоронами, она, разумеется, первым делом отказалась от всего, кроме самого необходимого. Самая дешевая коробка — и поскорее в землю, без всяких церемоний. Сотрудник похоронного бюро заикнулся было, что это противоречит закону, но они с Ричем все разузнали заранее. Собрали сведения еще год назад, когда врачи поставили Ните окончательный диагноз.

— Откуда мне было знать, что он меня опередит?

Знакомые, конечно, и не рассчитывали, что она устроит отпевание в церкви, но надеялись, по крайней мере, на гражданскую панихиду. Вспомнить его жизненный путь, сыграть его любимую музыку, взяться за руки, воздать Ричу хвалу и тут же вспомнить с легким юмором его остроты, его простительные оплошности.

То есть сделать все то, от чего Рича, по его словам, просто тошнило.

Итак, с похоронами управились моментально, и сочувственная атмосфера, которая поначалу окружала Ниту, сразу улетучилась. Хотя кое-кто, предполагала она, еще выразит глубокую озабоченность ее состоянием. Вирджи и Кэрол говорили иначе: что Нита окажется эгоистичной стервой, если свалится прямо сейчас. И поэтому они будут наведываться и отпаивать ее водкой «Серый гусь».

Она отвечала: я не стерва, но понимаю, о чем вы.

Рак перешел в стадию ремиссии — что бы ни значило на самом деле это слово. Во всяком случае, оно не означало «рака больше нет». Произошло улучшение, но, разумеется, не окончательное. Основные операции ей сделали на печени, и пока Нита ведет себя осторожно, печень не дает о себе знать. Вот только подруги расстроятся, когда Нита им напомнит, что вина ей нельзя. И водки тоже.

Пройденный весной курс облучения пошел на пользу. Теперь середина лета. Ните кажется, что вид у нее уже не такой желтушный, хотя кто знает, может быть, она просто привыкла к тому, как выглядит.

Нита встает рано. Умывается, надевает первое, что попадется под руку. Но все-таки и одевается, и умывается, и чистит зубы, и причесывается — волосы уже отросли порядочно. На висках седые, но сзади еще черные — как раньше, до болезни. Она подкрашивает губы и чернит брови, ставшие совсем жидкими. Всю жизнь она заботилась о тонкой талии и стройных бедрах и потому до сих пор интересуется, как у нее обстоят с этим дела, хотя знает, что теперь самое подходящее слово для описания всех частей ее тела — «цыплячье».

Потом она, как обычно, садится в свое просторное кресло, за стол, на котором навалены горы книг и непрочитанных журналов. Осторожно отпивает из кружки глоток слабенького травяного чая — он теперь заменяет кофе. Одно время ей казалось, что она и дня не проживет без кофе, но оказалось, что самое важное — это держать в руках большую теплую кружку: помогает сидеть и думать (или как это назвать? — то, чем она занимается часами, если не днями).

Дом принадлежал Ричу. Он купил его еще в те времена, когда жил со своей женой Бет. Сначала это была просто дача: супруги приезжали сюда по выходным, а на зиму дом запирали. Две спаленки, кухонька в пристройке-сарае. В полумиле от дома — деревня. Но вскоре Рич начал достраивать дом. Он обучился плотницкому ремеслу и пристроил крыло с двумя спальнями и ванными комнатами, потом еще одно крыло для своего кабинета, и дача постепенно превратилась в полноценный дом свободной планировки, с гостиной, столовой и кухней. Тогда и Бет заинтересовалась строительством, а сперва говорила, что не понимает, зачем он купил эту помойку. Однако она ужасно любила все улучшать, так что даже приобрела пару подходящих друг другу по цвету плотницких фартуков. Ей нужно было найти себе какое-то занятие, — до этого она несколько лет писала кулинарную книгу и наконец опубликовала ее. Детей у них не было.

И как раз в то время, когда Бет рассказывала друзьям, что нашла свое место в жизни в качестве ученицы плотника и что теперь они с Ричем стали гораздо ближе друг другу, чем раньше, Рич полюбил Ниту. Она работала в университете в учебной части, а он преподавал средневековую литературу. В самый первый раз они занимались любовью среди стружек и досок, заготовленных для строительства комнаты со сводчатым потолком, которая впоследствии стала центральной. Нита забыла там свои солнечные очки — вовсе не специально, но Бет, которая никогда ничего не забывала, в это так и не поверила. Последовал обычный в таких случаях скандал, банальный и тягостный, и все кончилось тем, что Бет уехала — сначала в Калифорнию, а потом в Аризону. Нита по настоянию начальника учебной части была вынуждена уволиться, а Рича не выбрали деканом факультета искусств. Он рано ушел на пенсию и продал городской дом. Ните не пригодился оставшийся от Бет плотницкий фартук меньшего размера. Вместо этого она, сидя посреди строительного хаоса, с упоением читала книги, готовила самые простые обеды на электроплитке, отправлялась в долгие экспедиции по окрестностям и возвращалась с букетами тигровых лилий или дикой моркови, которые ставила в пустые банки из-под краски. Позднее, когда они с Ричем окончательно устроились в новом доме, ей самой казалось странным, как это она так охотно сыграла роль молоденькой разрушительницы семьи — проворной и смешливой юной интриганки. Ведь на самом деле она была, скорее, серьезной, неловкой, застенчивой женщиной, — девушкой ее уже не называли, — способной перечислить имена всех английский королев (не только королей, но и королев). Она знала всю историю Тридцатилетней войны, но при этом стеснялась танцевать, если кто-то на нее смотрел, и совершенно не собиралась, подобно Бет, ничего улучшать в этом доме.

С одной стороны от дома росли в ряд кедры, с другой — шла железнодорожная насыпь. Движения по этой ветке и раньше почти не было, а теперь проходило самое большее несколько поездов в месяц. Рельсы зарастали сорной травой. Однажды, незадолго до того, как Нита достигла периода менопаузы, она предложила Ричу заняться любовью именно там — не на шпалах, конечно, а на узкой полоске травы рядом с полотном. Вниз они спустились чрезвычайно довольные собой.

Каждое утро, садясь за стол в свое кресло, Нита думала об опустевшем доме. Рич больше не заходил в маленькую ванную комнату, где по-прежнему лежала его бритва и пилюли от разнообразных, но несерьезных болезней: он эти таблетки отказывался выбрасывать. Его не было в спальне, которую она привела в порядок и закрыла. И в большой ванной комнате, куда он заходил только затем, чтобы принять ванну. И в кухне, которая в последние годы стала преимущественно его территорией. И конечно, его не было на террасе с наполовину отодранной старой краской, откуда он мог шутя заглянуть в окно —

то самое окно, у которого она когда-то притворялась, что начинает показывать стриптиз.

И в кабинете. Да, в кабинете его отсутствие ощущалось сильнее всего. В первый день Нита зачем-то открыла туда дверь, встала на пороге и так стояла, рассматривая пачки бумаг, устаревший компьютер, разбросанные повсюду папки, книги — раскрытые для чтения, положенные страницами вниз и теснящиеся на полках. Теперь она в кабинет не ходила, только представляла его себе.

Но Нита понимала, что рано или поздно войти туда придется, и это неизбежно будет похоже на вторжение. Ей придется вторгнуться в сознание покойного мужа. Вот уж о чем она никогда в жизни не думала. Рич казался таким сильным, крепким, умелым, знающим, и она никогда не сомневалась, что он ее переживет. Впрочем, в последний год это была уже не безосновательная вера, а уверенность, которую, как она полагала, разделяли они оба.

В первую очередь следовало заняться погребом. Это был именно погреб, а не подвал: на земляном полу наброса ны доски, а маленькие оконца под потолком заросли паутиной. Там не хранилось ничего нужного лично ей. Полупустые банки из-под краски, разнокалиберные доски, оставленные на всякий случай, инструменты, которые можно было еще использовать, а можно и выкинуть. Она только раз зашла туда — спустилась по лесенке, чтобы посмотреть, не горят ли где-нибудь лампочки, и убедиться, что на распределительном щите у выключателей подписано, какой из них за что отвечает. Поднявшись оттуда, она закрыла, как обычно, дверь на засов со стороны кухни. Рич смеялся над этой ее привычкой: а что такое страшное может вылезти оттуда, из погреба, через каменные стены и малюсенькие оконца?

Да, в любом случае с погреба будет легче начать. В сто раз легче, чем с кабинета.

Нита застилала по утрам кровать, прибирала за собой на кухне и в ванной, но заняться генеральной уборкой ей было не по силам. Еле удавалось заставить себя выбросить скрепку или разонравившийся магнитик с холодильника, не говоря уже о наборе ирландских монет, которые они с Ричем привезли из путешествия пятнадцать лет назад. Все вещи приобрели теперь какую-то странную значимость.

Кэрол и Вирджи звонили каждый день, обычно ближе к ужину: они думали, что в это время она острее всего чувствует одиночество. Нита отвечала, что у нее все хорошо и что скоро она выберется из своей берлоги, ей просто нужно какое-то время побыть одной, подумать и почитать. И питается она нормально, и спит хорошо.

Все это, кстати, было правдой, кроме чтения. Нита сидела в кресле в окружении книг, но не могла открыть ни одной из них. А ведь она всегда читала с увлечением. Рич даже говорил, что она ему подходит именно потому, что может часами сидеть и читать, оставив его в покое. Но теперь ей не удавалось одолеть и половины страницы.

Нита не только читала, но и перечитывала книги. «Братья Карамазовы», «Мельница на Флоссе», «Крылья голубки», «Волшебная гора» — все это она перечитывала снова и снова, по многу раз. Бывало, возьмет книгу, чтобы найти какой-то фрагмент, и не может оторваться, пока не дойдет до конца. Современную литературу она тоже читала, но только художественную. Ей не нравилось, если говорили, что чтение — это побег от действительности. Она отвечала на полном серьезе, что не литература, а так называемая реальная жизнь и есть такой побег. И эта тема была для нее так важна, что она даже не вступала в споры по данному поводу.

Странно, но теперь все это куда-то делось. Не только из-за смерти Рича, но и из-за ее собственного погружения в болезнь. Сначала она думала, что это ненадолго и магия литературы вернется, как только закончится курс некоторых лекарств и изматывающих процедур.

Но этого не случилось.

Почему? Иногда она пыталась объяснить это некоему воображаемому инквизитору:

— Я слишком занята.

— Все так говорят. А чем ты занята?

— Я занимаюсь тем, что сосредоточиваю внимание.

— На чем?

— Ну, в смысле — думаю.

— О чем?

— Не важно.

Однажды утром, посидев так некоторое время, Нита решила, что день выдался очень жаркий. Надо включить вентиляторы. Или лучше даже открыть обе двери, переднюю и заднюю, оставив только сетки, и дать ветерку, если он сегодня вообще есть, возможность свободно продувать дом насквозь.

Она решила открыть сначала переднюю дверь. И раньше, чем в дом проникла хотя бы полоска утреннего солнца, Нита увидела за дверью темную тень, заслоняющую свет.

За сеткой стоял, как-то странно изогнувшись, молодой человек.

— Не хотел вас пугать, — сказал он. — Как раз искал, где тут звонок. Я постучал, но вы, должно быть, не слышали.

— Да, простите, — сказала она.

— Мне тут надо взглянуть на ваш электрощит. Не покажете, где он?

Она посторонилась и пропустила его. На секунду задумалась, припоминая.

— Это в погребе. Я вам включу свет. Там сразу увидите.

Он закрыл за собой дверь и наклонился, чтобы снять ботинки.

— Не надо, — сказала она. — Дождя же нет?

— Нет, но может пойти. У меня просто привычка. А то наслежу тут у вас.

Она направилась в кухню: вернуться на свое обычное место, пока он не уйдет, было нельзя.

Когда он поднялся из погреба, Нита открыла ему дверь.

— Ну что? — спросила она. — Все в порядке?

— Ага.

Нита повела его к выходу, но вдруг поняла, что он за ней не идет. Обернулась и увидела, что он стоит посреди кухни.

— А пожрать чего-нибудь не найдется?

Он сказал это другим голосом — высоким и надтреснутым, и ей сразу вспомнился комик из телевизора, разыгрывавший вечно хнычущего деревенского дурачка. При верхнем свете на кухне она разглядела, что этот человек совсем не молод. Когда она его пускала в дом, то обратила внимание только на его худощавое телосложение, а лица против света было не разглядеть. Теперь она видела: действительно худой, но худоба его — не юношеская, а словно от изнурения; он сильно горбился. Лицо продолговатое, кожа дряблая, глаза голубые. Взгляд насмешливый, но упорный, как у человека, который всегда добивается того, что хочет.

— Понимаете, я диабетик, — продолжал он. — А диабетики должны есть сразу, как проголодаются, а то вся машина поломается к чертям. Мне надо было поесть прежде, чем я сюда пошел, но я сильно торопился. Я присяду, ничего?

На самом деле он уже сидел у кухонного стола.

— Кофе есть?

— Только чай. Травяной чай. Хотите?

— Давайте!

Она насыпала чай в чашку, включила электрический чайник и заглянула в холодильник.

— У меня тут еды совсем мало, — сказала она. — Есть яйца. Я себе иногда делаю яичницу с кетчупом. Хотите? Еще могу подогреть английские булочки.

— Английские, ирландские, юкраинские — мне по барабану.

Она разбила над сковородкой пару яиц, смешала вилкой желтки и белки. Затем разрезала булочку надвое и положила в тостер. Взяла из буфета тарелку, поставила перед ним. Вынула из ящика для посуды нож и вилку.

— Красивая тарелка, — заметил он, разглядывая ее так, словно любовался своим отражением. Как только Нита отвернулась, чтобы посмотреть на яичницу, она услышала, как тарелка грохнулась на пол.

— Ах, простите! — сказал он писклявo и откровенно издевательски. — Ах, надо же, что я наделал!

— Ничего страшного, — сказала она, уже понимая, что на самом деле все очень и очень страшно.

— Выскользнула из рук, понимаешь...

Она взяла еще одну тарелку и поставила ее возле тостера, чтобы положить на нее половинки булочки, как только они будут готовы, а потом яичницу, залитую сверху кетчупом.

Он тем временем наклонился, чтобы собрать осколки разбитой тарелки. Поднял один, с очень острым концом. Когда она ставила на стол готовое блюдо, он слегка провел этим острием себе по голому предплечью. Выступили мелкие бусинки крови — сначала по отдельности, потом слились воедино.

— Все нормально, — сказал он. — Шучу. Я знаю, как это делать в шутку. А если бы я это сделал всерьез, нам бы уже кетчуп не понадобился, а?

На полу оставалось несколько осколков, которые он не поднял. Нита повернулась и хотела выйти, чтобы взять веник, стоявший в кладовке возле задней двери дома. Он в мгновение ока схватил ее за руку.

— Сядь! Сиди тут, пока я не поем.

Он поднял кровоточащую руку и показал ей снова. Потом сделал из булки и яичницы сэндвич и проглотил его в несколько укусов. Жевал он, не закрывая рта. Чайник вскипел.

— Пакетик в кружке? — спросил он.

— Да. То есть я насыпала чая прямо туда.

— Не двигайся. К чайнику близко не подходи, поняла?

Он налил кипяток в чашку.

— Что это за сено? Другой чай есть?

— К сожалению, нет. Прошу прощения.

— Прощения не проси. Если больше ничего нет, значит нет. А скажи, ты что, и правда поверила, что я пришел проверять предохранители?

— Ну да, — ответила Нита. — Поверила.

— А теперь не веришь?

— Теперь нет.

— Боишься?

Она решила, что этот вопрос не насмешка, он спрашивает всерьез.

— Не знаю. Наверно, больше испугана, чем боюсь. Не знаю.

— Одной вещи можешь не бояться. Насиловать я тебя не буду.

— Этого я и не боялась.

— Ну, не стоит зарекаться. — Он отпил глоток и скривился. — Подумаешь, старая. Есть такие козлы... Кого хочешь трахнут. Младенца, собаку, кошку, старуху. Старика тоже могут. Неразборчивые ребята. Но я-то не такой. Я это делаю только в нормальных условиях с красивой телкой, которая мне нравится и которой я нравлюсь. Так что ты не волнуйся.

— Я и не волнуюсь, — ответила Нита. — Но спасибо, что сказали.

Он отмахнулся от этих слов, но было видно, что он очень собой доволен.

— Это твоя машина у входа?

— Моего мужа.

— Мужа? А где он?

— Он умер. А я не вожу. Собиралась ее продать, но не успела.

Какая глупость! Как глупо было сказать ему все это.

— Две тысячи четвертого года выпуска?

— Наверное. Да.

— А я было решил, что ты хочешь меня надуть, когда сказала про мужа. Не прошло бы, учти. Я нюхом чую, когда женщина живет одна. А про тебя понял это, как только вошел в дом. Даже раньше — как только ты отперла. Чутьем почуял. Ну и как она, бегает? Когда он в последний раз на ней ездил?

— Семнадцатого июня. В тот день, когда умер.

— А бензин там остался?

— Да, наверное.

— Будет неплохо, если он успел заправиться. Ключи у тебя?

— Да, но не с собой. Я знаю, где они лежат.

— Ладно.

Он отодвинул свой стул, задев что-то из посуды. Встал, тряхнул головой, словно чему-то удивляясь, и сел обратно.

— Выдохся. Надо посидеть минутку. Думал, поем — станет легче. Я ведь тебе наврал про диабет.

Она подвинула свой стул, и он тут же вскочил.

— Сиди где сидишь! Я не настолько выдохся, чтобы тебе шею не свернуть. Просто прошагал всю ночь.

— Я собиралась достать ключи.

— Сиди и жди, пока не скажу. Шел по шпалам всю ночь. И ни одного поезда. Всю ночь, пока сюда шел, — ни одного поезда.

— Они тут почти не ходят.

— Ну а я о чем? Это хорошо. Шел, шел, да еще возле каждой гребаной деревни приходилось залезать в канаву. Потом рассвело, но я уже был почти на месте. Только через дорогу один раз перебежать пришлось. Огляделся здесь, вижу — дом, рядом машина стоит, и тут я себе сказал: «Вот оно!» Я мог, конечно, отцовскую машину забрать, но не стал. Кое-какие мозги у меня еще сохранились.

Было ясно: он хочет, чтобы она спросила, что он такого натворил. Но Нита понимала: чем меньше она будет знать, тем лучше для нее.

И вдруг впервые с тех пор, как он вошел в дом, она вспомнила о своей опухоли. О том, что эта болезнь освобождает ее, избавляет от опасностей.

— Ты чего улыбаешься?

— Не знаю. Разве я улыбалась?

— Ты, наверное, любишь слушать рассказы. Рассказать тебе историю?

— Я бы предпочла, чтобы вы ушли.

— Уйду, уйду. Но сначала расскажу тебе историю.

Он сунул руку в задний карман брюк.

— Вот. Хочешь посмотреть фотку? Гляди.

Это была фотография трех человек, снятая в гостиной, на фоне задернутых штор с узором в цветочек. Пожилой человек — не слишком старый, лет шестидесяти с небольшим, — и женщина того же возраста расположились на диване. Очень полная молодая женщина сидела рядом в кресле-каталке, чуть выдвинутой вперед. Мужчина был крупным, седовласым. Глаза прищурены, а рот чуть приоткрыт, словно от одышки, но при этом он старательно улыбается. Пожилая женщина гораздо ниже его ростом, темноволосая, губы подкрашены. На ней надета так называемая крестьянская блуза с небольшими красными бантиками у запястий и на вороте. Она как-то странно улыбается, может быть, просто скрывает плохие зубы.

Но больше всего привлекала внимание молодая женщина. Одетая в широкое цветастое гавайское платье, она казалась каким-то чудовищем. Черные волосы аккуратно уложены меленькими кудряшками на лбу, щеки постепенно переходят в шею. И несмотря на обилие плоти, на этом лице царило выражение довольства и лукавства.

— Это моя мать, это отец. А это сестра, Мадлен. В коляске. Она родилась такой чудно́й. И ни хрена доктора сделать не могли. Жрала все время, как свинья. Мы с ней никогда не ладили, сколько себя помню. Она была на пять лет старше и только и делала, что меня мучила. Швыряла в меня все, до чего могла дотянуться, пихала, пыталась обогнать, где могла, на своей гребаной каталке. Извините мой французский.

— Наверное, вам было трудно. Вам и вашим родителям.

— Ну, они-то привыкли. Смирились. Ходили в церковь, и там поп говорил, что она, мол, послана им в подарок от Бога. И ее с собой возили в церковь. Она там визжала, как гребаная кошка, а они говорили: пытается подпевать, значит, ее Бог благословил. Мать ее! Снова извиняюсь.

— Ну а я дома долго не засиделся, как ты понимаешь. Быстро зажил своей жизнью. Живите как хотите, говорю им, а меня от этого дерьма избавьте. У меня своя жизнь. У меня работа. Я ведь без работы почти никогда не оставался. Я не из тех, кто сидит на заднице, получает пособие и бухает. На месте не сидел то есть. Я у отца ни гроша ни разу не попросил. Встаю и иду работать — мажу крышу битумом в сорокоградусную жару, или полы мою в какой-нибудь драной забегаловке, или механиком устраиваюсь в какую-нибудь гребаную мастерскую. Пожалуйста, работаю. Но я не собирался всю жизнь ходить под ними. Поэтому долго не выдержал. Эти гады всегда помыкают такими, как я, а я этого не собирался терпеть.

Я из рабочей семьи. Отец пахал всю жизнь, пока мог, он на автобусе работал. Нет, я не для того родился, чтобы мной помыкали. Хотя и хрен с ними. А дело-то в чем. Мне родители всегда говорили: дом твой. Все выплачено, ремонт сделан, и он твой. Так они мне говорили. Тебе, мол, в нем пришлось нелегко, когда ты был пацаном. Образования, мол, ты не получил, это мы виноваты и хотим загладить вину. Ну а недавно звоню отцу, а он говорит: ты, мол, должен войти в положение и пойти на соглашение. Какое еще, на хрен, соглашение? А такое: подпишешь бумагу, что будешь заботиться о сестре до самой ее смерти. И дом твой, но только при условии, что она там тоже будет жить.

Господи Исусе! Никогда не слыхал про такие соглашения. Я-то думал, что, когда они помрут, ее отправят в богадельню, вот и все соглашение. А теперь выясняется, что тогда и дом не мой.

В общем, я говорю отцу: это все не дело. А он мне: бумаги, мол, готовы, а если не хочешь подписывать — не подписывай. Тетя Ренни будет приглядывать за тем, чтобы ты после нашей смерти придерживался наших распоряжений.

Ага, думаю, еще, значит, тетя Ренни. Это материна младшая сестра, сука редкая.

Да при любом раскладе, он говорит, тетя Ренни будет за тобой приглядывать. И тут я сбавляю тон. Ладно, говорю, раз такое дело, пусть так все и будет. Значит, это справедливо. Ладно, говорю. А как вы смотрите, если я к вам подъеду на ужин в это воскресенье?

Отлично, отвечает. Рад, что ты все правильно понял. А то ты обычно выпалишь, не подумав, а в твои годы пора уже пораскинуть мозгами.

А забавно, что ты так говоришь — «пораскинуть мозгами», — думаю я про себя.

Ну, приехал я к ним. Мамаша цыплят пожарила. Я как вошел, думаю: запах-то какой, а? А потом унюхал запах

Мадлен, все тот же, он у нее не меняется. И почему она так воняет, если мать моет ее каждый день? Ну, я вел себя как паинька. Раз у нас сегодня такой праздник, говорю им, надо мне вас сфотографировать. Сказал, что у меня новая камера, которая сразу снимки печатает, поэтому они себя тут же увидят. Тут же, говорю, увидите, хотите? Усадил их в гостиной, как на этой фотке. Мамаша говорит: «Давай быстрее, мне надо в кухню, а то все пригорит». — «Момент», — отвечаю. Щелкнул, а она говорит: «Ну давай, показывай, как мы получились». Я такой: «Сейчас, минуту подождите». И пока они ждут, когда фотка будет готова, вынимаю из кармана пушечку и — пиф-паф! — довожу дело до конца. Потом снимаю еще одну фоточку, отправляюсь на кухню и съедаю там цыпленка, а на них больше даже не гляжу. Я думал, тетя Ренни тоже приедет в гости, но мамаша сказала, что у нее там какие-то церковные дела. А то бы я ее, конечно, тоже сфотографировал. На-ка, погляди. До и после.

У мужчины голова свешена набок, у его жены — откинута назад. Выражения лиц потрясенные. Сестра склонилась вперед так, что лица не видно. Можно разглядеть только ее обтянутые цветастой тканью большие колени и темную голову с тщательно уложенными в старомодную прическу волосами.

— Ну а мне наконец-то стало хорошо: в первый раз за неделю расслабился. Но долго засиживаться там я не стал, перед темнотой ушел. Привел себя в порядок, доел цыпленка и решил, что пора сматываться. Думал наведаться еще к тете Ренни, но чувствую — настроение уже не то. Чтобы с ней разобраться, надо было снова завестись, а мне уже не хотелось. Ну и желудок полный, цыпленок-то оказался здоровый. Я там все съел, не стал с собой брать, потому что боялся собак: вдруг почуют, когда буду пробираться переулками. Решил, пожру так, чтобы на неделю хватило. Но когда до тебя добрался, сама видишь, как проголодался.

Он оглядел кухню.

— А выпить у тебя, должно быть, ни хрена нет. Чай-то был поганый.

— Наверное, есть вино, — сказала Нита. — Я не знаю, сама я больше не пью...

— Подшилась?

— Нет. Просто разонравилось.

Встав, она почувствовала, как дрожат ноги. Ну а как же иначе?

— Я там подправил телефонный кабель, прежде чем войти, — сказал он. — Так, на всякий случай сообщаю.

Станет ли он бесшабашным до неосторожности, когда выпьет? Или будет еще злее и бешенее? Кто его знает? Нита отыскала вино тут же, на кухне, никуда не выходя. Они с Ричем раньше выпивали каждый день немного красного вина, — говорят, это хорошо для сердца. Или плохо для чего-то, что нехорошо для сердца. Сейчас, в испуге и смятении, она не могла вспомнить.

В испуге. Конечно. То, что она онкологическая больная, помочь ей никак не могло. Верная смерть не позже чем через год никак не отменяет возможности умереть прямо сейчас.

— Во, другое дело! — обрадовался он. — А крышка-то не нарезная. Штопор есть?

Она потянулась к ящику, но он вскочил и оттолкнул ее, хотя и не очень грубо.

— Ну-ну, я сам! А ты к этому ящику не подходи. Ух ты, сколько тут всего!

Он вынул ножи и выложил их на сиденье своего стула — туда, куда она не смогла бы дотянуться. Потом открыл бутылку штопором. Она оценила, каким жутким оружием этот штопор мог оказаться в его руках. Сама-то она ни при каких обстоятельствах не смогла бы им воспользоваться.

— Я сейчас встану, возьму стаканы, — предупредила Нита, но он не разрешил.

Сказал, что стакана не надо, и спросил, есть ли пластмассовый?

— Нет.

— Тогда чашки. Смотри, я слежу.

Она поставила на стол две чашки и сказала:

— Мне самую капельку.

— И мне тоже, — откликнулся он с деловым видом. — Мне же еще машину вести.

Однако свою чашку наполнил до краев.

— Не хотел бы я, чтобы какой-нибудь коп сунулся меня проверять.

— Свободные радикалы! — произнесла она вдруг.

— Чего?

— Это говорят про красное вино. Оно то ли разрушает эти радикалы, потому что они вредные, то ли создает их, потому что они полезные. Не помню.

Нита отпила глоток, и ей не стало плохо, как она ожидала. Он пил, все еще не садясь.

— Смотрите, на ножи не сядьте, — сказала она.

— Ты надо мной не прикалывайся! — прикрикнул он. Собрал ножи и положил их назад в ящик. Потом сел.

— Ты думаешь, я тупой, да? Думаешь, я неврастеник?

Она почувствовала, что ей дается шанс, и ответила:

— Нет, просто мне кажется, что вы никогда раньше не делали ничего подобного.

— Конечно не делал. Ты что думаешь, я убийца? Ну да, я их убил, но я же не убийца.

— Конечно, это большая разница, — сказала она.

— Еще бы!

— Я понимаю, что значит избавиться от обидчика.

— Кто понимает? Ты?

— Да. Я сделала то же самое, что и вы.

— Ты?! — Он отодвинулся вместе со стулом, но не встал.

— Не хотите — не верьте, — сказала она. — Но я сделала то же самое.

149

— Да ни хрена ты не сделала. Ну как ты убила?

— Отравила.

— Да что ты болтаешь? Хочешь сказать: напоила гостей своим сраным чаем, что ли?

— Не гостей, а одну женщину. И не чаем. С чаем все в порядке, он продлит вам жизнь.

— Не хочу я продлевать жизнь, если для этого надо пить такое дерьмо. Ну так что дальше: яд же найдут в трупе по-любому?

— Не всегда. С растительными ядами это не всегда так. Да и никто даже не подумал об отравлении. Она в детстве болела полиартритом, потом он стал прогрессировать, так что она не могла заниматься спортом, ничего делать, все время присаживалась отдохнуть. И когда умерла, никто особенно не удивился.

— А что она тебе сделала?

— Это была девчонка, в которую влюбился мой муж. Он собирался меня бросить, а на ней жениться. Сам сказал мне об этом. А я для него все делала. Мы с ним вместе строили этот дом. И, кроме него, у меня никого не было. И детей не было, потому что он их не хотел. Я научилась плотничать. На стремянки залезала, хотя боялась высоты. Он был всей моей жизнью. А потом собрался бросить меня ради этой бестолковой плаксы из учебной части. Мы с ним всю жизнь работали, а досталось бы все ей. Это что, справедливо?

— А яд откуда?

— Так он рос у меня прямо на огороде. Вон там. Там была грядка ревеня, осталась от прежних хозяев. В прожилках на больших листьях собирается отличный яд. Только не в стеблях. Стебли мы едим, они безопасные. А маленькие красные прожилки на больших листьях — вот они ядовитые. Я про это знала, но, честно говоря, не представляла, насколько сильный у них яд. Так что это было вроде эксперимента. Ну и все счастливо сошлось. Первое — муж уехал на конференцию в Миннеаполис;

мог взять ее с собой, но начались летние каникулы, и она осталась в офисе, как самая младшая, вести дела. Второе — она могла быть не одна, мог еще кто-то оказаться рядом с ней. А главное — она ведь могла меня заподозрить. Но она решила, что я про ее шашни с моим мужем ничего не знаю, и продолжала разыгрывать из себя мою подругу. Я ее принимала у себя в гостях, дружили типа. Я рассчитала, что муж ей про наш с ним разговор ничего не говорил. Он вечно все откладывал, так что мне он о разводе сказал, чтобы посмотреть, как я это приму, а ей пока нет. Тут, конечно, можно спросить: «Так зачем от нее избавляться? Вдруг он еще передумает?» Но нет. Он бы ее уже не бросил. Да если бы и бросил, наша жизнь оказалась бы отравлена. Она отравляла мне жизнь, и потому я должна была отравить ее. Я испекла два пирожка. Один был с ядовитыми прожилками ревеня, а другой без. Ну, конечно, я пометила тот, который был без них. Приехала на машине в университет, взяла две чашки кофе и пошла к ней в офис. Там никого, кроме нее, не оказалось. Я сказала ей, что приехала в город по делам, проезжала мимо кампуса и увидела чудесную маленькую пекарню, которую муж всегда хвалил и за кофе, и за выпечку. В общем, я туда заскочила и купила пару пирожков и две чашки кофе. Подумала, как она тут сидит совсем одна, когда все разъехались на каникулы. А мне, мол, тоже одиноко, потому что муж в Миннеаполисе. Она вела себя очень мило и была мне благодарна. Сказала, что ей скучно здесь сидеть и столовую закрыли на лето, поэтому она ходит обедать в корпус естественных наук, а они там добавляют в кофе соляную кислоту, не иначе. Ха-ха-ха. В общем, мы славно поболтали.

— Я ревень ненавижу, — сказал он. — Так что со мной это бы не прошло.

— А с ней прошло. Была, конечно, вероятность, что яд начнет действовать слишком быстро и тогда она поймет, в чем дело, и ей успеют сделать промывание. Ну а если не сразу — так она на меня и не подумает. А я уже буду далеко. Так и случилось. Здание стояло пустое, и никто не увидел, как я вошла и вышла. Ну и разумеется, я знала там обходные пути.

— Значит, вы такая умная? Удалось смыться, не оставив следов?

— Так и вам удалось ускользнуть.

— Ну, я-то действовал без хитростей.

— Но вам было нужно так поступить?

— Еще бы!

— И мне это было нужно. Я сохранила свой брак. Он все равно бы потом понял, что она ему не подходит. Его бы скоро от нее тошнить начало. Еще та бабенка. Она бы стала для него обузой на всю жизнь. Он сам в этом убедился бы.

— А вы в яичницу ничего не подложили? — спросил он. — А то ведь ох как пожалеете!

— Разумеется, нет. И не думала об этом. Это же не то, что делаешь каждый день. Да я и не разбираюсь в ядах, просто случайно услышала именно про ревень.

Он внезапно вскочил — так резко, что отлетел и упал стул, на котором он сидел. Нита заметила, что вина в бутылке почти не осталось.

— Ключи от машины!

Она на секунду замешкалась с ответом, соображая.

— Ключи от машины. Куда вы их положили?

Да, это может произойти. Как только она даст ему ключи, сразу и произойдет. Может быть, сказать, что она умирает от рака? Нет, глупо. Это не поможет. Смерть от рака в будущем не мешает ей сегодня рассказать про него полиции.

— Я никому про это не говорила, — сказала она. — Только вам.

Черта с два все это поможет! Он, скорей всего, просто не понял того преимущества, которое она ему дала.

— Пока никто больше и не знает, — ответил он.

Слава богу! Он на правильном пути. Понял. А точно ли понял?

Может быть, слава богу.

— Ключи в синем чайнике.

— Где? Где этот хренов чайник?

— Последний вон в том ряду. Крышка расколота, поэтому мы его не использовали, а бросали туда...

— Заткнись! Заткнись, или я тебя сам заткну навсегда!

Он попытался засунуть руку в синий чайник, но она не пролезла.

— Ну, мать твою! — заорал он и перевернул чайник. Ударил им по столу, на пол полетели осколки синего фарфора, а вместе с ними — ключи от машины, от разных ящиков в доме, монеты и пачка купонов компании «Канадиен тайер».

— С красной веревочкой, — еле слышно сказала она.

Он раскидал валявшиеся на полу вещи ногой и поднял нужные ему ключи.

— Ну и что ты скажешь про машину? — спросил он. — Ты ее продала неизвестному. Правильно?

Значение этих слов дошло до нее не сразу. А когда дошло, комната поплыла перед глазами. «Спасибо», — хотела она сказать, но во рту было так сухо, что она сама себя не услышала. По-видимому, все-таки она смогла это произнести, поскольку он ответил: «Пока не благодари».

— Память у меня хорошая, — предупредил он. — Хорошая и долгая. Ты опишешь этого неизвестного так, что он на меня совсем не будет похож. Ты же не хочешь, чтобы они отправились на кладбище выкапывать труп. Помни, скажешь про меня хоть слово — и я про тебя скажу.

Она смотрела на пол. Не двигалась, не говорила, просто смотрела на разбросанные по полу вещи.

Ушел. Дверь захлопнулась. Нита стояла не двигаясь. Надо закрыть дверь на засов, но с места не сойти. Послышался звук мотора, потом стих. Ну что еще? Он такой дерганый, ничего не может сделать как следует. Снова пытается завести мотор. Еще раз, еще раз, еще раз — и двигатель заводится. Шорох колес по гравию. На дрожащих ногах она подошла к телефону. Да, сказал правду — гудка нет.

Рядом с телефоном стоял книжный шкаф. Здесь хранились в основном старые книги, не раскрывавшиеся годами. «Башня гордости» Барбары Такман. Альберт Шпеер. Книги Рича.

Вот еще книга. «Как приготовить фрукты и овощи на праздник: питательные и изысканные блюда, а также маленькие сюрпризы». Составила, приготовила и опробовала Бет Андерхилл.

Когда построили кухню, Нита сделала ошибку: стала готовить по мере сил, как Бет. Впрочем, долго это не продолжилось, поскольку Рич не хотел, чтобы что-то напоминало о прежнем, да и у нее не хватало терпения на все эти шинкования и кипячения на медленном огне. Но она запомнила несколько вещей, которые ее удивили. Например, про ядовитость некоторых хорошо известных и в основном доброкачественных растений.

Надо бы написать Бет.

Дорогая Бет, Рич умер, а я спасла себе жизнь, став тобой.

Но какое дело Бет до того, что жизнь Ниты спасена? Есть только один человек, о котором стоит написать.

Рич. Рич. Теперь она понимает, как же его не хватает. Как будто воздух отняли у неба.

Надо дойти до деревни. Там есть полицейский участок, позади мэрии.

И надо купить мобильный телефон.

Но она так дико устала, что не может ступить и шага. Сначала отдохнуть.

Ее разбудил стук в дверь, так и оставшуюся незапертой. Это был полицейский, но не из деревни, а из дорожной полиции. Он спросил, знает ли она, где ее машина.

Нита посмотрела на гравийную дорожку, где машина была припаркована, и ответила:

— Уехала. Вот где она.

— Вы не знали, что ее угнали? Когда вы последний раз ее видели?

— Должно быть, вчера вечером.

— Ключи оставались в машине?

— Да, наверное.

— Я должен сообщить вам, что случилась тяжелая авария. С участием одной машины, на шоссе, не доезжая Валленштейна. Водитель врезался в трубопровод и разбил машину всмятку. Но это еще не все. Этот человек был в розыске за тройное убийство. По крайней мере это последнее его преступление, о котором мы знаем. Убийство в Митчелстоне. Вам очень повезло, что вы с ним не столкнулись.

— Он ранен?

— Мертв. Мгновенная смерть. Получил по заслугам.

Затем последовала доброжелательная, но строгая лекция. Не оставлять ключи в машине... Женщины, живущие одни... В наше время никогда не знаешь...

Никогда не знаешь...

Лицо

Думаю, отец взглянул на меня только раз. Да думаю, что и одного раза ему было достаточно.

В то время отцов новорожденных еще не пускали ни в то ярко освещенное, словно театральный зал, помещение, где являлись на свет дети, ни в палату, где лежали, сдерживая стоны или, напротив, заходясь от криков, роженицы. Мужья видели своих жен уже вымытыми, в полном сознании, прикрытыми пастельного цвета одеялами, — кто-то из женщин лежал в общей палате, другие — в палате на двоих или в отдельной. Моей матери выделили отдельную палату: это соответствовало ее положению в обществе, но дело было еще и во мне.

Не знаю, когда именно отец пришел к маме — до или после того, как впервые увидел меня через окно комнаты для новорожденных. Скорее всего, после: едва заслышав его шаги за дверью, мама поняла, что он сердит, но поначалу не могла взять в толк почему. Ведь она же родила ему сына, а этого, как считается, хотят все мужчины.

Вот что он сказал (по крайней мере так мне передавала мама):

— Это что за кусок ливерной колбасы?

И еще добавил:

— Ты что, собралась нести это домой?

Половина моего лица была и остается нормальной. И тело выглядело совершенно нормальным, от ножек до плеч. Рост — пятьдесят три сантиметра, вес — три килограмма восемьсот граммов. Здоровенький младенец, светлокожий, ну, может быть, еще чересчур красный после

156

недавнего путешествия, — впрочем, все прошло без каких-либо осложнений.

Родимое пятно было не красным, а лиловым. Темно-лиловым в младенчестве и раннем детстве. С годами оно посветлело, но неприметным так и не стало. Это пятно — первое, что вы заметите, если столкнетесь со мной лицом к лицу. А если сначала зайдете с левой, чистой, стороны, то потом вас ждет шок. Пятно выглядит так, словно кто-то плеснул мне в лицо виноградным соком или краской, плеснул как следует, от души, так, что вся жидкость осталась на лице и только отдельными капельками стекает по шее. Оно захватило правое веко, но дальше удачно обогнуло нос.

«Зато на этом фоне белок глаза смотрится чудесно» — вот одна из совершенно дурацких, хотя и простительных фраз, которые говорила мать, надеясь, что это повысит мою самооценку. И странное дело, я ей почти верил.

Отец, разумеется, не смог воспрепятствовать моему появлению дома. А дальше уже одно мое присутствие вызвало страшный раздор в отношениях между родителями. Хотя, по правде говоря, мне трудно представить, что между ними когда-то не было разлада или хотя бы недопонимания.

Отец был сыном человека простого, малообразованного, который, разбогатев, приобрел сначала кожевенную мастерскую, а потом перчаточную фабрику. В течение двадцатого века благополучие семьи постепенно сходило на нет, но сохранялся большой дом, а при нем — кухарка и садовник. Отец поступил в университет, стал членом одного из студенческих братств. В молодости он, что называется, хорошо погулял, а потом, когда фабрика окончательно разорилась, занялся страховым бизнесом. В нашем городке он был известен и даже популярен, как и раньше в университете. Отличный игрок в гольф, превосходный яхтсмен. (Я не сказал, что мы жили на скалах над озером Гурон, в старом викторианском доме с окнами на закат, построенном моим дедушкой.)

Отец постоянно выражал к чему-нибудь ненависть или презрение. Впрочем, эти два чувства жили в нем нераздельно. Он ненавидел и презирал определенные виды продуктов, марки автомобилей, музыку, манеру говорить и одеваться, комедийных актеров на радио, а потом телеведущих, и это не считая рас и классов, которые в те годы было принято ненавидеть и презирать, пусть и не так сильно. Свои суждения отец высказывал в основном дома, но вряд ли в его окружении кто-то думал иначе. От своих товарищей по яхтенному спорту или старых приятелей из студенческого братства он отличался только особой горячностью, которая затрудняла общение, но в то же время у многих вызывала восторг.

«Любит резать правду-матку» — так про него говорили.

И разумеется, жалкое создание вроде меня оскорбляло его самолюбие всякий раз, когда он входил в собственный дом. Завтракал отец в одиночестве, а на обед домой вовсе не являлся. Мама утром и днем ела со мной, ужинать начинала тоже со мной, но затем поднималась к нему. Потом, как я понимаю, у них произошла ссора по этому поводу, и тогда мама стала по вечерам просто сидеть рядом со мной, глядя, как я ем, а ужинала с ним.

В общем, я никак не способствовал прочному и счастливому браку.

Да как они вообще могли сойтись? Маме в юности было не по карману учиться в университете: ей удалось одолжить денег только на то, чтобы поступить в педагогическое училище. Ходить под парусом она боялась, в гольф играла плохо, и если и была красива, как рассказывали мне ее подруги (о красоте собственной матери судить трудно), то в любом случае не во вкусе отца. Случалось, он отзывался о некоторых женщинах как о «красотках» или, в последние годы, как о «куколках». Но мама не пользовалась помадой, бюстгальтеры носила строгие, а волосы заплетала в тугие косы и укладывала короной, что удачно выделяло ее высокий белый лоб. В одежде она отставала от моды; ее платья казались одновременно и непримечательными, и царственными, — она была из тех женщин, которых легко вообразить в ожерелье из отборного жемчуга, хотя, насколько я помню, она жемчуг не носила.

Скорее всего, я был поводом для постоянных и неотвратимых, как рок, ссор мамы и отца; я был для своих родителей неразрешимой проблемой, которая всякий раз подчеркивала их непохожесть друг на друга, снова и снова заставляла их мысленно возвращаться в то время, где им было хорошо.

Разводиться в нашем городке было не принято, и, значит, где-то жили под одной крышей такие же отчужденные семейные пары — люди, смирившиеся с тем, что не подходят друг другу и это ничем не поправить: сказанного или сделанного не простить, и стены между супругами не сломать.

Из-за всех этих переживаний отец много курил и пил, впрочем, как и его друзья, у которых семейная жизнь складывалась по-разному. В пятьдесят с небольшим лет он перенес инсульт, провел несколько месяцев прикованным к постели и умер. Мама, само собой, не отдала его в больницу и ухаживала за ним на протяжении всей болезни. Он же не становился мягче, не выражал никакой благодарности, а вместо этого ругал ее на чем свет стоит. Ругань из-за болезни выходила невнятная, но мама все понимала, и это явно доставляло ему удовольствие.

На похоронах ко мне подошла какая-то женщина и сказала:

— Твоя мать — святая.

Хорошо помню, как она выглядела, хотя забыл, как ее звали. Светлые локоны, нарумяненные щеки, тонкие черты лица. Тихий, как бы плачущий голос. Мне она не понравилась, и я поглядел на нее волком.

Я тогда учился на втором курсе. В студенческое братство, членом которого был отец, меня не пригласили. Моими приятелями оказались ребята, готовившиеся в будущем стать писателями и актерами. Пока же это были просто остряки, бездельники, яростные критики устоев общества и новообращенные атеисты. Никакого почтения к праведникам у меня в то время не было. Да и не думаю, честно говоря, что маму привлекала святость. Она была далека от всякого благолепия и, когда я приезжал домой, ни разу не попросила меня попробовать помириться с отцом. И я никогда к нему не заходил. Ни о каком прощении или благословении даже речи не шло. Мать не была дурочкой.

Пока я был ребенком, мама посвящала всю себя мне; подобных слов никто из нас никогда бы не произнес, но так оно и было. Сначала она учила меня сама, потом отправила в школу. В моем случае это звучит как «отправила в ад»: маменькин сынок с лиловым пятном в пол-лица, брошенный на съедение маленьким дикарям, которые без устали дразнят его и мучают. Но на самом деле все было не так плохо, хотя я до сих пор не вполне понимаю почему. Возможно, меня спасло то, что я был рослым и сильным для своего возраста. А кроме того, по сравнению с тяжкой атмосферой нашего дома — невидимым присутствием отца с его раздражением, жестокостью и отвращением ко мне — любое другое место было для меня вполне приемлемым. Для этого даже не требовалось, чтобы кто-то хорошо ко мне относился. Мне дали прозвище — Виноградный Псих. Но там почти у всех были обидные клички. Парень, у которого как-то очень сильно пахло от ног и которому не помогал ежедневный душ, охотно откликался на прозвище Вонючка. Я прижился в школе и писал маме веселые письма, а она отвечала в том же духе, с мягкой иронией рассказывая о событиях в городе и церкви. Помню ее описание ссоры между прихожанками насчет того, как надо готовить к чаю сэндвичи. Иногда она даже позволяла себе остроумные, но не обидные замечания об отце, которого называла «его сиятельство».

Я тут представил отца зверем, а мать своей спасительницей и защитницей, да так оно, в сущности, и было. Однако родители — не единственные герои моего рассказа, и домашняя обстановка — только часть того, что меня окружало в детстве, до момента, когда я пошел в школу. То, что составило, как мне кажется, величайшую драму моей жизни, случилось не дома.

«Величайшая драма». Даже как-то стыдно писать эти слова: звучит не то иронично, не то высокопарно. Но если учесть, чем я всю жизнь зарабатывал себе на хлеб, то можно понять, почему мне свойственно так выражаться.

А стал я актером. Удивились, да? Еще в университете я дружил со студентами театрального отделения, а на последнем курсе сам поставил спектакль. У нас получила распространение шутка, которую я же и запустил, — о том, как я буду играть на сцене, скрывая свое пятно от публики: надо держаться к зрителю в профиль и уходить за кулисы, пятясь задом. Однако такие телодвижения не понадобились.

В те годы по национальному радио постоянно передавали драмы. Особенно впечатляющей была передача по воскресеньям вечером: инсценировки разных романов, пьес Шекспира и Ибсена. Мой голос оказался от природы подходящим для эфира и после некоторой тренировки стал звучать совсем не плохо. Меня приняли. Сначала я исполнял эпизодические роли, но к тому времени, когда телевидение сильно потеснило радио, уже выходил в эфир почти каждую неделю, и мое имя стало известно хоть и небольшой, но преданной аудитории. Иногда приходили письма, в которых радиослушатели выражали протест против ругательств или упоминания инцеста (мы ставили в том числе и греческие трагедии). Но в целом, вопреки опасениям мамы, критиковали меня не сильно. Вечером в воскресенье мама устраивалась в кресле возле радиоприемника и со страхом и надеждой принималась слушать.

С началом телевизионной эры мое актерство завершилось. Но благодаря хорошему голосу я сумел устроиться диктором — сначала в Виннипеге, потом опять в Торонто. А в течение последних двадцати лет работы вел музыкальную передачу, выходившую по будням во второй половине дня. Вопреки общему мнению, ведущий музыку не подбирал: я в ней вообще не очень хорошо разбираюсь. Зато мне удалось создать и сыграть своего персонажа — покладистого, странноватого, а главное — долгоиграющего, продержавшегося в эфире многие годы. Мне отовсюду приходили письма: из домов престарелых, из приютов для слепых, от тех, кто проводит долгое время за рулем в деловых поездках, от домохозяек, скучающих в середине дня за готовкой и глажкой, от фермеров, пашущих и боронящих на своих тракторах огромные земельные участки. Письма шли со всей страны.

На пенсию меня проводили весьма лестными излияниями чувств. Радиослушатели писали, что они словно потеряли близкого человека — друга или члена семьи, который был с ними пять дней в неделю. Время протекало приятно, люди забывали про одиночество и благодарили меня за это. И как ни странно, я разделял их чувства. Когда я зачитывал их письма в эфире, то, случалось, делал паузы, чтобы не выдать голосом волнение.

И все же память и о программе, и обо мне очень быстро стерлась. У радиослушателей возникли новые привязанности. Я ушел совсем: отказывался председательствовать на благотворительных аукционах и произносить ностальгические речи на разных вечерах.

Мама умерла в весьма преклонном возрасте. Дом я поначалу продавать не стал, а только сдал в аренду. Но потом все-таки собрался его продать и известил об этом жильцов. Я предполагал еще пожить в нем некоторое время — пока не приведу там все, и в особенности сад, в порядок.

Не думайте, что я провел свою жизнь в одиночестве. У меня были не только слушатели, но и друзья. Были и женщины. Есть дамы, которые специально выбирают мужчин, нуждающихся, как им кажется, в утешении и поддержке, а потом демонстрируют их знакомым как доказательство своей душевной щедрости. Таких я остерегался. Ближе всех мне была женщина, работавшая администратором на нашей радиостанции, милая и здравомыслящая, воспитывавшая в одиночку четверых детей. Мы подумывали о том, чтобы съехаться и начать жить вместе, как только младшая дочь перестанет нуждаться в материнской опеке. Однако дочка родила ребенка без мужа, причем еще до того, как успела покинуть материнский дом, и наши планы и надежды как-то сами собой испарились. Мы продолжали переписываться по электронной почте и после того, как я вышел на пенсию и перебрался в свой старый дом. Я пригласил ее заехать ко мне в гости. Однако последовало неожиданное известие о том, что она выходит замуж и переезжает в Ирландию. Я был до того ошарашен и сбит с толку, что даже не спросил, отправится ли вместе с ней дочка со своим малышом.

Сад я нашел в жутком состоянии. Однако работать в нем было приятнее, чем в доме, который выглядел таким же, как раньше, а внутри был сильно перестроен. Мама превратила заднюю гостиную в спальню, а кладовку для продуктов — в полноценную ванную комнату. Высота потолков уменьшилась, двери повсюду были поставлены дешевые, а обои наклеены яркие, с пестрым геометрическим рисунком, — все это чтобы угодить вкусам квартиросъемщиков. В саду столь радикальных изменений не произошло, он был просто заброшен. Старые многолетние растения все еще поднимались кое-где из зарослей сорняков; большие листья с рваными краями высились на грядке ревеня, сохранявшейся в саду чуть не семьдесят лет. Выжили несколько яблонь, приносивших, впрочем, только маленькие червивые яблочки, — забыл, как называется этот сорт. Грядки и клумбы после прополки казались крошечными, а выдранные сорняки высились огромными кучами. Их приходилось вывозить на свалку: наш муниципалитет запретил разведение костров.

За всем этим прежде следил садовник по имени Пит — фамилию его я тоже забыл, — инвалид, который приволакивал ногу и клонил голову на сторону. Не знаю, было ли это последствием аварии или инсульта. Пит работал медленно, но упорно и при этом всегда находился в дурном расположении духа. Мама разговаривала с ним мягко и уважительно, однако при этом умела заставить его заняться клумбами, которыми он без напоминаний пренебрегал. Меня Пит не любил, поскольку я все время заезжал на своем трехколесном велосипеде туда, куда заезжать не следовало, и устраивал под яблонями тайники. Кроме того, он наверняка знал, что я называю его Питом Бормотухой. Не помню, откуда взялось это прозвище. Может быть, из какого-нибудь комикса.

О другой причине его ворчливой неприязни я догадался лишь сейчас — странно, что это не приходило мне в голову раньше. Ведь мы оба были ущербные, нам обоим жестокая судьба определила жить с физическими недостатками. Таким людям следовало бы держаться сообща, но в жизни все часто бывает прямо наоборот. Другой напоминает тебе о том, что хочется забыть.

Так должно быть по логике вещей, но со мной все было иначе. Мама устроила мою жизнь таким образом, что я по большей части вообще не помнил о своем несчастье. Она уверяла, что в школу я не хожу из-за слабых бронхов и что мне надо остерегаться микробов, которые особенно опасны для младших школьников. Верил ли ей кто-нибудь — не знаю. А отцовская враждебность распространялась на столько разных вещей в нашем доме, что я не чувствовал себя сколько-нибудь выделенным на их фоне.

Не побоюсь повториться: по-моему, мама все делала правильно. Повышенное внимание к недостатку, которого не скроешь, подначки и издевательства в классе застали бы меня в раннем детстве совершенно беззащитным. Теперь-то все иначе. Отправляя сегодня в школу такого ребенка, каким был я, надо опасаться, скорее, пристальной заботы и показной доброты, а не насмешек и отчуждения, как раньше. По крайней мере так мне кажется. Прежняя жизнь была поживее, но и тогдашние шуточки, и своего рода фольклор имели своим источником — как, наверное, догадывалась мама — одну только недоброжелательность.

Долгие годы — пока его не снесли лет двадцать назад — на нашем участке стояло еще одно строение. Не знаю, как его назвать — маленький амбар или большой сарай. Пит держал там свои инструменты, а мы отправляли туда в ссылку разные вещи, некогда полезные, а теперь уже не очень, — отправляли как бы временно, пока не решим, что с ними делать. Снесли его вскоре после того, как Пита сменила энергичная молодая пара, Джинни и Франц, которые привезли на собственном грузовичке новейшие садовые инструменты. Позднее они стали выращивать овощи и фрукты на продажу, но в первое время только позволяли своим детям-подросткам косить траву в саду. Мама больше ничего и не требовала.

— Пусть все совершается само собой, — говорила она. — Удивительно, как становится легко, если позволишь всему идти своим чередом.

Но вернемся к этой постройке, — я все кружу, потому что волнуюсь, когда заговариваю об этом. Так вот, еще до того, как она превратилась в склад или сарай, в ней жили люди. Муж и жена по фамилии Белл. Она служила у моих бабушки с дедушкой кухаркой и экономкой, а он —

садовником и шофером. У деда был «паккард», но водить он так и не научился. И супруги Белл, и «паккард» к моменту моего появления на свет уже исчезли, но «домик Беллов» все еще сохранял свое название.

Когда я был маленьким, его в течение нескольких лет снимала женщина по имени Шэрон Сатлз. У нее была дочка, Нэнси. В город Шэрон приехала с мужем, врачом, который открыл здесь практику, но меньше чем через год умер от заражения крови. Вдова с ребенком осталась без денег и, как она говорила, «без никого». «Без никого» могло значить, что не нашлось тех, кто согласился бы ей помочь или предложил работу. Спустя некоторое время мой отец взял ее к себе в страховую компанию и поселил в «домике Беллов». Когда это произошло, я точно не знаю. Не запомнил, как они въезжали, да и вообще не помню, чтобы домик стоял пустой. Он был покрашен в розовый цвет, и мне казалось, что эту краску выбрала миссис Сатлз и что она не стала бы жить в доме другого цвета.

Я называл ее, разумеется, по фамилии — миссис Сатлз. Но знал и ее имя — в отличие от имен других взрослых женщин. Имя Шэрон в те годы встречалось редко и ассоциировалось с гимном, который я помнил по воскресной школе: мать разрешала мне туда ходить, потому что за учениками там строго следили и не было перемен между занятиями. Мы пели гимны, — слова высвечивались на экране, и мне кажется, многие из нас поняли, что такое стихи, еще раньше, чем научились читать, — по форме строчек.

> Поит прохладный Силоам
> Сонм лилий в их красе,
> Но всех прекрасней фимиам
> Шаронских роз в росе.

Мне казалось, хоть это было не так, что в уголке экрана сияла увядающая розовая «шаронская роза», и ее очарование передавалось имени Шэрон.

Но это вовсе не значит, что я влюбился в Шэрон Сатлз. Влюбляться, кстати, мне уже приходилось. Едва выйдя из младенчества, я влюбился в нашу юную хулиганистую служанку Бесси. Она возила меня прогуливаться в коляске, а когда я качался на качелях в парке, толкала их так, что я чуть не переворачивался вверх ногами. Потом появилась одна мамина подруга: у нее был бархатный воротник и голос, который казался мне тоже бархатным. Нет, в Шэрон я так не влюблялся. Ее голос совсем не был бархатным, и развлекать меня она совершенно не собиралась. Миссис Сатлз была длинной и тощей, без малейших выпуклостей, и как-то даже не верилось, что она может быть чьей-то мамой. Цвет ее волос напоминал о молочных тянучках, — коричневые, золотистые на концах, и во время Второй мировой войны она их все еще коротко стригла. Помаду Шэрон выбирала ярко-красную и красила губы толстым слоем, как у кинозвезд на афишах. У себя дома она ходила в кимоно, на котором были вышиты какие-то белые птицы — аисты, наверное, — и ноги этих птиц напоминали мне ее собственные. Она все время валялась на диване, покуривая, и иногда, ради развлечения, задирала по очереди свои ноги, отправляя в полет украшенные перьями тапочки. Даже если она не сердилась на нас с Нэнси, голос у нее был хриплый, раздраженный и не то чтобы злой, но начисто лишенный и глубины, и нежности, и назидательности с оттенком грусти — всех тех ноток, которые слышны в материнском голосе.

«Тупые придурки» — так она нас называла.

— Убирайтесь отсюда, дайте человеку отдохнуть, придурки тупые!

Мы с Нэнси устраивали на полу гонки заводных машинок, а ее мамаша лежала на диване, поставив себе на живот пепельницу. И какого еще покоя ей было нужно?

Питались они с Нэнси нерегулярно и всякими необычными вещами, причем если Шэрон выходила на кухню перекусить — например, выпить какао с крекерами, — то нам никогда ничего не приносила. Но зато Нэнси разрешалось в любое время похлебать густого овощного супа прямо из консервной банки или отправить в рот пригоршню рисовых хлопьев.

Была ли Шэрон Сатлз любовницей моего отца? Он ведь дал ей работу и бесплатно пустил жить в розовый домик.

Мать отзывалась о ней с сочувствием, часто припоминая пережитую Шэрон трагедию — безвременную кончину мужа. И часто посылала служанку (они все время сменялись) отнести ей то клубники, то молодого картофеля, то лущеного гороха с огорода. Горох я почему-то запомнил лучше всего. Прямо вижу, как Шэрон Сатлз, лежа на диване, подбрасывает горошины щелчком пальцев и спрашивает:

— Ну и что я с ними, интересно, буду делать?

— Налейте в кастрюлю воды и сварите, — вежливо объясняю я.

— Шутишь, что ли?

Отца я вместе с ней никогда не видел. Он уезжал на работу довольно поздно, а заканчивал всегда пораньше, чтобы вечером заняться спортом. Бывали выходные, когда Шэрон уезжала поездом в Торонто, но при этом она всегда брала с собой Нэнси. И та, возвращаясь, рассказывала мне о разных интересных вещах, которые она видела в городе и в которых участвовала, — о параде Санта-Клаусов, например.

Конечно, были часы, когда мать Нэнси отсутствовала, то есть не лежала в кимоно на диване, однако предполагалось, что в это время она не курит и не отдыхает, а трудится в конторе моего отца — этом таинственном месте, где я никогда не бывал и где мне уж точно не обрадовались бы.

Когда мать Нэнси работала, а сама Нэнси оставалась дома, в розовом домике появлялась брюзгливая особа по имени миссис Кодд. Она слушала по радио мыльные оперы и гоняла нас из кухни, а сама подъедала там все, что попадется под руку. Мне почему-то не приходило в голову, что, раз уж мы с Нэнси все время проводим вдвоем, мама могла бы заодно приглядеть и за ней или попросить сделать это нашу служанку и тогда услуги миссис Кодд не понадобились бы.

Сейчас мне кажется, что в то время мы играли с Нэнси целыми днями, с утра до вечера. Это продолжалось три с половиной года, до того, как мне исполнилось восемь с половиной лет, а Нэнси была младше меня на полгода. Играли мы по большей части в саду, хотя случались и дождливые дни, поскольку я помню, как мы торчим в розовом домике, действуя на нервы матери Нэнси. Нам запрещалось приближаться к огороду и клумбам, чтобы не затоптать цветов, и мы все время возились под яблонями, в ягодных кустах, а также в зарослях за розовым домиком, устраивая там себе бомбоубежища и неприступные для немцев блиндажи.

К северу от нашего городка располагалась учебная авиабаза, и над нами без конца проносились настоящие самолеты. Однажды мы даже видели авиакатастрофу, но, к нашему разочарованию, потерявший управление самолет не рухнул на землю, а упал в озеро. Поскольку все вокруг напоминало о войне, мы перевели Пита из статуса просто врага в статус фашиста, а его газонокосилка теперь была танком. Иногда мы забирались на дикую яблоню, прикрывавшую наш лагерь, и метали в Пита яблоки-гранаты. Однажды он нажаловался моей матери, и нас в наказание не повезли на пляж.

Мама всегда брала Нэнси с нами на пляж. Не на тот, с водяной горкой, который находился под скалой, недалеко от нашего дома, а на маленький, куда надо было ехать на машине и где не было шумных отдыхающих. Мама научила нас обоих плавать. Нэнси была куда отчаяннее и бесстрашнее, чем я, и это меня злило. Однажды я толкнул ее в набегавшую волну, а потом уселся ей на голову. Она задержала дыхание, принялась лягаться и вскоре высвободилась.

— Нэнси ведь маленькая, — ругала меня мать. — Она маленькая девочка, и ты должен относиться к ней как к сестренке.

А я так и относился. Но только не считал, что она слабее меня. Меньше — да, но это иногда оказывалось ее преимуществом. Когда мы лазили по деревьям, она, как обезьянка, повисала на таких ветках, которые меня ни за что бы не выдержали. А однажды во время драки — не помню из-за чего, мы часто дрались — она до крови укусила мне руку, которой я ее держал. После этого нам примерно неделю запрещали встречаться, и мы только сердито поглядывали друг на друга из окон наших домов. Однако скоро соскучились, стали умолять взрослых нас простить, и запрет был снят.

Зимой нам разрешали играть где угодно, на всем участке. Мы строили снежную крепость, укрепляя ее поленницами дров, и заготавливали внутри целый арсенал снежков, чтобы обстрелять любого, кто осмелится приблизиться. Однако приближались немногие — наш дом стоял в конце улицы, в тупике. Пришлось вылепить снеговика и разбомбить его снежками.

Если начиналась метель, мы сидели дома, и тогда наше воспитание брала в свои руки моя мама. Тише всего мы вели себя, когда отец оставался дома и лежал в постели с головной болью. Тогда мама читала нам вслух. Хорошо помню чтение «Алисы в Стране чудес». Мы с Нэнси ужасно расстроились, когда Алиса выпила напиток и стала расти так, что застряла в кроличьей норе.

Вы можете поинтересоваться, а не было ли между нами сексуальных игр? Ну да, это тоже было. Помню, однажды, в очень жаркий день, мы забрались в свое укрытие — палатку, поставленную, не знаю почему, за розовым домиком. Забрались затем, чтобы как следует друг друга изучить. От парусины палатки исходил странный запах: несомненно эротический, хотя и детский, — такой же, как от нижнего белья, которое мы снимали. Дальше последовали разные прикосновения и щекотания, поначалу приятные, а потом раздражающие, мы обливались по́том, у нас все чесалось, и вскоре обоим стало стыдно. Выбравшись из палатки, мы сразу разошлись и некоторое время сторонились друг друга. Возможно, потом мы повторили все это еще раз с тем же результатом, точно не помню.

Лицо Шэрон я помню хорошо, а вот лица Нэнси, как ни стараюсь, представить себе не могу. Помню только, что волосы у нее были как у ее матери: поначалу светлые, они постепенно темнели, и она превратилась в шатенку, но постоянно выцветала на солнце. Розоватая, даже красноватая кожа. Да, именно так. И щеки — такие румяные, будто она подкрасила их цветными мелками. Все это из-за того, что она столько времени проводила на улице, а также из-за ее неуемной энергии.

В нашем доме детям, само собой, запрещалось играть повсюду, кроме специально отведенных для этого комнат. Мы даже не мечтали подняться на второй этаж, спуститься в погреб, расположиться в зале или столовой. А розовый домик был открыт для нас весь, кроме тех мест, где отдыхала мать Нэнси или сидела, приклеившись к радиоприемнику, миссис Кодд. Больше всего нас влек к себе подвал, особенно во второй половине дня, когда все вокруг раскалялось от жары. На лестнице, которая туда вела, не было перил, и мы соревновались в лихих прыжках, приземляясь на жесткий земляной пол. Когда надоедало прыгать, забирались в старую детскую кроватку, чтобы проехаться в коляске, нахлестывая при этом воображаемую лошадь. Однажды попробовали покурить. Единственную сигарету мы стащили у матери Нэнси: взять две уже не решились. Курить у Нэнси получилось лучше, чем у меня, поскольку ей чаще приходилось вдыхать табачный дым.

А еще в погребе был старый кухонный буфет, на котором громоздились банки с засохшей краской, олифой, целый набор затвердевших кисточек, палочек для размешивания, досок для пробы красок и вытирания кистей. У пары банок крышки были не сняты, и мы, поднатужившись, их открыли. Там оказалась не до конца высохшая краска, которую можно было размешать. Мы попробовали размягчить кисти, опуская их в краску и колотя ими по буфету. Из этого, конечно, ничего хорошего не получилось. Но потом нашлась банка со скипидаром, и дело пошло на лад. Вскоре мы уже могли рисовать кистями, у которых расклеились щетинки. Благодаря маминым урокам я знал алфавит и умел писать, и Нэнси тоже умела: она окончила второй класс.

— Не смотри пока сюда, — предупредил я ее и даже отпихнул немного в сторону.

Мне хотелось кое-что написать. Но Нэнси и не смотрела. Она была занята: взбалтывала кисточкой красную краску в банке.

Я написал: «ФАШЫСТ БЫЛ ТУТ ФПАДВАЛИ» — и гордо позвал Нэнси:

— Эй, гляди!

Но та по-прежнему была занята: стоя ко мне спиной, мазала кисточкой по самой себе.

— Погоди, сейчас! — откликнулась она.

А потом обернулась. Лицо ее было густо вымазано красной краской.

— Похоже на тебя? — спросила Нэнси, проводя кистью по шее. — Я теперь как ты.

Голос у нее дрожал, и я решил, что она меня дразнит, хотя на самом деле она просто лопалась от радости, словно сделала нечто такое, о чем мечтала всю жизнь.

Теперь я попробую объяснить то, что случилось в следующие несколько минут.

Прежде всего надо сказать, что вид ее показался мне жутким.

Я вовсе не считал, что лицо у меня красное. Да оно таким и не было. Его половина с родимым пятном имела обычный в таких случаях цвет тутовых ягод. Я уже говорил, что потом, с годами, пятно как бы выцвело и побледнело.

Но сам я представлял себе все иначе. Мне казалось, что цвет пятна — бледно-коричневый, какой бывает шерстка у мышей. Мама в свое время не стала совершать глупость, которая вызвала бы потом тяжелые последствия, — убирать из дома зеркала. Но висели они слишком высоко для ребенка. Так обстояло дело и в ванной. Единственное зеркало, в котором я мог увидеть свое отражение, находилось в холле, где днем было темновато, а вечером горел слабый свет. Видимо, поэтому я и решил, что пол-лица у меня окрашено в мягкий матовый мышиный цвет.

Уверенность в этом была крепкой, и потому шутка Нэнси показалась мне такой оскорбительной. Я изо всех сил толкнул ее на буфет и побежал вверх по лестнице. Мне хотелось заглянуть в зеркало или найти кого-нибудь, кто подтвердит, что Нэнси врет. И тогда я показал бы ей. Нашел бы, как отомстить. Как именно — в тот момент мне было некогда думать.

Я пронесся через домик, не встретив мамы Нэнси, хотя в субботу она не работала, и громко хлопнул дверью. Пробежал по гравийной дорожке, свернул на другую, из каменных плит, по сторонам которой росли гладиолусы. Мама поднялась мне навстречу из плетеного кресла на задней террасе нашего дома, где она сидела и читала.

— Вовсе не красное! — крикнул я, задыхаясь от гнева и слез. — У меня не красное!

Она сошла по ступенькам — уже с выражением ужаса на лице, но еще не понимая, в чем дело. И тут выскочила Нэнси, размалеванная и совершенно ошарашенная случившимся.

Мама сразу все поняла.

— Ты маленькая дрянь! — крикнула она не своим голосом. Громким, пронзительным, дрожащим. — Не смей сюда ходить! Не смей! Ты дрянь! В тебе нет ничего человеческого! Тебя вообще не воспитывали!..

Из домика показалась мать Нэнси. Волосы у нее были мокрые и завивались на лбу колечками. В руках она держала полотенце.

— Блин, голову помыть не дадут!

— Не смейте тут ругаться при мне и моем сыне! — крикнула ей моя мама.

— Ах, скажите пожалуйста, — немедленно отреагировала Шэрон. — А самой ей, значит, можно орать как резаной.

Мама аж задохнулась от негодования:

— Я... не ору... как резаная. Я просто прошу вас забрать свою дрянную девчонку, и чтобы ноги ее не было в нашем доме. Она злая и жестокая. Как можно издеваться над ребенком! Смеяться над тем, в чем он не виноват! Вы не учите ее, как себя вести. Она даже спасибо не говорит, когда я беру ее на пляж. Она и слов таких не знает — «спасибо» и «пожалуйста». И не удивительно — с такой мамашей, которая расхаживает повсюду в халате и выставляет себя напоказ.

Поток слов выливался из мамы так, словно внутри у нее бушевал вулкан гнева, боли и абсурда, который никогда не иссякнет. Я уже цеплялся за ее подол и умолял:

— Мама, не надо!

Но дальше было еще хуже: она смолкла из-за подступивших к горлу рыданий и замотала головой. Мать Нэнси продолжала молча наблюдать за происходящим, откидывая назад мешавшие ей смотреть мокрые пряди.

— Вот что я тебе скажу, — произнесла она наконец. — Если ты будешь и дальше пороть такую чушь, тебя увезут в дурку. Я, что ли, виновата, что муж тебя терпеть не может, а у ребенка лицо испорчено?

Мама схватилась за голову обеими руками.

— О господи! — закричала она, словно от острой боли.

Вельма, служанка, работавшая в то время у нас, вышла на террасу и принялась утешать маму:

— Ну, миссус, успокойтесь!

А потом обратилась к Шэрон:

— Эй вы, домой идите! К себе домой. А ну, живо!

— Пойду когда захочу. А ты кто такая, чтобы мне приказывать? Тебе тут нравится работать, да? У хозяйки, у которой мозги набекрень?

Затем Шэрон повернулась к своей дочери:

— Ну и что дальше? Как я тебя, спрашивается, теперь отмою?

А потом сказала погромче, чтобы я слышал:

— Да он же слабак. Погляди, как он за мамкину юбку цепляется. Все, больше не будешь с ним играть. Не надо нам маменькиных сынков.

Вельма поддерживала маму с одной стороны, я — с другой, и мы вместе пытались увести ее в дом. Мама больше не рыдала. Она распрямила спину и заговорила громким, бодрым голосом, чтобы было слышно и в розовом домике:

— Вельма, будьте добры, принесите мне садовые ножницы. Раз уж я вышла, надо заняться гладиолусами. Некоторые из них совсем поникли.

Когда она закончила эту работу, все цветы валялись на дорожке, ни одного не осталось — ни поникшего, ни здорового.

Все это случилось, как я сказал, в субботу — это можно утверждать наверняка, поскольку мать Нэнси была дома, а Вельма — на работе (по воскресеньям она не приходила). А уже в понедельник розовый домик опустел. Скорей всего, Вельма отыскала моего отца в клубе, или на поле для гольфа, или где-то еще, — во всяком случае, он явился домой. Поначалу отец злился и не желал ничего слушать, но вскоре стал сговорчивее — по крайней мере насчет того, что Шэрон и Нэнси здесь больше жить не смогут. Понятия не имею, куда они направились. Может быть, отец поселил их в гостинице до тех пор, пока не подыскал им другое жилище. Думаю, Шэрон уехала от нас без скандала.

То, что я больше никогда не увижу Нэнси, я понял не сразу. Поначалу продолжал сердиться и делал вид, что мне все равно. Потом стал спрашивать о ней. Мама отвечала невнятно, только чтобы отделаться. Ей не хотелось напоминать о мучительной сцене ни мне, ни самой себе. И, наверное, именно в это время она стала всерьез задумываться о том, что пора отдать меня в школу. Если я правильно помню, той же осенью я поступил в школу для мальчиков. Маме казалось, что там воспоминания о подружке-девчонке быстро выветрятся или покажутся чемто смешным и даже недостойным.

На следующий день после похорон отца мама меня удивила: попросила пригласить ее на ужин в ресторан, расположенный в нескольких милях от нас, на берегу озера (разумеется, на самом деле приглашала меня она). Там, по ее расчетам, не должно было оказаться никого из знакомых.

— А то я будто заперта в этом доме навечно, — пожаловалась она. — Хорошо бы проветриться.

В ресторане мама внимательно осмотрела зал: знакомых действительно не было.

— Ну что, выпьем по бокалу вина?

Значит, мы уехали так далеко от дома, чтобы никто не увидел, как она пьет вино?

Когда принесли бутылку и мы заказали еду, мама сказала:

— Мне надо рассказать тебе кое-что важное.

Вообще-то, это самые неприятные слова на свете. Велика вероятность, что известие окажется тяжелым и докучным, причем другие давно несут тяжелый груз знания, а ты был до поры до времени от него избавлен.

— Отец на самом деле не мой настоящий отец? — предположил я. — Вот здорово!

— Не дурачься. Ты помнишь Нэнси? Твою подружку в детстве?

Я вспомнил не сразу. Но потом сказал:

— Да, смутно.

В то время в разговорах с мамой я придерживался определенной линии поведения: старался казаться беззаботным и неуязвимым, много шутил. У нее же и в голосе, и в выражении лица чувствовалась скрытая печаль. На свою судьбу она никогда не жаловалась, но так часто рассказывала о невинных людях, обиженных разными негодяями, что становилось понятно: ей хочется, чтобы я отправился к своим друзьям и веселой жизни с тяжестью на сердце.

Однако я не поддавался. Скорее всего, маме было нужно всего лишь сочувствие, простое выражение сыновней нежности, но я отказывал ей и в этом. Мама была привлекательной изящной дамой, которую еще не затронуло старение, но я сторонился ее, словно в ее постоянной мрачности было что-то заразное. И особенно старательно я уклонялся от любых намеков на мое несчастье, о котором, как мне казалось, она помнила всегда. Однако не мог же я разорвать узы, которые связывали меня с ней с самого рождения.

— Если бы ты жил неподалеку от нас, то сам бы все услышал, — продолжала она. — Но это случилось вскоре после того, как мы отправили тебя в школу.

Нэнси со своей матерью поселилась в городской квартире, принадлежавшей моему отцу, в доме на центральной площади. И вот одним ясным осенним утром Шэрон обнаружила дочь в ванной: та резала себе щеку лезвием бритвы. Кровь была повсюду — на полу, в раковине и на самой Нэнси. Однако та продолжала свое дело и не издавала ни звука от боли.

Откуда узнала об этом моя мама? Могу только предположить, что об этой драме судачил весь городок. Конечно, о таких вещах принято помалкивать, однако это была настоящая кровавая история, в буквальном смысле слова, и не обсудить ее во всех подробностях обыватели не могли.

Шэрон замотала голову Нэнси полотенцем и доставила дочку в больницу. «Скорой» в городе тогда не было. Наверное, поймала машину на площади. Почему она не позвонила моему отцу? Ну, не важно — не позвонила, и все. Порезы оказались не очень глубокими и потеря крови — не такой страшной. На самом деле ни одна вена или артерия не была перерезана. Шэрон бранила Нэнси на чем свет стоит и все время спрашивала, о чем та думала.

— Горе ты мое, — повторяла она. — Наградил Бог ребеночком.

— Если бы поблизости оказался кто-нибудь из опеки, — заметила моя мама, — то бедняжку, без сомнения, отобрали бы у такой матери и отдали в Общество помощи детям.

Она помолчала и добавила:

— А щека была та самая.

Я тоже помолчал, притворяясь, что не понял. Но потом не выдержал.

— Она тогда краской намазала все лицо, — сказал я.

— Да. Но на этот раз она все сделала аккуратнее. Разрезала только одну щеку, чтобы походить на тебя как можно больше.

На этот раз я сумел сдержаться и промолчать.

— Ужасно! — продолжала мама. — Если бы она была мальчишкой, тогда еще куда ни шло. Но девочка...

— Пластические хирурги теперь творят настоящие чудеса.

— Да, наверное.

Помолчав немного, мама сказала:

— Как все-таки дети умеют глубоко чувствовать.

— Потом они все забывают.

Что случилось с Шэрон и Нэнси потом, мама не знала. Слава богу, что я никогда раньше о них не спрашивал, — заметила она. Ей совсем не хотелось рассказывать мне такие ужасные вещи, пока я был совсем юным.

Уж не знаю отчего, но только мама в глубокой старости стала совсем другой — грубой до скабрезности и при этом большой фантазеркой. Заявляла, что мой отец был «изумительным любовником», а сама она — «настоящей оторвой». Говорила, что мне следовало жениться «на той девчонке, которая порезала себе лицо», потому что тогда ни один из нас не смог бы злорадствовать друг над другом. Да вы просто два сапога пара! — хохотала она.

Я охотно соглашался. Мне она такой даже нравилась.

Несколько дней назад меня укусила оса. Я сортировал яблоки, сидя под старыми яблонями. Жало осталось у меня в веке, глаз быстро отек и закрылся. Я доехал до больницы, глядя на дорогу одним глазом (распухший оказался на «хорошей» стороне лица), и очень удивился, когда мне сказали, что надо пробыть там до утра. Дело в том, что мне сделали укол и забинтовали оба глаза, чтобы я не перенапрягал здоровый. Я провел беспокойную ночь, то засыпая, то просыпаясь. В больницах на самом деле не бывает полной тишины, и за короткое время, что я находился там, не имея возможности видеть, слух у меня сильно обострился.

Заслышав, что кто-то вошел в мою палату, я сразу понял: это какая-то женщина, но не медсестра.

— А, так вы не спите! — сказала она. — Очень хорошо. Давайте я почитаю.

Я решил, что ошибся и ослышался, — наверное, это все-таки медсестра, пришедшая посчитать мне пульс, — и вытянул руку.

— Да нет же, — сказала она негромко, но настойчиво. — Не посчитаю, а почитаю. Я пришла почитать вам книги, если вы захотите, конечно. Некоторым нравится. Скучно же лежать с завязанными глазами.

— А кто выбирает, что читать? Вы или больные?

— Обычно больные, но иногда и я им что-то напоминаю. Например, библейские истории — какую-нибудь из книг Библии, которую они лучше помнят. Или историю, прочитанную в детстве. Я ношу с собой целую стопку книг.

— Я люблю стихи, — сказал я.

— Правда? Хотите послушать? Что-то голос у вас не слишком бодрый.

На самом деле я не очень хотел. Мне доводилось самому читать стихи на радио и слушать, как декламируют хорошо поставленными голосами другие дикторы. Манера одних казалась мне приемлемой, а других — решительно не нравилась.

— Ну что ж, тогда давайте поиграем, — сказала она, словно услышав мои мысли. — Я прочту вам пару строк, потом остановлюсь, и посмотрим, сможете ли вы продолжить. Годится?

Мне пришло в голову, что она, может быть, совсем молода и хочет продвинуться по службе, поэтому так и старается.

— Ладно, — ответил я. — Но только, пожалуйста, ни слова по-староанглийски.

— «В Данфéрмлине-граде король сидит...» — начала она с вопросительной интонацией.

— «И пьет вино цвета крови», — закончил я.

Игра оказалась забавной. Она читала хорошо, хотя немного по-детски, рисуясь и торопясь. Мне же понравился звук собственного голоса, и я стал пробовать разные актерские интонации.

— Очень хорошо! — подбадривала меня она.

— «Я покажу тебе, как лилии цветут на берегах Италии...»

— Там «цветут» или «растут»? — спросила она. — У меня нет сборника с этой балладой. Но я должна вспомнить. Хотя не важно, все равно хорошо. А мне всегда нравился ваш голос по радио.

— Вот как? Так вы слушали?

— Разумеется. Все вас слушали.

Она перестала подавать мне новые строчки, и я двинулся вперед самостоятельно. Можете представить, что тут началось. Я прочел «Берег Дувра», «Кубла Хан», «Западный ветер», «Дикие лебеди в Куле», «Гимн обреченной молодежи». Ну, может быть, не все эти стихи и не до конца.

— Вы даже запыхались, — сказала она и быстро закрыла мой рот своей маленькой ручкой. А потом ее лицо — или одна сторона ее лица — прижалось к моему.

— Мне пора идти, — сказала она. — Вот еще стихотворение напоследок. Я усложню задачу: прочту его не с самого начала.

Никто не станет долго о тебе скорбеть,
Молиться, тосковать,
Твое свободно место...

— Никогда не слышал, — сказал я.

— Точно?

— Без сомнения. Вы выиграли.

Тут у меня возникли смутные подозрения. Она казалась рассеянной и немного сердитой. Я услышал крик гусей, пролетавших над больницей. В это время года, в начале осени, они только готовятся к полету: их перелеты с каждым днем становятся все длиннее, и однажды они улетят совсем. Я проснулся — и удивленный, и раздосадованный столь правдоподобным сном. Мне хотелось вернуться назад, в свой сон, и чтобы снова ее лицо коснулось моего. Ее щека — моей. Но сны нас не слушаются.

Когда с моих глаз сняли повязку, я вернулся домой и там попробовал найти те строчки, которые она прочла мне во сне. Пролистал пару антологий, но ничего не нашел. Тогда у меня возникло подозрение, что на самом деле эти строки были специально выдуманы во сне, чтобы сбить меня с толку.

Выдуманы? Но кем?

Позже, той же осенью, я перебирал книги и откладывал в сторону те, которые можно отнести на благотворительный базар. Вдруг из них выпал листочек пожелтевшей бумаги с какими-то карандашными строчками. Почерк был не мамин. Что он мог быть отцовским, мне даже не пришло в голову. Так чей же? Кто бы это ни был, он приписал в конце стихотворения имя автора. Уолтер де ла Мар. Заголовка нет. Про такого поэта я почти ничего не слышал, но стихотворение мне где-то уже встречалось. Только не в этой книге. Может, в антологии? Во всяком случае, эти слова хранились на полочке где-то в глубине моего сознания. Зачем? Для того чтобы они меня дразнили или чтобы меня дразнил некий призрак маленькой девочки, являющийся мне во снах?

Нет скорби той,
Которую не лечит время;
Нет ни потери, ни измены
Непоправимой.
Душа излечится,
Хотя не перестанет
Могила разделять
Любимого с любимой.
Смотри, как светит солнце,
Дождь кончается;
И лепестки расправлены
Цветов неисчислимых,
Так не скорби о прошлом,
Возлюбленных, друзьях,
Они, быть может, ждут тебя
В полях незримых,
Где жизнь и смерть
Находят свой конец.
Никто не станет долго о тебе скорбеть,
Молиться, тосковать,
Твое свободно место,
Тебя там нет.

Нельзя сказать, что эти стихи вогнали меня в тоску. Но каким-то странным образом они подкрепили решение, которое я уже принял к тому времени: не продавать дом, остаться здесь жить.

Здесь нечто произошло. В жизни человека бывает всего несколько мест — или всего одно, — где нечто произошло, а все остальные не в счет.

Конечно, я понимаю, что если бы встретил Нэнси где-нибудь — например, в торонтском метро — и мы сразу узнали бы друг друга по отметинам на лицах, то у нас получился бы неловкий и бессмысленный разговор с судорожным перечислением основных фактов наших биографий. Я увидел бы, что щека у нее почти нормальная. Или наоборот, что шрам очень заметен. Но в разговоре мы постарались бы это обойти. Наверное, мы заговорили бы о детях. Вообще о самочувствии. О внуках. О работе. Мне, скорее всего, не пришлось бы ей рассказывать, чем я занимался. Мы были бы сильно взволнованы, радушны и умирали бы от желания поскорей уйти.

Как вы думаете, изменила бы что-то такая встреча?

Возможные ответы: «Да, конечно», «Ненадолго», «Вовсе нет».

Есть такие женщины

Мне и самой порой становится странно, как подумаю, насколько я стара. Помню времена, когда улицы нашего городка летом поливали водой, чтобы избавиться от пыли; когда девушки носили корсеты и платья, которые не падали, если их поставить на пол; когда совсем не умели лечить ни полиомиелит, ни белокровие. У больных полиомиелитом еще, бывало, наступало улучшение, хотя они и оставались калеками, а вот больным лейкозом просто прописывали постельный режим, и через несколько недель или месяцев угасания в атмосфере полной безнадежности они умирали.

Благодаря одному такому больному я получила первую в жизни работу: в тринадцать лет, на летних каникулах. Молодой мистер Крозье (Брюс) вернулся целым и невредимым с войны, где был летчиком-истребителем, поступил в университет на исторический факультет, окончил его, женился, а потом заболел лейкемией. Тогда они с женой решили вернуться в его родной дом, в котором жила его мачеха — старая миссис Крозье. А молодая миссис Крозье (Сильвия) дважды в неделю отправлялась преподавать на летних курсах в том же университете, где и познакомилась с мужем, — за сорок миль от дома. И они наняли меня ухаживать за молодым мистером Крозье, пока его жена на работе. Он лежал в постели в угловой спальне на втором этаже, с окном на улицу, и мог пока самостоятельно добираться до туалета. Так что я должна была только приносить воду, поднимать и опускать шторы и спрашивать, что ему угодно, когда он звонил в колокольчик, стоявший на тумбочке у кровати.

Обычно он просил передвинуть вентилятор. Легкое дуновение ветерка ему нравилось, но шум раздражал. Поэтому он хотел, чтобы я оставляла вентилятор на какое-то время в комнате, а потом выносила в коридор, но недалеко, возле открытой двери.

Когда моя мама об этом узнала, она поинтересовалась, а почему бы им не поместить больного внизу: там потолки наверняка повыше, и ему будет попрохладнее.

Я объяснила, что в доме нет спален на первом этаже.

— Ну и что? Господи боже мой, разве нельзя поставить там кровать? Временно?

Мама совсем не представляла себе порядки, установленные в этом доме старой миссис Крозье.

Старая миссис ходила с палкой. Во второй половине дня на лестнице раздавались ее зловещие шаги: она шла проведать пасынка. Когда я дежурила, это случалось только раз в день, но и когда меня там не было, вряд ли она навещала его чаще. В случае необходимости, впрочем, могла заглянуть еще раз вечером — перед сном. Но одна только мысль о том, что на первом этаже можно устроить временную спальню, привела бы ее в такое же бешенство, как предложение превратить гостиную в туалет. Он, к счастью, имелся внизу, за кухней, и я уверена, что если бы в доме был только один туалет, наверху, то она предпочла бы, невзирая на трудности, карабкаться на второй этаж, но ни за что не стала бы ничего перестраивать внизу.

Моя мама в то время носилась с идеей открыть антикварный магазин, и потому ее очень интересовала обстановка в доме Крозье. Однако проникнуть туда ей удалось только однажды, в мой самый первый рабочий день. Я была на кухне и прямо застыла на месте, услышав веселое «Эй!», а потом свое имя. Мама небрежно, только для вида, постучала, и на крыльце кухни послышались ее легкие шаги. Тогда со стороны застекленной террасы, где принимала солнечные ванны старая миссис Крозье, послышались другие шаги — тяжелые и зловещие.

Мама сказала, что просто заглянула посмотреть, как тут устроилась ее дочка.

— С ней все в порядке, — ответила старая миссис Крозье, стоя в дверях и тем самым закрывая от мамы весь антиквариат.

Мама еле-еле сумела выдавить из себя еще несколько слов и поспешно ретировалась. Вечером она заметила, что старая миссис Крозье плохо воспитана, да и вообще эта женщина — всего лишь вторая жена, которую покойный подцепил где-то по пути в Детройт, во время деловой поездки. Вот почему она курит и красит волосы в черный, как смоль, цвет и помада у нее на губах выглядит так, словно она объелась вареньем. И она даже не мать больного, лежащего наверху. Даже не смогла родить ребенка.

(В тот день мы с мамой поссорились — что было у нас обычным делом — именно из-за ее визита к Крозье, но это к моему рассказу не относится.)

Наверное, с точки зрения старой миссис Крозье, я выглядела такой же настырной пронырой и эгоисткой, как моя мать. В свой первый рабочий день я зашла в маленькую гостиную, открыла книжный шкаф и стала вынимать один за другим тома «Гарвардской классики», которые до меня были выстроены в идеально ровный ряд. Большинство книг показались мне неинтересными, но потом попалась одна — вероятно, роман, хотя название было на иностранном языке: «I Promessi Sposi»[1]. Я открыла ее: да, действительно роман, и написано по-английски.

Мне тогда казалось, что книги — это всеобщее достояние, независимо от того, как они к тебе попадают. Вроде воды из крана где-нибудь в общественном месте.

Однако, когда старая миссис Крозье увидела меня с книгой, она тут же спросила, где я ее взяла и зачем. Взяла из шкафа внизу, ответила я, и принесла наверх — почитать. Похоже, больше всего хозяйку озадачило то обстоя-

---

[1] «Обрученные» (ит.).

тельство, что книга, которой положено быть внизу, оказалась наверху. Слово «почитать» она пропустила мимо ушей, словно такой род деятельности находился за пределами ее понимания. В общем, она заявила, что, если мне в дальнейшем понадобятся книги, я должна приносить их из дома.

Роман все равно оказался нечитабельным, и я без сожаления поставила толстый том обратно в шкаф.

В комнате больного, конечно, тоже были книги. Вообще чтение здесь, похоже, дозволялось. Книги эти были по большей части уже открыты и положены страницами вниз, — создавалось впечатление, что мистер Крозье прочитывает понемногу из одной, потом из другой, из третьей — и откладывает их в сторону. Да и названия меня совсем не привлекали: «Цивилизация на суде истории» или «Тайная война против Советской России».

Кроме того, я помнила наказ своей бабушки: не трогать без необходимости вещи, которых касался больной, потому что на них полно микробов. И когда подаешь ему стакан с водой, надо брать его не голой рукой, а тряпочкой.

Правда, мама возразила, что белокровие происходит не из-за микробов.

— А от чего же? — удивилась бабушка.

— Медики этого не знают.

— Хм.

После работы молодая миссис Крозье подвозила меня домой, хотя расстояние было немалое: с одного конца города на другой. Она была высокой, стройной, светловолосой, и лицо у нее временами становилось то бледным, то румяным. Иногда щеки покрывались у нее красными пятнами, словно она их расчесала. Ходили слухи, что она была старше своего мужа и даже что он учился у нее в университете. Моя мама считала, что это все домыслы: поскольку он был ветераном войны, то она могла быть и младше своего ученика. Люди просто невзлюбили ее за то, что она образованная.

Еще говорили, что она могла бы сейчас посидеть дома и поухаживать за ним в несчастье, как обещала во время бракосочетания, а не мотаться на работу. И снова моя мама становилась на сторону Сильвии. Ездит-то она всего два раза в неделю и правильно делает: надо стараться сохранить профессию, скоро она останется одна, и тогда придется самой о себе заботиться. И вообще, если время от времени не уезжать от старой миссис, то можно с ума сойти. Мама всегда защищала женщин самостоятельных, живущих своим трудом, а бабушка за это на нее сердилась.

Как-то раз я попробовала заговорить с молодой миссис Крозье — с Сильвией. Из всех моих знакомых только она имела высшее образование и к тому же преподавала. Кроме ее мужа, конечно, но он был не в счет.

— Скажите, а Тойнби писал книги по истории?

— Что-что? А, да, конечно.

Казалось, для нее никто не имеет значения: ни я, ни те, кто ее критикует, ни те, кто защищает. Мы все были для нее букашками на абажуре лампы.

О чем старая миссис Крозье действительно заботилась, так это о своем саде. У нее был работник — человек примерно ее возраста, но гораздо более подвижный. Он жил на нашей улице, и именно от него она услышала про меня — что можно меня нанять. У себя дома он только болтал языком и растил сорняки, но тут трудился вовсю: выдергивал сорную траву, мульчировал почву, носился туда-сюда, а она поспешала за ним, опираясь на палку и прикрыв голову большой соломенной шляпой. Иногда старая миссис Крозье присаживалась на скамейку покурить, но при этом не переставала комментировать его действия и отдавать приказы. Вскоре после своего появления в доме я решилась пройти между идеально постриженными живыми изгородями, чтобы спросить, не желает ли она и ее помощник воды. «Смотри, куда ступаешь!» — закричала она прежде, чем ответить «нет».

В дом никогда не приносили цветов. Кое-где за живыми изгородями, почти на самой дороге, росли маки, и я спросила хозяйку, нельзя ли нарвать букет, чтобы в комнате больного стало повеселее.

— Зачем? Они же там помрут, — ответила она, по-видимому не замечая, что в данных обстоятельствах это замечание звучит двусмысленно.

Некоторые мои просьбы или высказывания заставляли мускулы ее худого, в пигментных пятнах лица вздрагивать, глаза — бросать косые взгляды, а губы — делать такое движение, будто во рту у нее вдруг образовался мерзкий привкус. В такие моменты она действовала на меня как удав на кролика.

Я работала два дня в неделю, — не помню, в какие именно, допустим, во вторник и четверг. В мой первый рабочий день, вторник, в доме были только больной и старая миссис Крозье. А в четверг явилась еще одна особа, о которой мне ничего не рассказывали. Сначала я услышала шум подъезжающей машины, потом кто-то стремительно взбежал по ступенькам крыльца и вошел в кухню, даже не постучавшись. Женский голос позвал какую-то Дороти, — я тогда даже не знала, что так звали старую миссис Крозье. Голос был молодой, смелый и как бы дразнящий, — создавалось впечатление, что эта особа вас щекочет.

Я сбежала вниз и сказала:

— Может, она на веранде — загорает.

— Здрасьте пожалуйста! А ты кто?

Я объяснила, кто я такая и что здесь делаю, и тогда девушка в ответ назвала себя: Роксана.

— Я массажистка, — добавила она.

Мне очень не нравилось, если меня срезали каким-нибудь незнакомым словом. Я постаралась не подать виду, но Роксана сама догадалась:

— Не врубаешься? Массажи я делаю. Слыхала про такое?

Она уже распаковывала свою сумку, вынимая оттуда разные подушечки, тряпочки и плоские бархатные щеточки.

— Нужна горячая вода, чтобы подогреть это дело, — сказала он. — Вскипяти-ка мне в чайнике!

Дом Крозье был с виду величественный, но вода в кране текла только холодная — как, впрочем, и у нас дома.

По-видимому, Роксана сразу решила, что я жду не дождусь, когда мне что-нибудь прикажут сделать, в особенности если прикажут таким ласковым тоном. И она была права, хотя, может быть, и не догадывалась, что я готова услужить скорее из любопытства, чем из-за ее обаяния.

Лето еще только началось, но она была уже загорелая, а ее волосы, модно подстриженные «под пажа», имели цвет меди. В наше время ничего не стоит выкрасить волосы в такой цвет, но тогда подобный оттенок был редкостью и вызывал зависть. Карие глаза, ямочка на щеке и постоянная дразнящая улыбка. Эта улыбка отвлекала, и, глядя на Роксану, нельзя было решить, действительно ли она красива и сколько ей лет.

У нее были довольно узкие бедра, но что касается всего остального, то она отнюдь не была обижена природой.

Она тут же рассказала, что в наш город переехала недавно, когда вышла замуж за автомеханика — он работает на заправке «Эссо», — у нее есть двое маленьких сыновей, одному четыре года, а другому три.

— От кого они, решить было непросто, — заметила она, заговорщически подмигнув.

Массажу она научилась в Гамильтоне, где жила раньше, и оказалось, что именно к этому делу у нее есть большие способности.

— Доро-оти! Ты где-е? — громко позвала она вдруг.

— Она на веранде, — повторила я.

— Да в курсе я. Просто шучу с ней. Чтобы ты знала: если тебе делают массаж, надо полностью раздеваться. Для молодых — плевое дело, а для тех, кто постарше, сама понимаешь. Стесняются.

В том, что она говорила, не все было верно, по крайней мере по отношению ко мне. Это я насчет того, что для молодых раздеться — плевое дело.

— Так что лучше бы тебе отсюда смыться, — заключила Роксана.

Я принесла горячей воды, а сама поднялась наверх, на этот раз по главной лестнице. По дороге бросила взгляд на веранду. Она называлась «солнечной», хотя солнца там было мало, поскольку ее с трех сторон закрывали разросшиеся деревья катальпы.

Я увидела старую миссис Крозье. Она лежала на тахте — на животе, повернув голову в противоположную от меня сторону, совершенно голая. Худосочная бледная плоть. Открывшиеся части не выглядели такими старыми, как те места, которые были на виду: веснушчатые руки с темными венами, щеки с коричневыми пятнами. А эти, ранее скрытые, части были желтоватыми и цветом напоминали древесину с только что содранной корой.

Я села на верхнюю ступеньку лестницы и прислушалась к звукам, сопровождавшим массаж. Шлепки, вздохи и ворчание. И еще голос Роксаны, начальственный, веселый и наставительный:

— Ну, вот здесь мышцу расслабим. Ох ты боже мой, опять напряглась. А вот я тебя сейчас отшлепаю! Да шучу, шучу. Ну, будь лапочкой, расслабь-ка ее! А ты знаешь, у тебя тут хорошая кожа. На пояснице. Прямо как попа младенца. А вот я нажму посильнее, и ты сразу почувствуешь. А ну, расслабься! Ну вот, хорошая девочка.

Миссис Крозье только тихонько поскуливала. Звуки, ею издаваемые, выражали и жалобу, и благодарность. Мне скоро надоело их слушать, и я вернулась к старым номерам «Канадиэн хоум джорнал», которые нашла в серванте в прихожей. Читала рецепты и рассматривала давно прошедшие моды. Потом услышала, как Роксана говорит:

— Сейчас я тут приберу, а потом пойдем наверх, как ты хотела.

Наверх! Я поскорей сунула журналы в сервант (который наверняка понравился бы моей матери) и побежала в комнату мистера Крозье. Он спал или, по крайней мере, лежал с закрытыми глазами. Я отодвинула вентилятор на несколько сантиметров и расправила ему одеяло. Потом отошла от него и встала у окна, теребя занавеску.

Послышался шум на задней лестнице. Медленные и грозные шаги старой миссис Крозье, стук ее палки, а следом за ней Роксана с криками:

— Эй, берегись! Прячься не прячься, все равно найдем!

Мистер Крозье открыл глаза. Кроме обычного выражения усталости, на его лице была заметна тревога. Он хотел притвориться спящим, но тут в комнату ворвалась Роксана.

— Так вот где ты прячешься! А я только что говорила твоей мачехе, что пора бы нам с тобой познакомиться.

— Добрый день, Роксана! — поздоровался мистер Крозье.

— А откуда ты знаешь, как меня зовут?

— Слухами земля полнится.

— А он у вас ничего выглядит, — сказала Роксана старой миссис, которая только теперь, тяжело ступая, вошла в комнату.

— А ну оставь в покое занавеску! — с ходу рявкнула та на меня. — Если нечем заняться, пойди принеси мне прохладной воды. Ты слышала? Не холодной, а прохладной.

— А с лицом у тебя непорядок, — снова обратилась Роксана к мистеру Крозье. — Кто тебя брил и когда это было?

— Вчера, — ответил он. — Я сам побрился, как смог.

— Так я и думала, — сказала Роксана и обратилась ко мне: — Когда принесешь ей воды, будь добра, вскипяти еще для меня. Попробую побрить его как следует.

Вот так Роксана получила дополнительную работу — раз в неделю, после сеанса массажа. В тот первый день она успокоила мистера Крозье:

— Я тебя не буду молотить, как нашу дурашку Дороти, — ты ведь слышал, наверное, как я ее обрабатываю? Я, до того как заняться массажем, работала медсестрой. Ну хорошо, помощницей медсестры, скажем так. Из тех, знаешь, которые делают за сестер всю работу, а те их только гоняют. Во всяком случае, я знаю, как сделать больным удобно.

«Нашу дурашку Дороти»? Мистер Крозье при этих словах усмехнулся. Но самое странное было то, что старая миссис Крозье тоже усмехнулась — и только.

Побрила его Роксана ловко и проворно. Потом промыла губкой его лицо, шею, торс, руки. Вытащила и заменила простыни, каким-то образом ухитрившись не потревожить больного. Взбила и переложила подушки. И все это она делала, треща без умолку, поддразнивая его и болтая всякую чушь.

— Дороти, ты все время врешь. Ты мне сказала, что у тебя там наверху больной, а я кого тут вижу? Где больной? Нет тут никакого больного!

— А кто же я тогда, по-вашему? — спросил мистер Крозье.

— Выздоравливающий, я бы сказала. То есть не то что завтра вскочишь и побежишь. Я же не дура, понимаю: надо полежать в кроватке. Но все равно, ты — выздоравливающий. Потому что больные той болезнью, которой ты якобы болен, так не выглядят.

Мне такое заигрывание показалось оскорбительным. Выглядел мистер Крозье ужасно. Рослый мужчина, у которого ребра торчали, как у голодающего, а кожа была как у ощипанного цыпленка, — это было видно, когда Роксана его обтирала. Голова совсем облысела и держалась на шее, как у глубокого старика. Я, когда дежурила в его комнате, всякий раз старалась на него по возможности не смотреть. И не потому, что он был слаб и уродлив. А потому, что он умирал. Это вызывало во мне высокое, торжественное чувство, которое не зависело ни от чего внешнего, — оно осталось бы таким же, если бы он был красив, как ангел. Я ощущала атмосферу смерти в этом доме, густеющую по мере приближения к его комнате. И он был средоточием всего, как у католиков облатка, которую держат в коробочке столь важной, что ее называют дарохранительницей. Он был отмечен свыше и отделен от людей, а теперь эта Роксана вторгалась на его территорию со своими шуточками, развязностью и представлениями о том, как надо развлекать больных.

Спросила, например, есть ли в доме игра, называемая китайскими шашками.

Она завела разговор об этом уже во второе свое появление, после того, как поинтересовалась, что он делал целый день.

— Что-то читал. Спал.

Ну и как ему спится по ночам?

— Бывает, не могу заснуть. Просто лежу. Думаю. Читаю иногда.

— А жену твою это не беспокоит?

— Она спит в другой спальне.

— А... В общем, надо тебя развлечь.

— Вы хотите спеть и сплясать?

Я заметила, что старая миссис Крозье отвернулась, чтобы скрыть ухмылку.

— Ну-ну, не надо наглеть, — отозвалась Роксана. — А в картишки ты играешь?

— Ненавижу.

— Ну тогда... Нет ли у вас китайских шашек?

Вопрос Роксаны был адресован старой миссис Крозье. Та сначала сказала, что понятия не имеет, а потом предположила: может быть, в столовой, в ящике серванта?

Меня послали в столовую, и я вернулась с доской и банкой с фишками.

Роксана поставила доску прямо на ноги больному, и мы приступили к игре. Старая миссис Крозье заявила, что никогда не могла понять правил. (К моему удивлению, она проговорила это шутливым тоном.) Роксана иногда взвизгивала, делая ход, или же стонала, когда фишки противника перепрыгивали через ее собственные, но звуки издавала негромкие, чтобы не растревожить пациента. Резких жестов тоже не делала и шашки передвигала легко, как перышки. Я старалась поступать так же, поскольку в противном случае она грозно таращила на меня глаза. И при этом у нее на щеке не исчезала ямочка.

Я вспомнила, как молодая миссис Крозье говорила мне, когда отвозила домой, что ее муж не любит долгих разговоров. Они его выматывают, а когда он сильно устает, то становится раздражительным. Вот, подумала я, теперь самое время ему сделаться раздражительным. Заставили играть в дурацкую игру на смертном ложе. А у человека такая температура, что даже простыни горячие.

Однако Сильвия, похоже, ошибалась. Больной казался гораздо терпеливее, вежливее и обращался с низшими — а Роксана, несомненно, была для него низшей — мягко и сдержанно. Приходилось тратить на это силы, в то время как ему, наверное, больше всего хотелось тихо лежать, размышлять о своем жизненном пути и готовиться к будущему.

Роксана вытерла пот у него со лба и сказала:

— Ну-ну, не волнуйся. Ты еще не выиграл.

— Роксана, — произнес он. — Роксана. А вы знаете, кто носил это имя — Роксана?

Она хмыкнула, а я поспешила вмешаться. Не смогла сдержаться.

— Так звали жену Александра Великого!

Мои познания легче всего было сравнить с гнездом сороки, увешанным разными блестящими сведениями вроде этого факта.

— Да ну? — сказала Роксана. — А кто он такой? Великий Александр?

Я взглянула на мистера Крозье и вдруг поняла нечто и удивительное, и грустное.

Ему понравилось, что она не знает. Я точно говорю. Ему понравилось, что она не знает. Ее невежество доставило мистеру Крозье удовольствие, словно ему дали ириску.

Когда я впервые увидела Роксану, на ней были шорты, как и на мне, однако потом она всегда приходила в платье из какой-то жесткой и лоснящейся светло-зеленой ткани. Шуршание этого платья было слышно, уже когда она поднималась по лестнице. Она принесла мистеру Крозье шерстяную подушечку, чтобы у него не образовывались пролежни. Без конца выражала неудовольствие состоянием его простыней и без конца их расправляла. Однако ни ругань, ни эти перемещения не вызывали у больного раздражения, и после них она заставляла его признавать, что ему стало удобнее лежать.

Роксана никогда не терялась и не падала духом. Она то загадывала загадки, то травила анекдоты — из тех, которые моя мама называла похабными и запрещала рассказывать у нас дома всем, кроме папиных родственников (других форм общения они просто не знали).

Хохмы Роксаны начинались с вопроса, задаваемого с самым серьезным видом:

— Знаете, как монахиня покупала мясорубку?

— Знаете про жениха и невесту, которые заказали десерт в первую брачную ночь?

Анекдоты обычно содержали двусмысленность, и рассказчица могла обвинить слушателей в том, что у них всегда одно на уме.

Приучив нас к подобным шуткам, Роксана перешла к анекдотам позабористей, о существовании которых моя мама, боюсь, и не подозревала: в них фигурировал секс с овцами, курами и доильными аппаратами.

— Ужас какой, да? — так она обычно заканчивала свой рассказ. И добавляла, что всего этого муж понабрался в своей автомастерской, а сама-то она и представить такого не может.

Хихиканье старой миссис Крозье шокировало меня не меньше, чем сами анекдоты. Я даже решила, что она ничего не понимает, просто ей нравится слушать Роксану. Старая миссис сидела с улыбкой наготове, словно ей только что вручили какой-то подарок: обертка еще не снята, но он ей обязательно понравится.

Мистер Крозье не смеялся, но он ведь вообще никогда не смеялся. Только поднимал брови, делая вид, что сердится и находит Роксану ужасной и очаровательной одновременно. Сказывалось воспитание, а может, он выказывал таким образом благодарность за все, что она для него делала.

Что касается меня, то я заставляла себя смеяться, чтобы Роксана не сочла меня невинной недотрогой.

Помимо анекдотов, она оживляла обстановку рассказами о своей жизни. Приехала в Торонто из какого-то забытого богом городка на севере провинции Онтарио — в гости к старшей сестре. Устроилась на работу в магазин сети «Итонз». Сначала уборщицей в кафе, потом кто-то из менеджеров заметил, что она работает с огоньком, и ее взяли продавщицей в отдел перчаток. (Рассказывала она про это так, будто ее открыл режиссер студии «Уорнер бразерс».) И кого бы, вы думали, она там видела? Барбару Энн Скотт, знаменитую фигуристку! Та купила пару белых лайковых перчаток длиной до локтя.

У старшей сестры было столько кавалеров, что ей приходилось подкидывать монетку, решая, с кем сегодня пойти на свидание. Роксане поручалось встречать отвергнутых ухажеров у дверей пансиона и выражать им сожаление, в то время как сама сестра убегала через заднюю дверь. Роксана считала, что именно тогда она научилась так болтать. Вскоре кое-кто из парней, с которыми она знакомилась таким образом, начали приглашать на свидания уже ее саму. Сколько ей было лет, они не знали.

— Ну и я пустилась во все тяжкие, — закончила Роксана.

Я стала понимать: оказывается, есть такие девушки, которых охотно слушают не из-за содержания их рассказов, а потому, что они болтают с радостью и удовольствием. Их лица светятся от этой радости и убеждения, что любое их слово доставляет слушателям наслаждение. Есть, конечно, неприятные исключения вроде меня — те, кто радости не разделяет, но это уже их проблемы. И перед такими, как я, эти девушки особо распространяться не будут.

Мистер Крозье сидел прямо, обложенный подушками, и смотрел на мир счастливым взглядом. Он был счастлив, что может закрыть глаза, а она все будет говорить, а потом откроет их и обнаружит Роксану рядом с собой, как шоколадного зайца утром на Пасху. А потом будет следить за каждым движением ее леденцовых губ и за каждым вилянием ее пышного зада.

Старая миссис Крозье только покачивалась взад-вперед, продолжая пребывать в каком-то оцепенении от удовольствия.

Роксана проводила теперь наверху не меньше времени, чем внизу, где делала массаж. Я не могла понять, получает ли она дополнительную плату. А если нет, то зачем тратит столько времени? И кто может ей заплатить, кроме старой миссис Крозье?

И ради чего?

Ради того, чтобы ее пасынок чувствовал себя счастливее, комфортнее? Вряд ли.

Может, чтобы самой развлечься?

Как-то раз, когда Роксана вышла из его комнаты, мистер Крозье сказал, что ему ужасно хочется пить. Я спустилась вниз, чтобы налить воды из кувшина, стоявшего в холодильнике. Роксана укладывала свои вещи, собираясь домой.

— И чего я так засиделась? — спрашивала она себя вслух. — Не хватало еще тут на училку наткнуться.

Я не сразу поняла.

— Да на Сильвию, — пояснила Роксана. — Она же от меня не в восторге, правда? Интересно, она хоть раз про меня спросила, когда возила тебя домой?

Я ответила, что Сильвия никогда ее не вспоминала во время наших поездок. Да и с какой стати?

— Дороти говорит, что жена не умеет с ним управляться. Говорит, я лучше. Со мной он чувствует себя счастливым, а с ней — нет. Это Дороти говорит. А что, если она в лицо ей такое скажет?

Я вспомнила, как Сильвия бегом поднималась по лестнице к мужу, когда приезжала вечером с работы. Неслась, едва поздоровавшись со мной и со свекровью, вся раскрасневшаяся от нетерпения и отчаяния. Мне хотелось сказать об этом, чтобы хоть попытаться защитить Сильвию, но я не знала, как это сделать. В присутствии таких самоуверенных людей, как Роксана, я всегда терялась, даже если они не возражали, а всего лишь не слушали, что я говорю.

— Так она точно ничего про меня не говорит?

Я подтвердила: нет, не говорит.

— Она очень усталая приезжает.

— Ну да. Все устают. Но некоторые умеют это скрывать.

Тогда я заявила — просто из духа противоречия:

— А мне она нравится, очень-очень.

— Какчень-какчень? — передразнила Роксана.

Она протянула руку и игриво, но неприятно взъерошила мне челку, — я совсем недавно сама ее подстригла.

— Надо бы тебе подстричься как следует.

«Дороти говорит». Если Роксана нуждается в восхищении — такая уж она уродилась, — то что же нужно Дороти? Мне казалось, в доме затевается что-то дурное, но что именно, я не понимала. Может быть, старой миссис всего лишь хотелось подольше задержать у себя любимую Роксану?

Лето перевалило за половину. От жары в колодцах высыхала вода. Поливальная машина больше не приезжала, а в магазинах, чтобы товары не выцветали, завесили витрины какими-то полотнами, похожими на желтый целлофан. Листья сделались пестрыми, трава — сухой.

Старая миссис Крозье продолжала вскапывать землю в своем саду, день за днем. Так полагалось: в засуху надо копать и копать, пока не докопаешься до подземной влаги.

Летняя школа в университете заканчивалась в середине августа, и после этого Сильвия могла быть дома постоянно.

Мистер Крозье все еще радовался приходам Роксаны, но часто впадал в сон. Он мог заснуть, сидя в постели и не откидываясь на подушку, прямо в то время, когда она шутила или рассказывала анекдоты. Пробудившись буквально через мгновение, он спрашивал, где находится.

— Да тут, тут, засоня, — отвечала она. — Эй, обрати на меня внимание, слышишь? А то отшлепаю. Или ты хочешь, чтобы тебя не отшлепали, а пощекотали?

Он заметно сдал: щеки впали, как у старика, а уши казались прозрачными, словно были не из плоти, а из пластмассы. (Мы, правда, не знали тогда слова «пластмасса», а говорили «целлулоид».)

———

В мой последний рабочий день — он же последний день перед отпуском для Сильвии — Роксана должна была делать массаж.

Сильвия уехала в университет пораньше — из-за какой-то церемонии, и поэтому я шла пешком через весь город и добралась, когда Роксана была уже на месте. Они со старой миссис Крозье сидели на кухне. Когда я вошла, они посмотрели на меня так, словно вообще забыли про мое существование, а я тут явилась и прервала их разговор.

— Я их специально заказала в пекарне, — сказала старая миссис.

Она имела в виду миндальные пирожные, коробка с которыми стояла на столе.

— Да я же тебе говорила, что такого не ем, — ответила Роксана. — Никогда и ни за что.

— Специально посылала Харви их забрать.

Харви был ее помощником-садовником.

— Вот пусть Харви их и ест. Серьезно. У меня от них на коже жуткая сыпь.

— А я думала, надо купить что-нибудь особенное, — сказала старая миссис Крозье. — Сегодня же последний день, а потом...

— Знаю, знаю. Потом она поставит свою задницу на якорь в этом доме. Ну так и что? Ради этого мне покрываться пятнами, как гиене?

О какой заднице они говорят?

Господи! Да это же о Сильвии.

Старая миссис Крозье была сегодня в красивом черном шелковом халате с вышитыми водяными лилиями и гусями.

— Когда Сильвия тут обоснуется, ничего уже не получится, — сказала она. — Сама понимаешь.

— Ну так давай сегодня устроим. А насчет пирожных — не волнуйся. Тут ты не виновата. Я понимаю, ты их специально заказала, чтобы показаться доброй.

— «Чтобы показаться доброй», — передразнила ее старая миссис Крозье жеманным голоском.

Тут они обе посмотрели на меня, и Роксана сказала:

— Кувшин на прежнем месте.

Я достала кувшин с водой из холодильника и налила воды для мистера Крозье. Вообще-то, могли бы предложить мне одно пирожное, но разве им такое придет на ум...

Я ожидала увидеть его лежащим с закрытыми глазами. Но мистер Крозье не спал.

— Я ждал... — начал он и прервался, чтобы перевести дыхание. — Тебя. Хотел попросить... Ты не сделаешь мне одолжение?

Я ответила, что конечно сделаю.

— И никому не скажешь?

Тут я забеспокоилась: может, он попросит меня усадить его на горшок, который недавно поставили в его комнате? Но почему об этом нельзя никому говорить?

— Хорошо, не скажу.

Он попросил меня подойти к бюро, которое находилось напротив его кровати, и открыть маленький ящичек с левой стороны. Там должен быть ключ.

Я сделала, как он просил. Нашла большой, тяжелый старомодный ключ.

Дальше он попросил меня выйти из комнаты и запереть за собой дверь. И положить ключ в надежное место — например, в карман моих шорт.

Я не должна была никому говорить о том, что сделала.

И не признаваться, что ключ у меня, пока его жена не вернется домой.

А затем отдать ключ ей. Поняла ли я?

Да, поняла.

Он поблагодарил меня.

Не за что.

Во время этого разговора лицо его покрывалось по́том, а глаза лихорадочно блестели.

— Никто не должен сюда войти.

— Никто не должен войти, — повторила я.

— Ни моя мачеха, ни... Роксана. Только моя жена.

Я заперла дверь снаружи и положила ключ в карман шорт. Но потом испугалась, что его будет видно сквозь легкий хлопок. Тогда я спустилась вниз, в маленькую гостиную, и спрятала ключ между страницами «I Promessi Sposi». Роксана и старая миссис Крозье не могли услышать, как я хожу по дому, потому что были заняты массажем и Роксана как раз произносила свои «массажные» монологи:

— ...конец моей работе, а этим узелкам тоже конец.

Ответ старой миссис Крозье я расслышала не полностью.

— ...жмешь сильней, чем обычно, — сказала она с неудовольствием.

— Значит, так нужно.

Я начала подниматься наверх, и тут мне пришла новая мысль.

Если бы дверь закрыл мистер Крозье (а он явно хотел, чтобы так подумали), а я в этот момент, как обычно, сидела бы на верхней ступеньке лестницы, то я, конечно, услышала бы, что он делает, и подняла бы шум, переполошив всех в доме. Поэтому я снова спустилась вниз и села на нижнюю ступень парадной лестницы — там, где ничего не услышишь.

Массаж сегодня, похоже, проходил быстро и по-деловому; они не поддразнивали друг друга и не шутили. Вскоре я услышала, как Роксана поднимается по задней лестнице.

Вот она остановилась. Сказала:

— Эй, Брюс!

Брюс.

Покрутила ручку двери.

— Брю-ус!

Затем, должно быть, стала звать его через замочную скважину, надеясь, что так он ее услышит. Ответа не последовало. Я со своего места не могла расслышать слов Роксаны, но по интонации поняла, что она его сначала дразнила, а затем стала просить. Немного погодя забубнила что-то, словно не говорила, а молилась.

Потом Роксана смолкла и принялась стучать в дверь кулаками — не слишком сильно, но упорно.

Спустя некоторое время прекратила и это.

— Эй, брось! — сказала она громко. — Если ты добрался до двери, чтобы ее запереть, то и открыть можешь.

Ответа не последовало. Она перегнулась через перила и увидела внизу меня.

— Ты приносила воду мистеру Крозье?

Я ответила утвердительно.

— Так, значит, дверь была открыта?

— Да.

— Он тебе что-нибудь сказал?

— Только «спасибо».

— А теперь он заперся и не отвечает.

Тут я услышала стук палки старой миссис Крозье: она поднималась по лестнице.

— Что тут происходит?

— Да вот, заперся и ни отвечает ни фига.

— Что значит «заперся»? Наверное, замок заело. От сквозняка дверь захлопнулась, и замок заело.

Сквозняков в тот день не было.

— Ну так попробуй сама, — ответила Роксана. — Говорю же — закрыта.

— Вот ведь не знала, что от этой двери есть ключ, — заметила старая миссис Крозье таким тоном, будто от ее незнания ключ должен был испариться. Потом дотронулась до дверной ручки и признала: — И правда заперта.

На это он и рассчитывал, подумала я. На то, что они даже не заподозрят меня и подумают, будто он сам это сделал. Да ведь так и было.

— Надо как-то туда войти, — сказала Роксана и пнула дверь ногой.

— Брось, — ответила старая миссис Крозье. — Ты что, дверь сломать хочешь? Ничего не выйдет: она из цельного дуба. Тут все двери такие.

— Тогда надо вызвать полицию.

Повисла пауза.

— Они влезут через окно, — объяснила Роксана.

Старая миссис Крозье сделала глубокий вдох и заговорила решительно:

— Да ты понимаешь, что говоришь? Никогда и духу полиции не будет в этом доме. Еще чего! Чтобы полицейские лазили у меня по стенам, как гусеницы!

— А ты подумала, что он там может с собой сделать?

— Ну, это его дело.

Снова пауза.

Затем опять шаги: Роксана спускается по задней лестнице.

— Вот так-то лучше, — сказала миссис Крозье. — А то стала забывать, чей это дом. Ну и убирайся!

Роксана была уже внизу. Послышался стук палки и тяжелые шаги хозяйки. Однако она остановилась и вниз не пошла.

— И не вздумай привезти сюда констебля! Он тебя все равно не послушается. Кто в этом доме главный? Уж точно не ты. Слышишь, что тебе говорят?

В ответ с грохотом захлопнулась дверь из кухни на улицу. Затем послышался звук мотора — Роксана завела свою машину.

Относительно полиции я беспокоилась не больше старой миссис Крозье. Полицию в нашем городке представлял констебль Маккларти, приходивший к нам в школу читать нотации: зимой опасно кататься на санках по улицам, а летом нельзя купаться под мельничным колесом. И то и другое мы продолжали делать. Смешно было даже вообразить, как он лезет в окно по стремянке или увещевает мистера Крозье через закрытую дверь.

Он бы наверняка посоветовал Роксане оставить семью Крозье в покое и заняться собственными делами.

Однако главенство старой миссис Крозье мне не казалось смехотворным, и теперь, когда Роксана, к которой она вдруг утратила всю любовь, уехала, хозяйка действительно могла распоряжаться в доме, как хотела. Могла накинуться на меня, заподозрив, что я приняла какое-то участие в этой истории.

Однако она даже не покрутила ручку. Просто постояла у запертой двери и пробормотала только одну фразу:

— А ты посильнее, чем я думала!

Потом стала спускаться вниз. Снова послышались удары ее палки, словно наказывавшие ступени лестницы.

Я немного подождала и вышла на кухню. Старой миссис Крозье там не было. Не нашла я ее ни в прихожей, ни в столовой, ни на веранде. Я собралась с духом и постучала в дверь туалета, потом открыла, — там ее тоже не оказалось. Тогда я поглядела в окошко над кухонной раковиной и увидела ее соломенную шляпу, медленно двигавшуюся над живой изгородью из можжевельника. Миссис Крозье вышагивала по самой жаре, тяжело ступая между клумбами.

Предположение Роксаны насчет самоубийства мистера Крозье я отвергла. Сама мысль о том, что человек, который находится при смерти, может покончить с собой, показалась мне абсурдной. Этого просто не могло быть.

Но все-таки я нервничала. Съела два миндальных пирожных из коробки, по-прежнему стоявшей на кухонном столе: надеялась прийти в себя от такого удовольствия, но даже не распробовала их вкус. Потом запихнула коробку в холодильник, чтобы избежать соблазна съесть еще.

Старая миссис Крозье все еще гуляла по саду, когда вернулась Сильвия. И продолжила прогулку после ее возвращения.

Едва услышав шум машины, я вытащила ключ из книги и отдала его Сильвии, как только та вошла. Я коротко объяснила, что случилось, не вдаваясь в подробности скандала. Да та и не стала бы слушать: она тут же побежала наверх.

Я осталась внизу.

Ничего. Ни звука.

Потом голос Сильвии — удивленный, огорченный, но точно не отчаявшийся. Она говорила слишком тихо, и я не могла ничего разобрать. Примерно через пять минут Сильвия спустилась вниз и сказала, что отвезет меня домой. Она сильно раскраснелась — лицо пошло пятнами — и выглядела ошеломленной, но в то же время едва сдерживала счастливую улыбку.

— А где матушка Крозье? — спросила она.

— В саду, возле клумб, — ответила я.

— Мне надо с ней переговорить, подожди минуточку.

Когда Сильвия вернулась, она выглядела уже не такой счастливой.

— Ну ты, наверное, понимаешь, — сказала она мне, выезжая задним ходом на дорогу. — Матушка Крозье ужасно расстроена. Я-то тебя ни в чем не виню. Наоборот, это было очень хорошо с твоей стороны — сделать то, о чем попросил мистер Крозье. Ты ведь не боялась, что с мистером Крозье что-то случилось, правда?

Я ответила: нет, не боялась. Потом сказала:

— Наверное, Роксана этого боялась.

— Миссис Хой? Вот как. Нехорошо получилось.

Мы спускались на машине с пригорка, который тут называли холмом Крозье.

— Не думаю, что он специально хотел напугать их, — сказала Сильвия. — Просто, когда долго болеешь, перестаешь щадить чувства других людей. Можно обозлиться на них, даже если они тебе помогают изо всех сил. Миссис Крозье и миссис Хой, конечно, старались, как могли, но мистер Крозье решил, что не желает больше выносить их присутствия возле себя. Устал от них. Понимаешь?

Она, похоже, сама не замечала, что улыбается.

«Миссис Хой».

Интересно, слышала ли я эту фамилию раньше?

И сказано так сдержанно, уважительно и в то же время с какой-то невероятной, космической снисходительностью.

Поверила ли я в то, что сказала Сильвия?

Я поверила в то, что все это сказал ей он.

В тот же день я еще раз увидела Роксану — как раз в тот момент, когда Сильвия упомянула эту новую для меня фамилию — миссис Хой.

Роксана сидела в своей машине, припаркованной у первого перекрестка по дороге с холма Крозье: она видела, что Сильвия повезла меня домой. Я не стала поворачивать голову в ее сторону: невежливо это делать в тот момент, когда с тобой говорят.

Сильвия, конечно, понятия не имела, чья машина там стоит. А Роксана, наверное, вернулась узнать, что же на самом деле произошло. Или она все это время кружила по району? Могла она так поступить?

Роксана, скорее всего, узнала машину Сильвии. И заметила меня. И догадалась, что все в порядке, — по тому, как спокойно и даже с улыбкой Сильвия со мной разговаривала.

Она не стала разворачиваться и подниматься к дому Крозье. Нет. Ее машина направилась — я видела это в зеркало заднего вида — в восточную часть города, где во время войны построили новые дома. Там Роксана и жила.

— Чувствуешь, ветерок подул? — спросила Сильвия. — А вон там облачка. Может, все-таки пойдет дождь?

Белоснежные облака стояли очень высоко. Они совсем не походили на дождевые тучи. И ветерок дул только оттого, что мы ехали в машине с открытыми окнами.

Я прекрасно поняла, какое соревнование разыгралось между Сильвией и Роксаной, но мне странно думать о призе в этой игре — полуживом мистере Крозье. Думать о том, что он сумел сделать над собой усилие и отказаться, лишить себя того, что шло ему в руки в самом конце жизни. Что это было? Похоть на пороге смерти или настоящая любовь? В любом случае я не могла думать об этом без содрогания.

Сильвия сняла дом на озере и отвезла туда мистера Крозье. Там он и умер еще до того, как облетели листья с деревьев.

Мистер и миссис Хой переехали в другой город, — с семьями автомехаников это часто случается.

Моя мама заболела и стала инвалидом. Это положило конец ее мечтам заработать много денег.

Дороти Крозье перенесла инсульт, однако оправилась и проявила необыкновенную щедрость, подарив детишкам, пришедшим к ней в дом на Хеллоуин, кучу сладостей, хотя раньше неизменно гнала прочь их старших братьев и сестер.

Я выросла, потом постарела.

Детская игра

Наверное, потом у нас в доме случился такой разговор.

Моя мама: «Какой кошмар, какой ужас!»

Мой отец: «А все потому, что нужен глаз да глаз. Где, спрашивается, были в это время вожатые?»

Если бы мы прошли мимо дома моего детства, то мама наверняка спросила бы:

— Помнишь, да? Помнишь, как ты боялась эту девочку? Ох, бедняжка!

Мама хранила в памяти — чуть ли не коллекционировала — все мои детские выходки и заскоки.

В детстве год от года меняешься, становишься другим человеком. Это особенно ощущается в сентябре, когда снова идешь в школу. Позади бурное безделье летних каникул, и ты остро осознаешь, что стал на целый класс старше. Повзрослев, уже не понимаешь, в каком именно месяце происходят перемены, хотя они, безусловно, продолжаются, как и раньше. В течение длительного времени прошлое незаметно отдаляется. Его картины даже не забываются, а просто утрачивают значение. А потом вдруг самое далекое прошлое начинает расти в тебе, требовать внимания, словно просит что-то сделать, хотя совершенно ясно, что ничего уже поделать нельзя.

Марли́н и Шарли́н. Все думали, что мы двойняшки. Тогда было модно давать близнецам имена, звучащие в рифму: Бонни и Конни, Рональд и Дональд. Ну и кроме имен, у нас с Шарлин были одинаковые головные уборы. «Шляпы китайских кули» — так их тогда называли. Или «азиатские». Неглубокие шляпы-конусы из плетеной соломки, с веревочкой или резинкой под подбородком. Позднее такие шляпы часто мелькали в телерепортажах о войне во Вьетнаме: их носили мужчины, которые ехали по улицам Сайгона на велосипедах, или женщины, которые брели по дорогам на фоне разбомбленных деревень.

Тогда — я имею в виду время, когда мы с Шарлин ездили в летний детский лагерь, — еще можно было произнести слово «кули», не собираясь никого обидеть. Или назвать чернокожего негром. Или сказать скупому: «Ну чего ты жидишься?» Я была уже почти взрослой, когда поняла связь этого глагола с существительным.

Итак, мы носили похожие имена и одинаковые шляпы, и на первой же перекличке наша вожатая Мэвис (веселая девушка, которая нам нравилась, хотя немного меньше, чем другая вожатая, красивая Полина) указала на нас: «Двойняшки!» — и, не дав нам опомниться и возразить, продолжила считать подопечных.

Чуть раньше мы оценили и одобрили шляпы друг друга. Если бы они нам не понравились, мы наверняка первым делом зашвырнули бы эти новенькие плетеные шляпы под кровати и объявили бы, что это наши матери заставили нас их надеть.

Шарлин мне сразу понравилась, но я не знала, как с ней подружиться. Девочки девяти-десяти лет — а таких в лагере было большинство — сходятся друг с другом уже не так легко, как шести- или семилетки. По приезде я направилась вслед за девочками из нашего города — ни с кем из них я особенно не дружила — в один из деревянных спальных корпусов и там бросила свой чемодан на кровать, застеленную коричневым одеялом. И тут услышала:

— Слушай, ты не уступишь мне это место? Хочу быть рядом с сестренкой.

Это была Шарлин, обращавшаяся к какой-то незнакомой девочке. В корпусе помещалось не меньше двадцати человек. Девочка ответила: «Конечно» — и переложила свои вещи на другую кровать.

Шарлин умела находить нужную интонацию: игривую, дразнящую, ироничную, и при этом ее голосок звучал заразительно весело, как колокольчик. Мне с первого взгляда было ясно, что она уверена в себе куда больше, чем я. Это была не просто уверенность, что та незнакомая девочка уступит ей кровать. Шарлин ведь не настаивала: «Я ее первая заняла!» (А девчонки попроще сказали бы: «А ну, вали отсюда!» У нас были и такие, из очень простых семей, за них обычно платили не родители, а церковь или благотворительное общество «Лайонз клаб».) Нет. Шарлин была уверена, что любая девочка не просто ей уступит, а *захочет* уступить. Со мной тоже был определенный риск: а если бы я фыркнула: «Нашла сестренку!» — и принялась с независимым видом раскладывать свои вещи? Но я этого не сделала. Наоборот, слова Шарлин мне польстили, чего она и ожидала. Я смотрела, как она достает одежду из своего чемодана: у нее был такой победный вид, что некоторые вещи валились из рук и падали на пол.

— А ты, значит, уже загорела? — спросила я.

Ничего лучше мне придумать не удалось.

— Я быстро загораю.

Вот и первое различие между нами. Дальше мы принялись выискивать и изучать эти различия. Она быстро загорает, я покрываюсь веснушками. Мы обе шатенки, но она темнее. У нее волосы вьются, у меня топорщатся. Я на полтора сантиметра выше, у нее толще запястья и лодыжки. У нее глаза зеленоватые, у меня, скорее, голубые. Эти сравнения увлекли нас так, что мы сравнили даже родинки и пятнышки на наших спинах и длину второго пальца на ноге (у меня он оказался длиннее, чем большой, а у нее короче). Кроме того, мы вспомнили все, что претерпели наши тела: все болезни и несчастные случаи, все лечения и операции по удалению чего-нибудь. Нам обеим удалили миндалины — обычная предосторожность в то время. Обе мы перенесли корь и коклюш, но не болели свинкой. Мне вырвали верхний клык, потому что он сильно выдавался вперед, а у нее один ноготь был неровный, потому что его прищемило оконной рамой.

Разобравшись таким образом с историей и отличительными особенностями наших тел, мы обратились к семейным историям — драмам или без пяти минут драмам. Она оказалась младшим ребенком в семье и единственной дочерью, а я была вообще единственным ребенком. У меня тетя умерла от полиомиелита еще школьницей, а у Шарлин старший брат служил на флоте. Шла война, и мы пели у костра патриотические песни: «Англия не умрет», «Сердцевина дуба», «Правь, Британия!», а иногда «Кленовый лист навеки». Бомбардировки, сражения, утонувшие корабли — все это было постоянным, хотя и далеким фоном, на котором разворачивалась наша жизнь. А иногда случались события и поблизости — что-нибудь пугающее, но в то же время торжественное и бодрящее. Такое чувство возникало, когда парень из нашего городка или даже с нашей улицы погибал на фронте. Тогда дом, в котором он жил, казалось, выглядел иначе: не было ни венков, ни траурных драпировок, но чувствовалось — его коснулась рука судьбы. Ничего особенного там и не происходило, разве что у дверей стояла чья-то чужая машина: наверное, заехали родственники или священник, чтобы поддержать семью в несчастье.

Одна из вожатых потеряла на войне жениха и носила на груди, приколотыми к блузке, его часы (по крайней мере мы думали, что это его часы). Нам хотелось выразить ей сочувствие, но она была визгливой, любила командовать и даже имя имела какое-то неприятное — Арва.

Другой важной частью нашей жизни, которой, по идее, следовало уделить особое внимание именно в летнем лагере, было религиозное воспитание. Однако наш лагерь находился в ведении Объединенной церкви Канады, и потому там не было ни такого занудства, как у баптистов или методистов, ни таких ритуалов, как у католиков или англикан. У большинства из нас родители принадлежали к Объединенной церкви (хотя у тех девочек, за которых платили благотворительные фонды, родственники вообще ни в какие церкви не ходили), мы с ранних лет привыкли к простой радушной атмосфере службы и даже не понимали, как нам легко живется по сравнению с другими. Все, что от нас требовалось, — это прочитать вечерние молитвы, спеть благодарственный гимн перед едой и еще послушать получасовую проповедь — ее называли «беседа» — после завтрака. Но даже во время «беседы» нам почти ничего не говорили о Боге и Христе — все больше о честности, доброте, любви, чистоте помыслов. Нас убеждали не пить и не курить, когда вырастем. Никто из нас не имел ничего против «бесед», привыкнув к ним и не пытаясь уклониться. Кроме того, мы слушали эти проповеди, сидя на пляже и греясь на солнышке, а лезть в воду пока что все равно было холодновато.

Взрослые женщины, в общем-то, ведут себя так же, как мы с Шарлин. Ну, может быть, они не считают родинки друг у друга на спине и не сравнивают пальцы на ногах. Но если они, познакомившись, чувствуют взаимную симпатию, то у них возникает желание рассказать о самом главном в своей жизни, даже если этого делать нельзя. Потом другие истории заполнят лакуны между главными событиями. И эти истории никогда не покажутся подругам скучными. Они будут с легким сердцем, смеясь, признаваться в собственном эгоизме, скаредности, совершенных в прошлом обманах и вообще в дурных поступках.

Для этого нужно, конечно, иметь доверие к собеседнице, а оно возникает не сразу.

Позднее мне довелось наблюдать, как это происходит в первобытных культурах. Начинается все, когда женщины подолгу просиживают у костра, помешивая кашу из маниока, в то время как мужчины молча бродят по лесам, — разговоры могут спугнуть зверей. (Я по профессии антрополог, и мне случалось ездить в экспедиции, хотя и не очень часто.) Я наблюдала со стороны, старалась сама в такие разговоры не встревать. Иногда, впрочем, приходилось рассказывать и самой, если этого требовал обычай, но женщины, с которыми я пыталась таким образом подружиться, быстро догадывались о моем притворстве, смущались и начинали вести себя настороженно.

Как правило, с мужчинами я чувствовала себя раскованнее: они совсем не жаждут чьих-то душевных излияний.

Тот интимный контакт между женщинами, о котором я говорю, не имеет сексуальной подоплеки: в такие отношения я вступала еще до того, как достигла подросткового возраста. Иногда случается продолжение в виде сердечных признаний (возможно, лживых) и каких-то ролевых игр. Возникает недолгое нервное возбуждение, которое может иногда сопровождаться возбуждением половым. Затем, как правило, следует взаимное отталкивание и отвращение.

Шарлин с омерзением рассказала мне про своего брата. Про того самого, который теперь служил на флоте. Как-то раз она искала дома кошку, зашла в комнату к брату, а он там занимался *этим* со своей подругой. Они даже не услышали, как она вошла.

По ее словам, они все время «шлепали».

Ты хочешь сказать, кровать скрипела? — уточнила я.

Нет, ответила она. Эта его штука, она шлепала, когда он ее вводил и выводил. Она была мерзкой. Тошнотворной.

И его задница, белая и голая, была вся в прыщах. Тошнотворная.

А я рассказала ей про Верну.

———

215

До того как мне исполнилось семь лет, мы с родителями жили в доме на две семьи. Тогда еще не знали слова «дуплекс», да и в любом случае дом не был поделен поровну. Бабушка Верны снимала комнаты в задней части, а мы — в передней. Дом был бедный, без всяких украшений, некрасивый, покрашенный в желтый цвет. В нашем маленьком городке о какой-то иерархии жилищ говорить не приходилось, но если бы такое деление существовало, наш дом оказался бы, наверное, между домами «еще приличными» и «никуда не годными». Я рассказываю о том, как обстояли дела еще до войны, в конце Великой депрессии (этого выражения мы, кажется, тоже не знали).

Мой отец служил учителем — то есть имел постоянную работу, но получал очень мало. В конце нашей улицы, ближе к окраине, селились уже те, кто не имел ни работы, ни денег. Бабушка Верны, по-видимому, что-то зарабатывала, поскольку с презрением отзывалась о людях, которые «сидят на пособии». Мама, помню, спорила с ней, впрочем без всякого успеха, доказывая, что «они в этом не виноваты». Нельзя сказать, что эти две соседки стали подругами, но они, по крайней мере, проявляли великодушие, когда вставал вопрос, чья очередь сушить белье на единственной веревке во дворе.

Молодую бабушку звали миссис Хоум. Иногда к ней в гости приезжал мужчина. Мама называла его «друг миссис Хоум».

«Ты не должна разговаривать с другом миссис Хоум».

Мне не разрешалось даже играть во дворе, когда он приезжал, так что шансов поговорить с ним не оставалось никаких. И вспомнить, как он выглядел, я не могу, хотя хорошо помню его машину — темно-синий «Форд V-8». Машины меня тогда очень интересовали — наверное, оттого, что у нас не было своей.

Затем появилась Верна.

Миссис Хоум называла ее своей внучкой, и у меня нет оснований ей не верить, однако я ни разу ничего не слышала о родителях Верны — о промежуточных звеньях между ней и бабушкой. Не знаю, привезла ли Верну сама бабушка, или ее доставил к нам бабушкин друг на своем «форде», но появилась она в то лето, когда я должна была пойти в школу. Когда эта девочка назвала мне свое имя, я тоже не помню: она не была общительной в обычном смысле этого слова, а я вряд ли спросила ее сама. Я сразу почувствовала к ней небывалую неприязнь. И сразу объявила маме, что ненавижу Верну. Мама ответила: «Да почему? Что она тебе сделала?»

Бедняжка.

Когда дети говорят «ненавижу», это может означать разные вещи. Например, что ребенок напуган. Не то чтобы ему угрожала реальная опасность или на него кто-то нападал, но вот я, к примеру, боялась мальчишек на велосипедах, которые вечно с жуткими воплями обгоняют тебя, когда ты мирно идешь по тротуару. Что касается таких случаев, как с Верной, то тут боишься не физического вреда, а, скорее, какого-то сглаза, воздействия темных сил. Такое же чувство в детские годы возникает при виде некоторых домов, или деревьев, или — очень часто — сырых погребов и темных глубоких кладовок.

Верна была выше и старше меня, хотя не помню, на сколько именно — года на два или три. Она была худая, вся какая-то узкая и с такой маленькой головой, что напоминала мне змею. Жидкие прямые волосы, черная челка закрывает лоб. Кожа на ее лице казалась мне унылой, как хлопанье нашей старой парусиновой палатки, и щеки ее надувались точно так же, как парусина на ветру. А глаза у нее косили.

Другие не замечали в ее внешности ничего неприятного. Моя мама называла ее миленькой, даже симпатичной (но звучало это как «Вот бедняжка! А могла бы быть симпатичной...»). И в ее поведении, с маминой точки зрения, не было ничего особенного: «Ну, она ведет себя так, словно ей меньше лет, чем на самом деле». Нет чтобы сказать прямо, что Верна не умеет ни читать, ни писать, ни прыгать через скакалку, ни играть в мяч, что голос у нее сиплый, монотонный и слова она произносит каждое по отдельности, словно куски предложений застревают у нее в горле.

Ее манеру постоянно мне надоедать, вмешиваться в мои игры в одиночестве нельзя назвать инфантильной — это было уже поведение подростка. Но такого подростка, который ничему не научился и назойливо пристает к людям, не понимая, что с ним никто не хочет иметь дела.

Дети, разумеется, ведут себя очень стереотипно: они отвергают всякого, кто выпадает из общих правил или совершает непредсказуемые поступки. А я, будучи единственным ребенком в семье, была еще и здорово избалована (хотя ругали меня тоже немало). Я была неуклюжая, не по годам развитая, робкая. Придумывала собственные ритуалы, имела множество антипатий. В Верне я ненавидела все, даже пластмассовую заколку, без конца выпадавшую у нее из волос, а особенно мятные леденцы с красными и зелеными полосками, которыми она меня все время пыталась угостить. Причем не просто предлагала, а совала эти леденцы прямо мне в рот, смеясь при этом своим дебильным отрывистым смехом. До сих пор терпеть не могу вкус мяты. И ее имя — Верна — тоже мне жутко не нравилось. Я знала, что оно значит «весенняя», но у меня возникали ассоциации не с молодой травой, венками полевых цветов и девушками в легких платьях, а с назойливым вкусом мяты, с чем-то зеленым и липким.

Не думаю, что маме на самом деле нравилась Верна. Но, как мне тогда казалось, из природного лицемерия или из желания меня позлить она притворялась, будто жалеет Верну, и просила вести себя с бедняжкой помягче. Сначала мама уверяла меня, что Верна долго у нас не пробудет и уже в конце летних каникул вернется туда, откуда приехала. Потом стало ясно: возвращаться ей некуда, и тогда мама успокаивала меня тем, что мы сами скоро отсюда переедем. Поэтому надо потерпеть и постараться быть добрее, осталось совсем недолго. (На самом деле прошел целый год, прежде чем мы переехали.) В конце концов, потеряв терпение, мама заявила, что разочаровалась во мне. Она и не подозревала, какая я злая.

— Ну как ты можешь винить ее за то, в чем она не виновата? Она же такой родилась!

На меня подобные уговоры не действовали. Человек более опытный в спорах возразил бы на моем месте, что ни в чем Верну не винит, а просто хочет, чтобы она держалась подальше. Но я ее винила, хотя и понимала: да, она такой родилась. И в этом отношении, что бы там ни говорила мама о моей злобе, я была дитя своего времени. При виде таких, как Верна, взрослые улыбались особой улыбкой: в ней сквозила благодарность судьбе за то, что они-то не такие, и безусловное чувство превосходства. С этим чувством они говорили о «чокнутых» или о тех, кому «не хватает в голове винтиков». И мне казалось, что и моя мама в душе точно такая же.

Я пошла в школу, Верна тоже. Однако ее отдали в специальный класс, который занимался в отдельном здании, стоявшем в глубине школьного двора, в углу. Это было первое школьное здание в городе, но краеведение в то время никого не интересовало, и его снесли через пару лет после нашего выпуска. Угол был огорожен забором, чтобы на переменах ученики спецклассов не смешивались с нами. В школу они приходили на полчаса позже нас, а уходили на полчаса раньше. Никто не собирался обижать их на переменах, но поскольку они все время висели на заборе и с любопытством смотрели во двор обычной школы, то, случалось, их пугали: понарошку набрасывались, кричали и размахивали палками. Я никогда даже близко не подходила к забору и вряд ли хоть раз видела Верну. Мне хватало ее присутствия дома.

Обычно Верна вставала возле угла нашего желтого дома, высматривая меня во дворе, а я притворялась, что не вижу ее. Потом она выходила во двор и занимала позицию на ступенях крыльца — в той части, где жили мы. Если мне нужно было войти в дом — в туалет или просто потому, что становилось холодно, — то я проходила мимо нее, при этом или я могла коснуться ее, или она меня.

Она была способна стоять на одном месте необыкновенно долго. Стоять и смотреть в одну точку — как правило, на меня.

У нас во дворе висели качели — просто дощечка, привязанная веревками к ветви старого клена. Качаться на них можно было, сидя лицом либо к дому, либо к улице. Это означало, что мне приходилось либо видеть Верну, либо знать, что она таращится мне в спину, а может подойти и толкнуть. Немного погодя она и стала так поступать. Всегда толкала меня исподтишка, но это было еще не самое худшее. Гораздо хуже для меня было то, что ее пальцы касались моей спины. Правда, через пальто и другую одежду, но касались — и я чувствовала эти пальцы, эти холодные хоботки насекомых.

У меня было еще одно увлечение: делать дома из листьев. Я сгребала в кучи листья, опавшие с клена, на котором висели качели, набирала охапки, а потом раскладывала их на земле в форме плана дома. Вот тут у меня гостиная, тут кухня, вот эта большая и мягкая куча листьев — кровать в спальне и так далее. Я не сама придумала эту игру: такие же дома из листьев, только больше размером и иногда даже как бы с мебелью, выкладывали на переменах девочки на школьной игровой площадке. Занимались этим до тех пор, пока дворник не сгреб все листья и не сжег.

Сперва Верна просто наблюдала за тем, что я делаю, косила на меня своими глазами, и выражение ее лица казалось мне заносчивым (хотя с чего бы ей чувствовать себя выше меня?) и озадаченным. Потом в один прекрасный момент подошла поближе и тоже сгребла кучу листьев в охапку. Они у нее, разумеется, рассыпались, она ведь была ужасно неуклюжая. Сгребла она их не оттуда, где они лежали просто так, а из стены моего дома. Подняла, сделала несколько шагов и вывалила всю кучу прямо посреди одной из моих аккуратных комнаток.

Я крикнула: «Прекрати!» Она наклонилась, чтобы собрать листья, но не смогла их удержать и только разбросала повсюду, а потом принялась тупо пинать ногами. Я кричала «Перестань!», но она не слушалась, даже, наоборот, принимала эти крики за поощрение. Тогда я нагнулась, выставив голову вперед, подбежала и боднула ее в живот. Шапочки я не носила, так что мои волосы соприкоснулись с ее шерстяным пальто, и мне показалось, что я дотронулась до колючей шерсти, растущей на огромном и твердом животе. С жалобным воплем я взлетела вверх по ступенькам. Когда мама услышала, что произошло, она разозлила меня еще больше:

— Ну она же всего лишь хочет поиграть. Только не умеет.

На следующий год мы жили уже в другом коттедже, и у меня никогда не возникало желания хотя бы пройти мимо старого дома, напоминавшего о Верне, — дома, который словно впитал всю ее узость, коварство, все ее угрожающее косоглазие. Даже желтая краска на нем казалась мне оскорбительной, и входная дверь, расположенная не по центру фасада, усугубляла ощущение уродливости.

Наш новый дом находился всего в трех кварталах от прежнего места, ближе к школе. Но я тогда плохо представляла себе размеры и план нашего городка и думала, что, переехав на новое место, навсегда избавилась от Верны. В том, что это не так, я убедилась, когда мы с подругой столкнулись с Верной на главной улице — нас послали туда за покупками. Я прошла мимо, не поднимая головы, но услышала ее отрывистый смех, обозначавший то ли приветствие, то ли узнавание.

Подруга сказала ужасную вещь:
— А я думала, она твоя сестра.
— Что-о?

— Ну, вы же жили в одном доме, вот я и подумала, что вы родственницы. Типа двоюродные. А вы не двоюродные?

— *Нет!*

Старое школьное здание, где проводились занятия для спецклассов, было приговорено к сносу, и учеников перевели оттуда в Библейскую часовню, которую арендовал на выходные муниципалитет. Эта часовня стояла почти что рядом с нашим новым домом, где я жила с мамой и папой: надо было только перейти улицу и свернуть за угол. Верна могла добраться до школы несколькими путями, но нет — она ходила мимо нас. А наш дом отстоял от тротуара не больше чем на метр — то есть тень Верны буквально падала на ступеньки крыльца. Если бы она захотела, то могла бы ударами ноги набросать гальку на газон, а если бы шторы не были задернуты — заглянуть в гостиную и одну из комнат.

Часы занятий в спецклассах изменили, и теперь они совпадали с расписанием обычной школы, по крайней мере по утрам (заканчивали они все равно раньше). Поскольку учились они в Библейской часовне, администрации не нужно было заботиться о том, чтобы мы с ними не встречались по дороге в школу. Но для меня это значило, что я могла в любой день столкнуться с Верной прямо у дома. Выходя на улицу, я первым делом смотрела в ту сторону, откуда она могла появиться, и если видела ее, то тут же ныряла обратно — как будто забыла какую-нибудь вещь, или туфля натирает мне ногу и надо наложить пластырь, или ленточка у меня в волосах затянута слишком туго. Я теперь была не так глупа, чтобы рассказать маме про Верну и услышать в ответ:

— Ну чего ты боишься? Она что, съест тебя?

Чего я боялась? Заражения, инфекции? Но Верна была совершенно здорова. И едва ли она собиралась напасть на меня, чтобы поколотить или вырвать клок волос. Однако только взрослые по своей глупости могли считать, что у Верны нет сил. Точнее, *силы*, направленной лично против меня. Она избрала меня своей целью, — по крайней мере так считала я сама. Между нами словно бы установилось некое притяжение, которое невозможно описать и от которого нельзя избавиться. Некое сцепление, как между возлюбленными, хотя с моей стороны это была чистейшая ненависть.

Я ненавидела ее так, как другие ненавидят змей, гусениц, мышей или мокриц. Без всякой разумной причины. Вовсе не из-за вреда, который она могла бы причинить, а просто потому, что от одного ее вида меня выворачивало наизнанку и не хотелось жить.

Когда я рассказала про нее Шарлин, разговор так захватил нас, что мы прерывались только на сон или купание. Верна не была таким серьезным и омерзительным объектом, как прыщавая задница брата Шарлин. Помню, я восклицала: Верна такая мерзкая, что ее нельзя описать. Но все-таки, по-видимому, мне удалось хорошо описать и ее, и те чувства, которые она у меня вызывала, поскольку однажды, ближе к концу нашей двухнедельной смены, Шарлин ворвалась в столовую, с лицом, перекошенным от ужаса, и в страшном возбуждении:

— Она здесь! Здесь! Эта девочка! Эта жуткая девочка! Верна! Она *здесь*.

Обед уже закончился. Мы ставили свои тарелки и кружки на полку для грязной посуды, откуда их забирали для мытья дежурные по кухне. После этого полагалось построиться и идти в кафетерий, открывавшийся в час дня. Шарлин только забежала в спальный корпус за деньгами. Она росла в богатой семье — ее папа был владельцем бюро ритуальных услуг — и потому беспечно относилась к деньгам, держала их в наволочке подушки. Я же свои всегда хранила при себе, расставаясь с кошельком только на время купания. Те из нас, кто мог позволить себе потратить деньги в кафетерии, обычно отправлялись

туда только затем, чтобы убедиться: десерты, как и прежде, совершенно отвратительны. Тем не менее мы ходили
туда регулярно и ели все те же пудинги из тапиоки, по-
терявшие форму печеные яблоки, липкий заварной крем.
Когда я увидела перекошенное лицо Шарлин, то сначала
решила, что у нее украли деньги. Но дело было не в этом:
выражение ужаса у нее на лице сочеталось с радостным
возбуждением.

Верна? Как могла здесь оказаться Верна? Ерунда какая-то.

Судя по всему, была пятница. Нам оставалось про-
вести в лагере всего два дня. Как выяснилось, «специальных» — так мы звали учеников спецклассов — привезли
сюда, чтобы они провели с нами последний уик-энд. Не
всех — наверное, человек двадцать, не больше, — и не все
они были из моего городка. Когда Шарлин рассказывала
мне все это, раздался свисток, и вожатая Арва, запрыгнув
на скамью, обратилась к нам с речью.

Она призвала нас сделать все возможное, чтобы наши
гости — точнее, наши товарищи — почувствовали себя
тут как дома. Они привезли с собой палатки, и у них будет свой вожатый. Однако есть, купаться, играть, а также
посещать утреннюю беседу они будут вместе с нами.
Я уверена, заключила она с хорошо знакомой нам угро-
зой в голосе, что вы постараетесь завести себе среди них
новых друзей.

Какое-то время ушло на установку палаток и разме-
щение вещей вновь прибывших. Некоторые из них заниматься этим не захотели и отправились гулять по лагерю;
на них накричали и вернули назад. Поскольку у нас было
свободное время, «час отдыха», то мы валялись на своих
кроватях и поглощали набранные в кафетерии шоколадки, лакричные конфеты и ириски.

Шарлин продолжала твердить:

— Нет, ты понимаешь? Понимаешь? Она здесь. Этого
же просто не может быть. Как ты думаешь, она тебя преследует?

— Может быть, — отозвалась я.

— И что теперь, я тебя все время должна прятать, как в кафетерии?

Когда мы стояли в очереди в кафетерии, я опустила голову пониже и поставила Шарлин между собой и «специальными», толпившимися неподалеку. Верну я узнала с первого взгляда, хотя та стояла к нам спиной. Узнала ее свисающую змеиную голову.

— Надо подумать, как нам тебя замаскировать.

По моим рассказам у Шарлин сложилось впечатление, что Верна меня постоянно преследует. И мне действительно казалось, что так оно и есть, хотя преследование было не таким явным и открытым, как я описала. Но пусть Шарлин воображает что хочет: тогда история будет более захватывающей.

Верна не сразу меня обнаружила из-за хитрых маневров, которые предпринимали мы с Шарлин, а может, и оттого, что была ошеломлена, как и все «специальные», не понимая, где она и что тут делает. Вскоре их увели на урок плавания в дальний конец пляжа.

Во время ужина они вошли строем в то время, когда мы пели:

Чем чаще ходим вместе, все вместе, все вместе,
Чем чаще ходим вместе,
Тем радостнее жить...

Затем их разделили и рассадили между нами. У каждой из них на груди была бумажка с именем и фамилией. Напротив меня посадили девочку по имени Мэри Эллен — не помню фамилии, она была не из моего города. Это меня обрадовало, но ненадолго: за соседним столом я увидела Верну. Она оказалась гораздо выше остальных, но, слава богу, сидела лицом в ту же сторону, что и я, и во время ужина меня не заметила.

После еды, когда мы относили грязную посуду, я пригибалась как можно ниже и ни разу не посмотрела в том направлении, где была Верна, но тем не менее почувствовала, что ее взгляд остановился на мне и она меня узнала: улыбнулась своей кривой улыбочкой и отрывисто засмеялась.

— Она тебя увидела, — сказала Шарлин. — Не смотри туда. Не смотри, слышишь? Я тебя закрою. Давай, иди вперед! Ну же!

— Она туда же идет?

— Нет. Просто стоит сзади. Стоит и смотрит на тебя.

— Улыбается?

— Типа того.

— Мне нельзя на нее смотреть. Меня стошнит.

Преследовала ли она меня в оставшиеся полтора дня? Мы с Шарлин считали, что да, хотя Верна ни разу не подошла близко. *Преследовать.* Это слово звучало по-взрослому и даже имело какой-то юридический оттенок. Мы были все время настороже, словно за нами — за мной — кто-то ходил по пятам. Мы фиксировали местоположение Верны, и Шарлин докладывала мне о том, что та делает и какое у нее выражение лица. Несколько раз я решалась посмотреть на нее — в те моменты, когда Шарлин говорила: «Сейчас можно. Она не заметит».

Верна все еще ходила как в воду опущенная, словно чувствовала себя брошенной на произвол судьбы и, подобно остальным «специальным», не до конца понимала, что здесь делает. Некоторые из них — хотя Верны в их числе не было — без разрешения отправились в рощу на высоком берегу озера, где росли сосны, кедры и тополя. Другие пытались по проселочной дороге дойти до шоссе. После этого вожатые созвали общее собрание, и нам велели следить за нашими новыми друзьями, которые еще не так хорошо ориентируются на местности, как мы. Шарлин при этих словах пихнула меня локтем в бок. Растерянности Верны она, разумеется, не замечала и продолжала рассказывать мне о том, какое у той хитрое и злое выражение лица, какой угрожающий вид. Возможно, она была права. Возможно, для Верны моя новая подруга и телохранительница, совершенно ей чужая, стала воплощением опасности, которую таил в себе этот непонятный лагерь, — и это ее злило.

— А про руки ее ты мне не говорила, — заметила Шарлин.

— А что с ними такое?

— У нее пальцы длиннющие. Может запросто охватить твою шею и задушить. Точно может! Прикинь, каково с ней спать в одной палатке.

Я сказала, что это было бы... жутко.

— А эти дебилы, которые с ней спят, ничего не замечают.

Атмосфера в лагере в последние дни сильно изменилась, хотя внешне ничего особенного не происходило. Сигналы к приему пищи подавали ударами гонга возле столовой все в то же время, и еда не стала лучше или хуже. В те же часы начинались и заканчивались отдых, игры, купание. В обычном режиме работал кафетерий, и нас, как всегда, сгоняли для «беседы». Но проповедь слушали совсем невнимательно, в воздухе витало беспокойство. Это было заметно даже по вожатым, которые не сразу обращались к нам с замечаниями или, наоборот, словами поощрения, как раньше, а замирали на секунду, словно пытаясь вспомнить, что в таких случаях надо сказать. И все это началось после приезда «специальных». Само их присутствие изменило атмосферу в лагере. До них тут были правила, свои будни и праздники, радости и горести, а после их приезда весь этот уклад жизни нарушился и оказался каким-то непрочным, временным. Ненастоящим.

В какой-то мере это происходило оттого, что мы смотрели на «специальных» и думали: если вот эти считаются «воспитанниками», то кто же мы такие? Но была и другая причина: кончалась смена, и мы понимали, что скоро все здешние правила и привычки станут не нужны, скоро о нас будут заботиться только наши родители, начнется прежняя жизнь, а вожатые превратятся в обычных людей, даже не учителей. Мы как будто жили на сцене, с которой скоро уберут декорации, а с ними исчезнут и все возникшие за последние две недели дружбы, ненависти и соперничества. Странно — неужели прошло всего две недели?

Мы не могли выразить это в словах, но у нас накапливалась усталость, а вместе с ней — дурное настроение, и даже погода выражала эти чувства. Нельзя сказать, что все две недели были жаркими и солнечными, но у большинства из нас осталось именно такое впечатление. А теперь, воскресным утром, изменилась даже погода. В этот день, в отличие от буден, вместо «беседы» полагалась служба на открытом воздухе. Было пасмурно, но по-прежнему жарко. Более того, жара постепенно нарастала, чувствовалось, что подступает гроза. Но при этом все было спокойно. Вожатые и даже священник, приезжавший по воскресеньям из ближайшего города, время от времени с опаской поглядывали на небо.

Упало несколько капель. Служба подходила к концу, а гроза все не начиналась. В сплошной облачности возникли просветы, — это еще не означало, что выйдет солнце, но, по крайней мере, этого было достаточно, чтобы не отменили наше последнее купание. Обеда уже не полагалось: кухню закрывали сразу после завтрака. Ставни на кафетерии тоже были заперты. Вскоре после полудня начнут подъезжать родители, чтобы забрать детей домой, а за «специальными» придет автобус. Многие из нас уже собрали вещи, сняли постельное белье и сложили в изголовье кроватей грубые коричневые одеяла, казавшиеся на ощупь холодными и влажными.

Мы оживленно переговаривались, надевая купальники, но, несмотря на всю суету, спальный корпус казался мрачным: он словно прощался с нами.

То же впечатление производил пляж. Песка стало как будто меньше, а камней — больше. И песок был каким-то серым. Вода казалась холодной, хотя на самом деле была достаточно теплой. Желание купаться куда-то пропало, и мы просто бесцельно бродили по берегу. Вожатые, надзиравшие за купанием, — Полина и немолодая женщина, которая отвечала за «специальных», — принялись нас подбадривать.

— Эй, что вы там ждете? Последний раз этим летом!

Среди нас были хорошие пловчихи, которые сразу устремлялись к надувному плоту, обозначавшему границу разрешенной для купания зоны. Но были и те, кто хоть и плавал неплохо, как мы с Шарлин, но до плота доплывал только раз — чтобы доказать, что может плавать на глубине, а потом сразу возвращался на мелководье. Полина всегда держалась возле плота: оттуда она лучше видела, все ли зашли в воду, и в случае чего могла быстрее прийти на помощь. В тот день, однако, искупаться решались не все, и Полина сначала подбадривала девочек, а потом разозлилась и потребовала, чтобы все немедленно лезли в воду. Сама она оставалась у плота и пересмеивалась там с нашими лучшими пловчихами. Другие девочки, одолев несколько метров, вставали на ноги и принимались брызгаться или кувыркаться в воде. Плавать всерьез никому не хотелось. Воспитательница, надзиравшая за «специальными», стояла по пояс в воде, а верхняя часть ее купальника была сухой. Но глубже ей забираться и не требовалось, потому что «специальные» решались зайти в воду только по колено. Воспитательница легкими движениями рук плескала воду на своих подопечных и, смеясь, убеждала их, что купаться — это здорово.

Мы с Шарлин зашли в воду по грудь. Как несерьезные пловчихи, мы могли подолгу кувыркаться в воде, колотить по ней руками и ногами, лежа то на спине, то на животе, до тех пор, пока кто-нибудь из взрослых не приказывал нам прекратить валять дурака. Еще мы соревновались, кто дольше пробудет под водой с открытыми глазами. Или старались незаметно подобраться сзади и вскочить одна другой на спину. Вокруг было полно таких же хохочущих, визжащих и бесящихся девчонок.

Пока мы купались, начали подъезжать родители. Им не хотелось зря терять время, и они выкрикивали с берега имена своих чад. Это создавало дополнительный шум и суматоху.

— Смотри, смотри! — закричала вдруг Шарлин.

Даже не закричала, а выплюнула эти слова, поскольку секунду назад я удерживала ее под водой и она выскочила оттуда, отплевываясь.

Я посмотрела в ту сторону, куда она показывала, и увидела, что к нам плывет Верна. На ней была голубая купальная шапочка, она колотила по воде своими длинными руками и улыбалась так, словно ей вдруг вернули на меня законные права.

В последующие годы я не поддерживала отношений с Шарлин. Даже не помню, как мы с ней распрощались. Сказали друг другу хотя бы «до свидания»? Мне помнится, что наши мамы и папы приехали почти одновременно, нас запихнули в машины — а что мы могли сделать? — и повезли в прежнюю жизнь. Машина родителей Шарлин наверняка не была такой шумной развалюхой, как та, которую приобрели наконец мои предки. Но даже если это было не так, мы и не догадались бы познакомить своих родственников. Все вокруг, и мы в том числе, торопились поскорей выехать из этой суматохи, где одни не могли найти свои вещи, другие — родителей, а третьи садились в автобус.

Много лет спустя я случайно увидела свадебную фотографию Шарлин. В те времена они все еще регулярно появлялись в газетах, выходивших не только в маленьких, но и в крупных городах. Я натолкнулась на ее фото в торонтской газете, которую просматривала, ожидая подругу в кафе на Блур-стрит.

Свадьба состоялась в городе Гелфе. Жених был родом из Торонто и окончил Осгуд-холл. Очень высокий — или Шарлин оказалась маленького роста? Во всяком случае, она едва доставала ему до плеча, хотя волосы ее были уложены в пышную прическу, напоминающую шлем. Эта шевелюра делала ее лицо мелким, как бы сплюснутым. Глаза она сильно накрасила, в духе модного тогда фильма «Клеопатра», а губы казались бледными. Все это выглядело нелепо, но, безусловно, в духе времени. От хранившегося в моей памяти детского образа остался только задорно выпяченный подбородок.

Невеста, говорилось в газете, окончила колледж Святой Хильды в Торонто.

Значит, она жила здесь, в Торонто, и ходила в колледж Святой Хильды в то время, когда я училась в университете. Мы проходили по одним и тем же улицам в одно и то же время, направляясь каждая в свой кампус. И ни разу не встретились. Вряд ли она, заметив и узнав меня, решила бы не подавать виду. И я не стала бы ее избегать. Хотя, конечно, я взглянула бы на нее несколько свысока, узнав, что она учится в этом колледже. В моем кругу было принято считать, что это заведение для будущих домохозяек.

Я училась уже на старших курсах и занималась антропологией. Решила никогда не выходить замуж, хотя это ограничение не запрещало мне иметь любовников. Носила очень длинные волосы — мой вид, как и внешность моих друзей, был явным предвестием эпохи хиппи. Воспоминания детства стирались из памяти, казались далекими и не столь существенными, чем кажутся сейчас.

Я могла бы написать Шарлин на адрес ее родителей в Гелфе — он был в газете, — но не стала этого делать. Мне тогда казалось, что поздравлять женщину со вступлением в брак — это верх лицемерия.

Она написала мне сама — через пятнадцать лет. Письмо пришло на адрес моего издательства.

Дорогая моя подружка Марлин!

Как же я была счастлива, когда увидела твое имя в журнале «Маклинз»! И как была поражена, узнав, что ты написала книгу. Я пока еще не успела ее купить, потому что мы уезжали в отпуск, но обязательно это сделаю в ближайшее время. Я просматривала журналы, которые накопились за время нашего отсутствия, и увидела твою потрясающую фотографию и замечательную рецензию. И решила, что надо тебе написать и поздравить.

Ты, наверное, замужем, а девичью фамилию используешь как псевдоним? Есть ли у тебя семья? Напиши мне и расскажи о себе. У меня, к сожалению, нет детей, но я много занимаюсь разной волонтерской работой, благотворительностью, садоводством, а еще мы с Китом (мужем) ходим на яхте. В общем, скучать некогда. Я работаю в Библиотечном комитете, так что пусть только библиотеки попробуют не заказать твою книгу, я им покажу!

Поздравляю еще раз! Я, конечно, была удивлена, но все-таки всегда подозревала, что ты совершишь нечто необыкновенное, специальное.

Однако я и в этот раз не наладила с ней контакта. Не было смысла. Поначалу я не обратила внимания на слово «специальный» в самом конце письма, но потом воспоминание об этом заставило меня вздрогнуть. Да нет, ерунда, — сказала я себе тогда, — она ничего такого не имела в виду. Мне и сейчас так кажется.

Упомянутая ею книга выросла из моей первой, начатой и брошенной, диссертации. Я не остановилась и написала другую диссертацию, но позже вернулась к прежнему тексту — уже для самой себя. Потом поучаствовала еще в паре коллективных монографий, как требовала карьера, однако над этой книгой работала одна, и именно она принесла мне некоторую известность за пределами научных кругов (и, разумеется, недовольство этих самых кругов). Сейчас ее уже нигде не достать, все распродано. Называлась она «Идиоты и идолы», — в наше время такое ни одному автору и в голову не придет, да и тогда это название заставило понервничать моих издателей, хотя они и признавали, что оно очень броское и сразу привлекает внимание.

Я пыталась исследовать отношение людей разных культур — слово «примитивные» применительно к этим культурам уже никто не смел использовать — к тем, кто выделяется в умственном или физическом плане. Слова «дефективный», «неполноценный», «умственно отсталый», разумеется, также отправлены в мусорную корзину, и, может быть, правильно — не только потому, что подобные выражения утверждают превосходство и выдают привычное бессердечие говорящего, но и потому, что просто неверно определяют свой объект. Они не берут в расчет всего того, что есть в «специальных» людях примечательного, пугающего или просто впечатляющего. А мне было интересно обнаружить в отношении к ним, наряду с презрением, еще и восхищение, которое заставляет приписывать им некие способности — священные, магические, опасные для общества или, наоборот, ценные для него. Я привлекала как исторический, так и современный материал, в том числе поэзию, художественную прозу и, разумеется, религиозные практики. Коллеги даже критиковали меня за излишнюю литературность и за то, что я добывала материал по большей части из книг. Но в последнем я была не виновата: мне не удалось получить грант на экспедицию.

Разумеется, я понимала, откуда у меня возник интерес к этой теме, — и о том же, возможно, догадывалась и Шарлин. Но странно — до чего далекой и маловажной казалась теперь эта причина, эта начальная точка моих размышлений. Как, впрочем, и все, что имело отношение к детству. То ли дело взрослая жизнь. Повзрослев, чувствуешь себя в безопасности.

«Используешь девичью фамилию», — написала Шарлин. Давненько не слышала я этого словосочетания. От «девичьей фамилии» недалеко и до «девицы» — сло́ва, звучащего так целомудренно и так грустно. Впрочем, мне оно совершенно не подходит. К тому времени, когда Шарлин вышла замуж, я уже не была девственницей, да и она, наверное, тоже. Не могу сказать, что у меня в жизни было много любовников, и даже любовниками большинство из них не назовешь. Как многие женщины моего возраста и социального положения, не прожившие жизнь в моногамном браке, я знаю число своих возлюбленных. Шестнадцать. Я понимаю, что многие женщины достигают этого числа еще до двадцати лет, если не раньше. (Когда я получила письмо от Шарлин, то цифра, само собой, была поменьше. Насколько — сейчас лень считать, да и незачем.) Из них по-настоящему дороги мне были только трое, все из начала списка. Что я имею в виду, когда говорю «дороги», — это то, что с этими тремя... нет, пожалуй, только с двумя; третий значил для меня гораздо больше, чем я для него. Так вот, только двое вызывали во мне желание раствориться в партнере, отдать ему не только тело, но и всю жизнь, чтобы оказаться в полной безопасности.

Я с трудом сдерживала такие желания.

Видимо, была не совсем убеждена в такой безопасности.

А совсем недавно пришло еще одно письмо. Его переслали из университета, в котором я преподавала до того, как выйти на пенсию. Оно дожидалось меня целый месяц, пока я разъезжала по Патагонии (в последнее время я стала заядлой путешественницей).

Напечатано на компьютере, — впрочем, за это автор сразу извинялся.

«Почерк у меня ужасающий, — объяснял он и продолжал, представившись: — Муж вашей старой школьной приятельницы Шарлин». Он очень, очень извиняется, что вынужден сообщить мне печальные известия. Шарлин лежит в больнице Принцессы Маргариты в Торонто. У нее рак, начавшийся с легких, а потом перешедший на печень. К сожалению, она всю жизнь курила. Жить ей осталось недолго. Про меня, свою подругу детства, она вспоминала нечасто, но если вспоминала, то неизменно восхищалась моими «примечательными свершениями». Она очень высоко ценила меня и захотела повидаться в конце жизни. И просила мужа привезти меня к ней. Должно быть, ей были очень дороги какие-то детские воспоминания, предполагал он. Детские привязанности — они такие сильные.

Ну что ж, подумала я, теперь она, должно быть, уже умерла.

Но если умерла, — соображала я дальше, — то не будет ничего страшного, если я съезжу в больницу и осведомлюсь о ней. Тогда моя совесть — или как это называют — будет спокойна. Смогу написать ему письмо: так, мол, и так, была в отъезде, но как только вернулась, тут же поехала к ней.

Нет. Лучше ничего не писать. Он потом еще заявится с благодарностями. И слово «приятельница» мне не понравилось. Равно как не понравилось, несколько по-другому, выражение «примечательные свершения».

Больница Принцессы Маргариты находится совсем рядом с моим многоквартирным домом. День, когда я направилась туда, был ясным и солнечным. Звонить мне почему-то не захотелось. Наверное, старалась уверить себя, что делаю все возможное.

В регистратуре сказали, что Шарлин жива. Спросили, хочу ли я с ней повидаться, и я не смогла ответить «нет».

Поднимаясь на лифте, я думала: а не повернуть ли назад, не дойдя до стола дежурной медсестры в отделении? Или, может, просто развернуться на триста шестьдесят градусов — то есть поехать вниз на том же лифте. Регистраторша внизу ничего не заметит. Она забыла о моем существовании, как только заговорила со следующим в очереди. А даже если и не забыла, что с того?

Но мне же самой будет стыдно, — убеждала я себя. Не столько за бесчувственность, сколько за трусость.

Я подошла к столу дежурной сестры, и та назвала мне номер палаты.

Это оказалась отдельная палата, совсем крошечная, где не было ни внушительных медицинских приборов, ни цветов. Шарлин я увидела не сразу: в тот момент, когда я вошла, над ней склонилась медсестра. Точнее, так: сестра склонилась над кроватью, на которой, казалось, были сложены простыни и одеяла, но не было человека. «Увеличенная печень», — вспомнила я и пожалела, что не убежала из больницы.

Сестра выпрямилась, обернулась и улыбнулась. Это была пухлая мулатка с очень мелодичным голосом — должно быть, из Вест-Индии.

— Вы, наверное, та самая Марлин? — спросила она. Произнесла так, словно ей нравилось мое имя.

— Она вас так хотела увидеть. Да вы подойдите поближе!

Я послушно приблизилась и взглянула на отечное, раздутое тело, заострившиеся черты лица, цыплячью шею — до того тощую, что больничная пижама казалась на много размеров больше. Завитки волос — она все еще оставалась шатенкой — крошечные, не длиннее половины сантиметра. Ничего похожего на Шарлин.

Я видела раньше лица умирающих — матери, отца и даже человека, которого, боюсь, любила. Так что удивлена я не была.

— Спит, — сказала медсестра. — Ах, как она вас ждала...

— Значит, она не без сознания?

— Нет, нет. Просто спит.

Ага, теперь я увидела: что-то от прежней Шарлин в ней все-таки было. Но что? Может быть, вот это такое знакомое мне легкое, словно игривое подергивание кончика рта.

Медсестра продолжала тихо говорить своим радостным мелодичным голосом:

— Не знаю только, узнает ли она вас теперь. Ах, она так надеялась, что вы придете. Тут для вас есть кое-что...

— А она проснется?

Сестра с сомнением покачала головой:

— Нам приходится все время делать ей обезболивающие уколы.

Она открыла прикроватную тумбочку:

— Так вот. Это здесь. Шарлин просила меня передать его вам, если будет слишком поздно для нее самой. Ей не хотелось, чтобы это сделал муж. И вы пришли! Она была бы так рада...

Запечатанный конверт с моим именем, выписанным нетвердыми заглавными буквами.

— Только не муж, — подмигнула медсестра и расплылась в улыбке. Наверное, выражала этим догадку, что тут скрыты какие-то женские секреты, что-то недозволенное — может быть, давнишний любовник?

— А вы зайдите завтра, — сказала она на прощание. — Кто знает? Если она очнется, я ей попробую втолковать.

Письмо я прочитала уже в лифте. Шарлин сумела написать его почти нормальным почерком, совсем не такими страшными расползающимися буквами, как на конверте. Скорее всего, письмо было написано раньше, а потом она положила его в конверт, запечатала и отложила, рассчитывая вручить мне при встрече. И только позднее поняла, что надо написать на конверте мое имя.

Марлин. Пишу это на случай, если дело зайдет так далеко, что я не смогу говорить. Пожалуйста, сделай то, что я прошу. Съезди, пожалуйста, в Гелф и спроси в соборе отца Хофстрейдера. Собор Девы Марии Утешительницы. Собор такой большой, что и названия не надо запоминать. Отец Хофстрейдер. Он знает, что делать. Я не могу попросить об этом К. и вообще не хочу, чтобы он знал. Отец Х. все знает, я попросила его, и он обещал мне помочь. Марлин, прошу, сделай это, и Бог тебя благословит. Ничего про тебя не говорила.

Кто это — К.? Наверное, муж. Он не знает. Ну разумеется, не знает.

Отец Хофстрейдер.

Ничего про меня не говорила.

Можно было, конечно, прямо на выходе из больницы смять это письмо и выкинуть. Я так и сделала: отшвырнула конверт, и ветер унес его в водосточный желоб на Юниверсити-авеню. Но потом вдруг поняла, что письма в конверте не было: оно осталось у меня в кармане.

В больницу я больше не пойду. И в Гелф не поеду.

Кит — вот как звали ее мужа. Теперь вспомнила. Они еще ходили на яхте под парусом. Кристофер. Сокращенно — Кит. Кристофер. К.

Я зашла в подъезд своего дома, потом в кабину лифта, нажала кнопку — и тут поняла, что еду не наверх, в свою квартиру, а вниз, в гараж. Не переодеваясь, как есть, я села в машину, выехала на улицу и двинулась в направлении скоростной автострады Гардинера.

Так. Сначала по автостраде Гардинера. Потом по шоссе 427, потом по 401-му. Большой поток, трудно выбраться из города. Терпеть не могу такую езду. Честно говоря, почти никогда так не езжу. Бензина у меня меньше полубака, но это ладно, а вот в туалет я зря не сходила. Около Милтона надо будет съехать с шоссе, заправиться, сходить в туалет и подумать еще раз хорошенько. А пока нельзя сделать ничего, кроме того, что уже происходит: двигаться на север. А потом на запад.

Я не съехала с шоссе. Миновала и Миссиссогу, и выезд на Милтон. Увидела знак, указывающий, сколько километров осталось до Гелфа, перевела мысленно километры в мили — мне это постоянно приходится делать — и решила, что бензина хватит. Придумала сама себе оправдание в том, что не остановилась: солнце будет совсем низко, и вести машину станет сложнее, тем более в тот момент, когда выезжаешь из смога, который окутывает город даже в самый ясный день.

После выезда на Гелф я наконец сделала остановку. Дошла до туалета на затекших дрожащих ногах. Потом залила полный бак и, расплачиваясь, спросила, как доехать до собора? Объяснили мне не очень ясно, но сказали, что собор стоит на большом холме и я его легко найду, как только доберусь до центра.

Последнее было не совсем верно, поскольку собор был виден не только из центра, но чуть ли не отовсюду. Четыре изящные башни, вздымающие к небу свои тонкие шпили. Я ожидала увидеть здание внушительных размеров, но оно оказалось даже красивым. Хотя величественным оно, разумеется, тоже было — собор, возвышающийся над сравнительно небольшим городом (кстати, потом мне кто-то сказал, что эта церковь вовсе не кафедральный собор).

Могла Шарлин здесь венчаться?

Нет. Конечно нет. В детстве родители отправили ее в летний лагерь, курируемый Объединенной церковью, а там не бывало девочек из католических семей. Протестантов разных толков — сколько угодно, но не католиков. И, кроме того, я вспомнила ее слова о том, что К. ничего не знает.

Но она могла перейти в католичество. С тех пор.

Я доехала до собора, поставила машину на стоянку рядом с ним, но не вышла, а продолжала сидеть, соображая, что делать дальше. На мне были слаксы и пиджак. О порядках в католической церкви — то есть соборе — я имела очень смутное и, вероятно, устаревшее представление и не была уверена в том, что мой внешний вид не нарушает их правил. Я пыталась припомнить туристические поездки по Европе, посещение знаменитых церквей. Кажется, там требуется, чтобы руки были закрыты. Нарукавники, юбки...

Здесь, на вершине холма, было очень светло и очень тихо. Еще только начинался апрель, на деревьях не было видно ни листочка, но солнце уже пригревало вовсю. Остался всего один сугроб, да и тот уже такой серый, что не отличался цветом от асфальта на парковке.

В пиджаке было холодновато: наверное, температура здесь пониже, а ветер посильнее, чем в Торонто.

Кстати, церковь-то может оказаться уже закрыта. Закрыта и пуста.

Огромные входные двери, похоже, действительно были заперты. Я даже не стала подниматься по ступеням, чтобы попытаться их отворить. Вместо этого я пошла за двумя старушками — такими же старыми, как я, — которые только что преодолели последний пролет лестницы, ведущей сюда с улицы, а потом, не поднимаясь по ступеням собора, сразу направились к боковому входу.

Внутри оказалось довольно много народу — человек тридцать-сорок, но эти люди не выглядели прихожанами, пришедшими на службу. Одни сидели на скамьях, другие молились, стоя на коленях, третьи разговаривали. Мои старушки опустили руки в большую мраморную чашу — механически, даже не поглядев на нее. Они продолжали разговаривать, не понижая голоса. Потом поздоровались с мужчиной, который расставлял на столе корзинки.

— Ну и холодина сегодня, — заметила одна из старушек.

— Да, и ветер такой, что того и гляди нос оторвет, — ответил мужчина.

Я разглядела стоявшие у стен исповедальни: они были похожи на деревянные коттеджи, построенные поодаль друг от друга вдоль улицы, или на домики на детской площадке, только почему-то покрытые резьбой в готическом стиле и с темно-коричневыми занавесками. Все вокруг сверкало и сияло. Высокий потолок, соединенный со стенами полукружиями арок, был выкрашен в небесно-голубой цвет. На стенах — изображения святых и золотые медальоны. Витражи на окнах, освещенные снаружи солнцем, превратились в столбы из драгоценных камней. Я пошла по проходу между скамьями, пытаясь разглядеть алтарную часть. Однако алтарь сиял так нестерпимо, что было больно смотреть. Я разглядела только, что выше него, над окнами, нарисованы ангелы. Сонмы ангелов — юных, полупрозрачных и чистых, как свет.

Все было потрясающе красиво, но сейчас, похоже, эта красота ничьего внимания не привлекала. Старушки продолжали болтать — не громко, но все-таки и не шепотом. Вновь прибывшие, кивнув знакомым и перекрестившись, преклоняли колена и с деловым видом принимались за молитвы.

Пора было и мне заняться тем делом, за которым я пришла. Я поискала глазами священников, однако не увидела ни одного. Что ж, подумала я, у священников, как и у всех людей, рабочий день не безграничный. Они тоже едут домой, заходят в свои гостиные, кабинеты или спальни, включают телевизор, расстегивают белые воротнички. Можно выпить рюмочку и посмотреть, что хорошего осталось на ужин. А когда они отправляются в церковь, вид у них совсем другой. В полном облачении, готовые к совершению богослужения... Как бишь оно у них называется? Месса?

Или вот исповеди. Ведь когда исповедуешься, то не знаешь, сидит в исповедальне священник или нет. Должно быть, они входят и выходят оттуда через особую дверцу.

Надо мне кого-нибудь спросить. Вот этот мужчина, который расставляет корзинки, — он же наверняка здесь на работе, хотя и не похож на привратника. Да и вообще, зачем тут привратник?

Прихожане выбирали, где сесть или где встать на колени, чтобы помолиться. Иногда они поднимались и переходили на другое место — наверное, из-за ослепительного сияния солнечных лучей, проникающих через драгоценные витражи. Обращаясь к мужчине, я перешла на шепот — сказалась старая церковная привычка, — так что он даже не расслышал и переспросил. Потом как-то озадаченно и недоуменно кивнул в сторону исповедален. Значит, надо было говорить иначе, поточнее и поубедительнее.

— Нет-нет. Я просто хочу поговорить со священником. Меня прислали с ним поговорить. Мне нужен именно отец Хофстрейдер.

Человек с корзинками скрылся в боковом проходе и спустя минуту возвратился в сопровождении плотного, энергичного молодого священника, одетого не в рясу, а в обычный черный костюм.

Молодой человек провел меня в комнату, входа в которую я раньше не замечала. Точнее сказать, это была не комната, а маленький придел храма: мы прошли туда не через дверь, а через арку.

— Здесь можно спокойно поговорить, — сказал он, пододвигая мне стул.

— Отец Хофстрейдер...

— Извините, я не отец Хофстрейдер. Его сейчас нет, он в отпуске.

Я растерялась, не зная, что делать дальше.

— Но я готов вам помочь.

— Есть одна женщина, — начала я, — она сейчас умирает в больнице Принцессы Маргариты в Торонто...

— Да-да, эту больницу мы хорошо знаем.

— И она попросила меня... То есть оставила записку... Она хочет видеть отца Хофстрейдера.

— Она прихожанка нашей церкви?

— Не знаю. Я даже не знаю, католичка ли она. Вообще она живет здесь, в Гелфе. Это моя подруга, но я не видела ее много лет.

— А когда вы с ней говорили?

Мне пришлось объяснить, что я с ней не говорила. Она спала, но оставила мне письмо.

— Так, значит, вы не знаете, католичка она или нет?

У него в углу рта виднелась болячка — трещина. Должно быть, ему больно говорить.

— Думаю, что все-таки католичка, но муж у нее неверующий, и она от него скрывает. Не хочет, чтобы он знал.

Я надеялась, что это немного прояснит ситуацию, хотя не была уверена, что дело обстояло именно так. Мне казалось, этот священник вот-вот потеряет всякий интерес к делу.

— Отец Хофстрейдер должен быть в курсе, — добавила я.

— Так вы с ней не разговаривали?

Я объяснила, что моя подруга спала под воздействием обезболивающих, но это у нее продолжается не все время и наверняка бывают периоды просветления. Последнее я всячески подчеркнула, как самое главное.

— Но если она хочет исповедаться, то ведь в этой больнице есть свои священники.

Я не знала, что на это ответить. Просто вынула письмо Шарлин, расправила его и протянула ему. Теперь мне показалось, что почерк вовсе не так хорош. Он выглядел вполне читабельным только в сравнении с буквами на конверте.

Лицо священника стало озабоченным.

— А кто такой этот К.?

— Это ее муж.

Я испугалась, что он захочет узнать фамилию мужа, чтобы связаться с ним, но вместо этого он спросил о Шарлин:

— А как зовут вашу подругу?

— Шарлин Салливан.

Удивительно, что я смогла вспомнить ее фамилию. И вдруг меня осенило, что она звучит вполне по-католически и, значит, муж — католик? Однако священник мог решить, что муж отпал от католической церкви. Тогда желание Шарлин скрыть от него свою просьбу выглядело более понятным, а сама просьба — более убедительной.

— А почему она просит приехать именно отца Хофстрейдера?

— Наверное, какое-то особенное дело. Специальное.

— Любая исповедь — дело весьма специальное.

Он поднялся, но я продолжала сидеть. Тогда он тоже сел.

— Отец Хофстрейдер сейчас в отпуске, однако из города не уехал. Я могу позвонить ему и спросить. Если вы настаиваете, конечно.

— Да, пожалуйста!

— Вообще-то, мне не хотелось бы его беспокоить. Он не очень хорошо себя чувствует.

Я ответила, что если он не в состоянии сам доехать до Торонто, то я могу его отвезти.

— О транспорте мы позаботимся, если возникнет необходимость.

Он вытащил шариковую ручку, пошарил по карманам и, не найдя того, что искал, перевернул письмо Шарлин чистой стороной, чтобы написать на нем ее имя.

— Чтобы не забыть. Как, вы говорите, ее зовут? Шарлотта?

— Шарлин.

Вы спросите, было ли у меня искушение вдруг взять и все рассказать, прервав эту говорильню? И наверное, не единожды? Вы, должно быть, думаете, что я могла проявить мудрость и наконец открыться, понадеявшись на это великодушное, хоть и ненадежное прощение? Но нет, такое не для меня. Что сделано — то сделано. Сонмы ангелов, кровавые слезы — нет, это невыносимо.

———

Я сидела в машине, ни о чем не думая, и даже не заводила мотор, хотя становилось страшно холодно. Было непонятно, что делать дальше. То есть я знала, что можно сделать. Выехать на шоссе, влиться в блестящий бесконечный поток машин, двигающихся в сторону Торонто. Или, если не будет сил вести машину, найти тут гостиницу и переночевать. В большинстве отелей вам либо дадут зубную щетку, либо покажут автомат, в котором ее можно купить. Я понимала, что можно и нужно сделать, но любое движение было выше моих сил.

Моторным лодкам на озере полагалось держаться подальше от берега. И в особенности от пляжа детского лагеря, чтобы волны, которые эти лодки поднимали, не мешали нам купаться. Но в то последнее утро, в воскресенье, два катера устроили гонки и кружили по воде довольно близко — не к спасательному плоту, разумеется, но все-таки достаточно близко, чтобы до нас докатывались поднятые ими волны. Плот вдруг сильно подбросило, и Полина закричала изо всех сил, призывая прекратить безобразие. Однако моторы ревели, гонщики ничего не слышали, и к тому же большая волна уже все равно устремилась к берегу, заставляя резвившихся на мелководье девчонок подпрыгивать, чтобы не оказаться сбитыми с ног.

Шарлин и я одновременно потеряли равновесие. Когда раздался крик Полины, мы стояли спинами к плоту, по грудь в воде, глядя на подплывающую Верну, и вдруг почувствовали, что волна подхватывает и швыряет нас. Как и все вокруг, мы, наверное, закричали — сначала от страха, а потом от радости, когда снова почувствовали под собой дно и увидели, как волна разбивается о берег. Следующие волны были уже не такими сильными, так что можно было удержаться на ногах.

В тот момент, когда нас сбила волна, Верна нырнула в нашем направлении. Когда мы выскочили — размахивая руками, с текущими по лицам струями, — то увидели, что она неподвижно распласталась под водой. Вокруг стоял визг и крик, усиливавшийся с каждой следующей волной. Те, кто почему-либо пропустил первую волну, теперь притворялись, что их сбила вторая или третья. Голова Верны оставалась под водой, но уже не лежала неподвижно, а лениво, как медуза, поворачивалась к нам лицом. Мы с Шарлин протянули руки и схватили ее за резиновую купальную шапочку.

Это могло произойти и случайно. Мы пытались удержать равновесие и схватились за ближайший резиновый предмет, вряд ли понимая, что это такое и что мы делаем. Я обдумала всю ситуацию в деталях и считаю, что нас следует простить. Мы были совсем дети. К тому же перепуганные.

Да-да. Вряд ли осознавая свои действия.

Правда ли это? Ну да, правда — в том смысле, что ничего не было решено изначально. Мы не взглянули друг на друга: мол, надо сделать то-то и то-то, а потом сознательно это сделали. Голова Верны рвалась на поверхность, как клецка в рагу. Тело только совершало мелкие рассеянные движения в воде, но голова знала, что надо делать.

Мы, наверное, не удержали бы резиновую голову, резиновую шапочку, если бы на ней не было рельефного рисунка, из-за которого она была не такой скользкой. Я хорошо помню цвет шапочки: вялый, скучный голубой цвет, но мне никак не удается припомнить рисунок: рыба, русалка, цветок? — рисунок, впившийся мне в ладони.

Мы с Шарлин смотрели скорее друг на друга, чем вниз — на то, что делали наши руки. Глаза моей подруги были широко открыты, они ликовали. Мои, я думаю, тоже. Вряд ли мы чувствовали себя злодейками, получающими радость от своего злодейства. Скорее, было такое чувство, что мы странным образом выполняем предначертанное, и этот момент — высшая точка, кульминация нашей жизни. Мы были собой.

Вы можете сказать, что мы зашли слишком далеко и пути назад, выбора уже не было. Но я клянусь: ни о каком о выборе для нас в тот момент просто не могло идти речи.

Все дело не заняло, вероятно, и двух минут. Трех? Полторы?

Нельзя сказать, что как раз в это время небо прояснилось, но в какой-то момент — то ли когда приблизились катера, то ли когда закричала Полина, то ли когда накатила первая волна, то ли когда резиновый предмет у нас в руках перестал двигаться самостоятельно, — в какой-то момент брызнули солнечные лучи. Еще больше родителей высыпало на берег, послышались крики, призывавшие нас кончать беситься и вылезать из воды. Купание завершилось. Тем, кто жил далеко от озера или муниципальных бассейнов, этим летом искупаться уже вряд ли удалось. О личных бассейнах мы тогда только читали в журнальных статьях про кинозвезд.

Как я уже сказала, расставание с Шарлин и то, как я очутилась в родительской машине, мне не запомнилось. Это не имело значения. В том возрасте, в каком я была тогда, все постоянно меняется и ты ждешь, что закончится одно и начнется другое.

Вряд ли мы произнесли на прощание что-нибудь столь банальное, оскорбительное и ненужное, как слова «Никому не говори!».

Можно представить себе, как обнаружилось неладное. Далеко не сразу, потому что мешали одновременно происходившие драмы: кто-то потерял сандалию, какая-то девочка из числа самых маленьких кричала, что у нее из-за этих волн песок попал в глаз. Почти наверняка кого-то вырвало — либо от возбуждения, вызванного купанием, либо от волнения из-за приезда родителей, либо от слишком быстрого поедания контрабандных сладостей.

И вскоре, но не сразу все это перекрывает тревога по другому поводу: кого-то недосчитались.

— Кого нет?

— Кого-то из «специальных».

— Вот черт. Ну надо же!

Женщина, которая отвечает за «специальных», мечется по пляжу. На ней по-прежнему купальник в цветочек, жир на руках и ногах трясется на бегу. Зовет — пронзительно и жалобно.

Кто-то отправляется искать в лес, бежит по тропинке, выкрикивает имя.

— Как ее зовут?

— *Верна.*

— Стойте!

— Что?

— Вон там, в воде, что это?

Но я полагаю, что к этому моменту мы уже уехали.

Лес

Рой занимается обивкой, покраской и ремонтом мебели. Может починить стол или стул, если отвалилась ножка, перекладина или еще что-нибудь. Сейчас за такую работу мало кто берется, и заказов у Роя всегда больше, чем нужно, — он даже не знает, как с ними справиться. Однако помощников брать не хочет, говорит: только попробуй найми работника, и бюрократы утопят тебя в бумагах. Настоящая причина, наверное, не в этом. Просто он привык работать один — уже много лет, с тех пор, как пришел из армии, — и ему не по душе даже сама мысль, что кто-то будет постоянно торчать рядом. Вот если бы Леа (это его жена) родила мальчика, а тот вырос бы и занялся тем же делом, что и отец, и под старость сменил бы его в мастерской... Ну даже если бы родилась дочь. Одно время он думал обучить своему ремеслу племянницу жены Диану, — та, когда была маленькой, все время проводила в мастерской, наблюдала за ним. Потом вдруг выскочила замуж в семнадцать лет и стала помогать Рою кое в чем: они с мужем тогда нуждались в деньгах. Но вскоре забеременела и больше работать не смогла: ее тошнило от запахов растворителя, морилки, олифы, политуры и дыма. По крайней мере так сама Диана объяснила Рою. А жене его сказала настоящую причину: ее муж считал, что эта работа не для женщин.

Теперь у Дианы четверо детей и работает она кухаркой в доме престарелых. Муж, должно быть, считает, что так лучше.

Мастерская Роя помещается в сарае за домом. Отапливается она дровяной печью, для которой надо добывать топливо. Это и подтолкнуло Роя к одному делу, — он не любит распространяться на этот счет, хотя секрета тут нет. То есть все в округе знают, чем он занимается, но никто не понимает, насколько это важное для него дело.

Заготовка дров.

У Роя есть полноприводный грузовик, бензопила и колун весом в добрых восемь фунтов. И он с каждым годом все больше и больше времени проводит в лесу, заготавливая дрова. Рубит гораздо больше, чем нужно ему самому, и потому, так уж получается, приходится продавать. В нынешних домах часто устраивают камины — и в гостиных, и в столовых, и в залах. Причем жгут дрова каждый день, а не только по случаю прихода гостей или на Рождество.

Когда Рой только начал ездить в лес, Леа очень волновалась: вдруг поранится, а помочь будет некому? Но больше всего опасалась, что из-за этого увлечения остановится его главное дело, бизнес. Рой, конечно, не разучится, не позабудет свое ремесло, но начнет отставать, выбьется из графика.

— Ты же не хочешь подводить людей? — спрашивала она. — Ведь если тебе кто-то заказывает вещь к сроку, так, значит, на то есть причина.

Она представляла себе его работу так: берешь заказ — значит, принимаешь на себя обязательство помочь человеку. А когда он как-то раз поднял цены на свои услуги, Леа ужасно разволновалась и долго объясняла всем и каждому, сколько теперь приходится тратить денег на материал.

Пока она сама ходила на работу, Рою было легче: он мог с утра, проводив ее, отправиться в лес, а вернуться до того, как она приедет домой. Леа работала в городе у дантиста — записывала пациентов и вела бухгалтерский учет. Служба в регистратуре подходила ей как нельзя лучше, поскольку она была очень общительная, говорливая. И дантисту была прямая выгода: куча ее родственников — огромная дружная семья — лечила у него зубы, и никто из них даже не подумал бы обратиться к кому-то другому.

Все эти родственники — Боулзы, Джеттерсы, Пулзы — с утра до ночи торчали у них дома, а Леа частенько гостила у них. Члены клана любили собираться вместе. Бывало, на Рождество или День благодарения в дом набивалось двадцать, а то и тридцать человек. А по воскресеньям — не меньше дюжины. Смотрели телевизор, болтали, готовили еду и ели, причем все это одновременно. Рой тоже любит и посмотреть передачу, и поболтать, и, само собой, поесть, но ведь не все же сразу! Так что, когда родственники собирались в его доме по выходным, он обычно уходил в сарай и топил там печь дровами из граба или яблони, — когда они горят, идет очень вкусный дым, особенно от яблони. А еще у него на полке — прямо в открытую, рядом с красками и инструментами — всегда стояла бутылка пшеничного виски. Дома такая тоже имелась, и он не жалел ее для гостей, но все-таки налить себе стаканчик в одиночестве — другое дело. Так и запах дыма кажется лучше, если никто вокруг не восклицает: «Ах, какая прелесть!» Но когда Рой возился с мебелью или собирался в лес, он не пил. Только по воскресеньям.

То, что хозяин игнорировал компанию, гостей не задевало. Родственники были не из обидчивых. Да они вообще не очень интересовались такими, как Рой, — теми, кто не принадлежал по рождению к их клану и даже детей не добавил к их числу и вообще на них не похож. Они все были здоровенные, шумные, общительные. А Рой — небольшого роста, очень сдержанный. Жена его была женщиной добродушной, покладистой и мужа любила таким, какой есть. Поэтому, когда он уходил к себе в сарай, она его не попрекала и перед родственниками за него не извинялась.

Они оба чувствовали, что очень дороги друг другу — больше, чем многодетные пары.

Леа почти всю прошлую зиму пролежала то с гриппом, то с бронхитом. Она подозревала, что дело в микробах, которые приносят пациенты дантиста, и решила бросить работу. Говорила, что ей все равно надоело и хочется иметь побольше времени для собственных занятий.

Рой так и не смог понять, что за занятия она имела в виду. Леа очень скоро стала терять силы и уже не оправилась. И характер ее совершенно изменился. Гости теперь ее нервировали — и родственники больше, чем кто бы то ни было. От разговоров она скоро уставала. Гулять не любила. Поддерживала в доме порядок, но между любыми двумя работами по хозяйству отдыхала так долго, что самые простые дела занимали весь день. Почти потеряла интерес к телевизору, но, если Рой его включал, могла и посмотреть. Фигура ее, раньше приятно-округлая, теперь похудела, потеряла форму. Живость, румянец — все, что придавало прелесть ее лицу, — все высохло, исчезло, и карие глаза потеряли прежний блеск.

Доктор прописал какие-то пилюли, но Леа не могла ответить, помогают они ей или нет. Сестра свозила ее к целительнице, практиковавшей холистическую медицину, сеанс обошелся аж в триста долларов. Но все равно осталось непонятно, помогло это хоть сколько-нибудь или нет.

Машину Леа больше не водила. И молчала, когда Рой отправлялся в лес.

«Ничего, еще оклемается», — говорила Диана. (Теперь к ним заезжала одна только племянница.) Но потом добавляла: «А может, и нет».

Врач выражал примерно ту же мысль, но более деликатно. По его словам, пилюли должны помочь больной не до конца выпасть из реальности. А где кончается это «не до конца» и начинается «до конца»? — думал Рой, — как различить?

———

Иногда, блуждая по лесам, он попадал в места, где рабочие с лесопилки уже срубили и раскряжевали деревья, оставив валяться на земле только верхушки. А иногда попадались участки, где прошли лесничие, окольцевав те деревья, которые надо срубить, — больные, скрюченные или просто не годящиеся на пиломатериалы. Не годятся, например, граб или голубой бук. Отыскав такой участок, Рой заводил разговор с владельцем — обычно фермером. Поторговавшись, они договаривались о цене, и тогда можно было приступать к рубке. Особенно часто он занимался этим поздней осенью — в ноябре и начале декабря. Наступал сезон покупки дров, и, значит, Рою нужно было отправляться в лес на своем грузовике. Раньше, когда фермеры сами заготавливали и продавали дрова, у них были хорошие подъездные пути. Теперь такого нет, надо добираться по полям, а это можно делать либо когда поля еще не вспаханы, либо когда окончательно убран урожай. Последнее лучше, поскольку почва уже схвачена морозом. Нынешней осенью спрос на дрова оказался велик, как никогда, и Рой выезжал на промысел два-три раза в неделю.

Многие умеют различать деревья по листьям, по размеру, по очертанию кроны. Но когда Рой проходит по уже облетевшему лесу, где-нибудь в самой чаще, то он различает деревья по коре. У граба — дерева плотного, основательного — кора ворсистая, коричневая, а ствол приземистый и коренастый. Но ветви у него гибкие на концах, и кора на них красноватая. Вишневое дерево — самое темное в лесу, и кора у него чешуйчатая. Многие сильно удивились бы, увидев, какой высоты достигают дикие вишни в наших краях. Они совсем не похожи на садовые деревья. Дикие яблони, напротив, не отличить от их сестер из сада: невысокие, и кора не такая шершавая и темная, как у вишен. Ясень — крепкое дерево с рубчато-волнистым стволом. Серая кора клена имеет неровную поверхность — теневые линии создают черные полоски, которые иногда образуют прямоугольный узор, а иногда не пересекаются. Клен вообще дерево беспечное, ему словно бы все равно, какая у него кора. Его и так все любят. Скажешь «дерево» — и сразу представляешь себе клен.

Другое дело — буки и дубы. Эти как актеры на сцене, которых нельзя не заметить. Но ни одно дерево не бывает таким красивым, как старый вяз, — его, впрочем, теперь почти нигде не встретишь. У бука ровная сероватая кора — «слоновая кожа», — на которой люди часто вырезают свои инициалы. Разрезы с годами расползаются, и тогда даже сделанные тонким лезвием буквы уже не прочтешь: они оказываются поперек себя шире. Буки в лесу достигают гигантской высоты. На открытых местах они так не вытягиваются, а начинают расти вширь и становятся чуть ли не квадратными. А вот в лесной чаще тянутся ввысь, и ветви наверху загибаются гордо, как оленьи рога. Однако у этого заносчивого дерева встречается серьезный недостаток, который узнаешь по неровностям на коре: древесина его может иметь извилистые волокна. Такой бук хрупок и ломается под сильным напором ветра.

Что же касается дубов, то их у нас не так много, во всяком случае, меньше, чем буков, но обнаружить их легко. Клены всегда смотрятся как старые знакомые — такое же дерево растет у вас во дворе. А вот дубы словно сошли со страниц детских книжек с картинками, в которых сказки начинаются словами «Давным-давно в чаще леса...». Давным-давно в чаще леса стояли одни только дубы. Их темные глянцевитые, прилежно вырезанные листья, конечно, создают им особую ауру, но сказочность сохраняется и после того, как листья облетают и глазам открывается толстая, похожая на пробку, темная кора с затейливым рисунком и изломанные, хитро переплетенные ветви.

Рой не видит ничего страшного в том, чтобы заниматься рубкой леса в одиночку, если знаешь, как надо действовать. Когда собираешься свалить дерево, то первым делом прикинь, где у него примерно центр тяжести, и сделай прямо под этой точкой клиновидную зарубку под углом в семьдесят градусов. Дерево, разумеется, будет падать в ту сторону, где сделана зарубка. Потом начинаешь пилить с другой стороны — так, чтобы надпил шел не прямо к зарубке, а чуть повыше, на уровне ее верхнего края. Между зарубкой и надпилом должна остаться небольшая перемычка, по которой дерево и сломается. Лучше всего, конечно, чтобы оно упало, не задев других деревьев, но это, как правило, невозможно. А если дерево зацепилось за другие и тебе не подогнать грузовик, чтобы вытащить его цепью, то приходится распиливать ствол на куски: начинаешь снизу и продолжаешь, пока верхняя часть не освободится и не упадет. После того как дерево ляжет на землю, встав на ветви, твоя задача — уложить ствол. Для этого отрубай ветви по очереди, пока не доберешься до тех, на которых держится ствол. Только помни, что они напряжены, как лук, и надо подрубить их так, чтобы дерево сдвинулось не к тебе, а в обратную сторону и тебя не полоснуло ветвями. Когда ствол благополучно уложен на землю, его распиливают — так, чтобы высота чурбака соответствовала размерам печки, — а потом раскалывают колуном.

Однако раз на раз не приходится, все время жди сюрпризов. Попадаются чурбаки, которые не расколешь, как ни старайся. Такие надо класть набок и разрезать пилой вдоль. Это нечистая работа: и опилки летят, и волокно дерева сходит полосами. Еще одна хитрость: буковые и кленовые чурбаки иногда раскалывают не сверху, а сбоку. А если чурбак слишком большого диаметра, то у него надо срубать куски с боков вдоль годовых колец, пока он не станет почти квадратным, тогда удобнее расколоть посередине. Иногда попадаются трухлявые деревья, у которых грибы проросли между кольцами. Но это случается редко, обычно древесина оказывается такой, как ожидаешь, — в комле попрочнее, чем в верхней части. Прочными бывают деревья, выросшие на открытом месте, а длинные и тонкие, которые росли в самой чаще, всегда слабее.

Да, раз на раз не приходится, надо быть готовым к сюрпризам. Но если ты настороже, бояться нечего. Рой раньше все это объяснял жене. И о том, как надо рубить, и о разных хитростях, и о том, как распознавать деревья. Но ее разве заинтересуешь... Эх, жаль не удалось передать свои знания Диане, когда она была помоложе. Теперь-то у нее нет времени его слушать.

Во всех этих размышлениях Роя о лесе есть что-то личное: он хранит такие мысли при себе и не спешит делиться ими, как скупердяй, хотя в других отношениях он совсем не жадный человек. А тут — как наваждение. Лежит ночью без сна и думает о красивом буке, который хочется срубить. Прикидывает: так ли он прочен, как выглядит, или готовит ему сюрприз? Думает о тех лесных участках в округе, до которых не добраться, потому что они расположены за фермами и окружены полями, то есть частными владениями, куда въезд запрещен. А когда Рой едет по дороге через лес, то все время вертит головой: смотрит то направо, то налево, чтобы ничего не пропустить. Его интересует даже то, что делу никак не помогает. Посадки голубого бука, например, — совсем молодые деревца, густо растущие и слишком хилые, чтобы с ними возиться. Если замечает темные вертикальные ребра, идущие вкось по более светлому стволу, то запоминает на всякий случай, где это видел. Как бы составляет в уме карту всех лесов, где побывал. Зачем? Рой ответил бы — для дела, но это не вся правда.

Через день после того, как выпал первый снег, Рой бродит по лесному участку фермера Элиота Сатера: смотрит деревья, с которых сняты кольца коры. Он ходит здесь на вполне законных основаниях, потому что договорился с владельцем.

На краю участка расположилась незаконная свалка. Тут выбрасывают мусор те, кто не хочет везти его на городскую свалку: одним неудобны часы ее работы, другие лентяся далеко ехать. Рой замечает на этой помойке какое-то движение. Собака, что ли?

Но вот движущаяся фигура распрямляется, и становится различим человек в грязной куртке. Ага, это Перси Маршалл ищет, чем бы поживиться. Раньше здесь можно было отыскать вполне годный старый котелок или даже медный чайник, но сейчас-то вряд ли. Да и Перси не то чтобы постоянно тут копается, добывая товар на продажу. Просто смотрит, не попадется ли полезная вещь. А что тут найдешь? Пластмассовые канистры, рваные оконные сетки да матрасы с вылезшей наружу ватой.

Перси живет один, захватив комнату в пустом заколоченном доме на перекрестке двух дорог в нескольких милях отсюда. Болтается повсюду — по дорогам, в оврагах и по городским улицам тоже расхаживает. Что-то бормочет, разговаривает сам с собой, а с людьми изображает то полоумного бродягу, то местного всезнайку. Питается чем попало, живет в грязи, без удобств, но это он сам так захотел. Его пытались поместить в окружную богадельню, но ему быстро надоела тамошняя жизнь: все по звонку, и кругом одни старики. Когда-то очень давно у Перси была неплохая ферма, но крестьянская жизнь показалась ему слишком однообразной. Поэтому он занялся сначала бутлегерством, а потом кражами со взломом — совсем неумелыми, надо сказать, — и отсидел несколько сроков. В последние лет десять Перси бросил пить, получил пенсию по старости и снова стал как бы полноправным членом общества. В местной газете была даже о нем статья, с интервью и фотографией, — «ПОСЛЕДНИЙ В СВОЕМ РОДЕ. НАШ „ВОЛЬНЫЙ ЧЕЛОВЕК" — О СВОЕЙ ЖИЗНИ И ВЗГЛЯДАХ».

Перси выбирается из помойки и с деловым видом направляется к Рою. Должно быть, хочет что-то рассказать.

— Что, за дровами собрался?

— Может, и за дровами.

Рой отвечает осторожно: как бы Перси не попросил у него дров.

— Ну тогда поторопись! — объявляет вдруг «вольный человек».

— Это еще почему?

— А потому, что на весь этот лес теперь подписан контракт.

Рою ничего не остается, как спросить: какой еще контракт? Перси, конечно, болтун, но не лжец. По крайней мере он не лжет о том, что его действительно интересует: разные сделки, наследства, страховки, ограбления домов. Вообще дела, связанные с деньгами. Зря люди думают, что те, у кого деньги в руках не держатся, про них никогда не думают. Тот, кто считает Перси бродячим философом и бессребреником, который только вздыхает о былом, очень удивился бы, послушав его. Хотя, если понадобится, он прикинется ненадолго и философом.

— Тут слушок прошел, — тянет резину Перси. — Про одного парня. В городе слышал. Ну, не знаю, правда ли. В общем, у этого парня лесопилка, и он подписал контракт с гостиницей, с «Ривер-инн». Будет поставлять им дрова всю зиму. По корду в день. Во сколько жгут! По корду в день!

— Кто тебе сказал? — спрашивает Рой.

— В пивной слышал. Ну да, захожу иногда пропустить кружечку, а что? Я же не больше одной! Короче, там сидели какие-то ребята, незнакомые. Но не пьяные, как и я. Болтали насчет леса — вот этого самого. Который Сатера.

Рой говорил с фермером всего неделю назад, и они вроде бы все обговорили, вплоть до зачистки участка.

— Да, участок большой, — кивает Рой.

— А то!

— Если они хотят свести здесь весь лес, им нужно разрешение.

— А то! Иначе будет незаконно, — кивает в свою очередь Перси.

Ему этот разговор доставляет большое удовольствие.

— Ну ладно, не мое дело, — заключает Рой. — Мне бы со своей работой справиться.

— Справишься, не сомневайся.

По пути домой Рой только и думает что об этой истории. Ему приходилось пару раз продавать дрова в «Ривер-инн». Но теперь они, должно быть, решили обзавестись постоянным поставщиком. И выбрали не его.

Он думает о том, как можно вывезти такое количество леса сейчас, когда уже выпал снег и скоро наступят морозы. Только одно остается: оттащить бревна на открытое поле прежде, чем начнется настоящая зима. Вытаскивать поскорей и сваливать как придется, а пилить и колоть уже потом. Но чтобы их вывезти, нужен бульдозер или, по крайней мере, большой трактор. Надо прорубить просеку, а потом вытаскивать на цепях. И одному человеку с этим не справиться, даже двоим, понадобится команда. Короче, большое дело.

Значит, кто-то этим занимается всерьез, не по-любительски, как он сам. Крупное дело. Видимо, кто-то не из нашего округа, тут таких нет.

Почему же Элиот Сатер даже и не намекнул ни на что подобное, когда говорил с Роем? Наверное, ему позже сделали предложение. И он решил, что можно забыть о Рое. Пусть лучше бульдозер поработает.

Весь вечер Рой думает: может, позвонить Сатеру и спросить, что за дела? Но раз тот уже принял решение, так чего ж звонить? Устная договоренность — ничто. Сатер просто пошлет его подальше.

Лучше всего вот что: сделать вид, что он не встречал Перси и ничего не слышал про этот контракт. И действовать, как намеревался: поехать в лес и нарубить столько дров, сколько успеет, пока не пришел бульдозер.

А может, Перси что-то напутал? Вряд ли он выдумал всю эту историю, чтобы напугать Роя, но перепутать что-нибудь мог запросто.

Однако чем больше Рой думает об этом деле, тем больше верит словам Перси. Он прямо видит всю картину: и бульдозер, и обмотанные цепями деревья, и целую кучу бревен на поле, и рабочих с бензопилами. Да, так сейчас дела и делаются. Оптом, по-крупному.

История еще потому так неприятна, что Рою никогда не нравился «Ривер-инн» — курортный отель на берегу реки Перегрин. Его построили на месте старой мельницы, неподалеку от перекрестка, где стоит дом, занятый Перси Маршаллом. На самом деле земля под этим домом принадлежит отелю, да и сам дом тоже. Хибару хотели снести, но выяснилось, что постояльцам гостиницы, бездельникам, нравится прогуливаться по дороге и фотографировать живописные руины, а также валяющуюся там старую борону, перевернутую телегу, водокачку и самого Перси, когда он позволяет туристам себя снимать. Некоторые даже рисуют все это. Приезжают сюда из Оттавы и Монреаля и налюбоваться не могут — ах, настоящая лесная глушь!

Местные ходят в гостиницу только на праздничный обед или ужин. Леа была там как-то раз с дантистом и его женой и еще с женщиной-гигиенистом и ее мужем. Роя тоже звали, но он не пошел. Сказал, что ему за такие деньги кусок в горло не полезет, даже если заплатит кто-то другой. Но если честно, то настоящая причина неприязни Роя к отелю «Ривер-инн» заключается совсем не в этом. Вообще-то, он не против того, чтобы люди тратили деньги в свое удовольствие. И не возражает, чтобы кто-то зарабатывал на желающих их выбросить. А вот реставрацией и обивкой старой мебели в гостинице занимался не он, Рой, а другие мастера, не местные. Правда, если бы его пригласили, то он бы, скорее всего, отказался, — мол, и так работы невпроворот. Когда Леа спросила, как ему этот отель, он ответил только, что Диана пыталась туда устроиться официанткой, а ей отказали. Мол, слишком толстая.

— Но это же правда, — заметила Леа. — Толстая. Она и сама так говорит.

Правда, да. Но Рой все равно считает, что они снобы. Снобы и хапуги. Строят новые дома, выглядящие как старые особняки или оперные театры, просто чтобы пустить приезжим пыль в глаза. И дрова жгут для того же самого. По корду в день. Значит, скоро какой-то деятель будет утюжить лес на бульдозере, словно кукурузное поле. А чего еще ждать от этих снобов, кроме разорения?

Рой передает жене услышанное от Перси. Он все еще рассказывает ей обо всем, просто по привычке, хотя заранее знает, что та не поймет. Рой даже перестал замечать, отвечает ему Леа или нет. На этот раз она отзывается, но как эхо — повторяя то, что он сказал:

— Ну ничего. Работы все равно хватает.

Так он и думал: хорошо она себя чувствует или нет, а главного не улавливает. Но разве не так обычно и бывает с женами? И с мужьями тоже? По крайней мере в половине случаев именно так и бывает.

На следующее утро Рой чинит у себя в сарае раздвижной стол. Решает не выходить из мастерской весь день, чтобы закончить еще пару дел, которые давно откладывал. Но около полудня слышит громкий шум мотора — Диана никак не исправит глушитель — и выглядывает из окна. Должно быть, приехала, чтобы отвезти тетушку к рефлексологу. Диана уверена, что это поможет, а Леа не возражает.

Однако Диана направляется не к дому, а к сараю.

— Привет!

— Привет!

— Ну что, вкалываешь?

— Да как обычно, — отвечает Рой. — Хочешь ко мне на работу устроиться?

Это их обычные шутки.

— Я уже устроилась. Слушай, я чего приехала. Ты не дашь мне завтра грузовик ненадолго? Надо отвезти Тигра к ветеринару. В машине не получается. Здоровый пес, ты же понимаешь. Извини, конечно.

Рой отвечает: ладно.

Отвезти Тигра к ветеринару, — думает он. — Это им влетит в копеечку.

— Тебе-то самому грузовик не поднадобится? — спрашивает она. — Обойдешься машиной?

Он-то как раз собирался завтра за дровами, потому и спешил закончить работу в мастерской. Ну, значит, надо сегодня после обеда ехать, — решает он про себя.

— Я тебе верну с полным баком бензина, — обещает Диана.

Надо самому не забыть наполнить бак, чтобы она этого не сделала. Рой хочет сказать ей, что вот, мол, собрался в лес, но что-то там не то происходит... но Диана уже вышла из сарая и идет к дому.

Проводив жену с племянницей и закончив дела, Рой садится в грузовик и отправляется на то же место, где был вчера. Может, остановиться и расспросить Перси поподробнее? Нет, решает он, не стоит, все равно толку не будет. Увидев такой к себе интерес, Перси начнет плести небылицы. Может, лучше поговорить с фермером? Тоже не надо, решает Рой, вспомнив все, о чем думал прошлым вечером.

Он останавливает грузовик у начала тропы, ведущей в чащу. Тропка эта вскоре кончится, но Рой еще раньше сворачивает с нее и не спеша идет по лесу, оглядывая деревья. Все точно так, как было вчера. Ничто не выдает задуманного Сатером плана. У Роя с собой бензопила и колун. Надо поторапливаться. Если появится кто-нибудь еще и начнутся претензии, Рой заявит, что получил разрешение от собственника и знать не знает ни о каком контракте. Более того, он скажет, что будет тут работать, пока фермер сам не явится и не велит ему уйти. Ну а если явится, то он, конечно, уйдет, какие проблемы? Только это вряд ли: Сатер человек тучный, тяжелый на подъем, да еще и прихрамывает. Ходить по участку он не любит.

— ...так не пойдет, — бормочет Рой, обращаясь к невидимому собеседнику, прямо как Перси Маршалл. — Вы мне бумагу покажите!

В чаще леса почва обычно ухабистая, не такая, как на открытых местах, хотя бы даже и поблизости. Рою раньше казалось, что это от упавших деревьев: падают на землю, выворачивая корни, потом лежат и гниют. Там, где они сгнили, образуется бугор, а на месте, откуда вывернулся комель с корнями, — впадина. Но недавно прочитал про другую причину — где это писали? нет, не вспомнить, — прочитал про давние времена, сразу после ледникового периода. Тогда вода застывала между пластами земли, образуя лед, и он вытеснял землю на поверхность пригорками. И до сих пор так бывает в северных землях. Там, где землю не обрабатывают и не очищают, остаются эти пригорки.

А дальше с Роем происходит самый обычный неприятный случай. То, что может приключиться с каждым, кто замечтался, гуляя по лесу. С любым туристом, отправившимся в выходные поглазеть на природу. С каждым, кто думает, что чаща леса — это парк или вообще место для приятных прогулок. И с тем, кто надевает легкие ботинки вместо сапог. И не смотрит, куда идет. Вот с Роем этого ни разу раньше не происходило, хотя он сотни раз бывал в лесу. Ну ничего подобного.

Легкий снежок идет уже давно, и покрытая павшей листвой земля стала скользкой. Нога Роя скользит и подворачивается, и в тот же момент вторая нога проваливается сквозь снег куда-то вглубь. То есть после того, как левая нога подвернулась, его просто кинуло вперед, хотя тут надо было ступать осторожно, пробовать наст и выбирать место, куда поставить ногу. Ну и что? Что страшного случилось? Не так уж и глубоко провалился. Другое дело, если бы это была нора сурка. Просто споткнулся, попытался удержать равновесие — хоть уже сам понимал, что не получится, — и полетел на землю. Хорошо хоть успел отбросить подальше пилу и колун. Правда, сделал это неловко — ручка колуна ударила по колену левой, подвернувшейся, ноги. Тяжелая пила потащила все тело за собой, но как-то удалось свалиться, не напоровшись на нее.

Он прямо чувствовал, как падает — неотвратимо, словно в замедленной съемке. Мог сломать ребро, но не сломал. И топорище могло ударить его по лицу, но не ударило. А мог и ногу порезать. Он думает обо всех этих возможностях не с чувством облегчения — слава богу, не случилось! — но так, словно до сих пор не верит, что этого не произошло. То, как он поскользнулся, как провалился и упал, было настолько глупо и неловко, что уж дальше ничему не удивишься: могло все кончиться как угодно.

Рой начинает осторожно вставать. Болят оба колена: одно он зашиб топорищем, а другим сильно ударился о землю. Он держится за ствол молодой вишни — мог и о нее стукнуться головой — и постепенно поднимается. Сперва переносит весь вес на правую ногу и осторожно касается земли левой — той, которая поскользнулась и подвернулась. Сейчас он на нее встанет. Он наклоняется, чтобы подобрать пилу, и чуть снова не падает. Боль пронизывает его от ступни и до самой макушки. Забыв про пилу, Рой выпрямляется и пытается понять, где все-таки болит. В левой ноге, внизу? Да, боль отступает вниз к лодыжке. Рой вытягивает ногу, чтобы ее почувствовать, очень осторожно ставит ступню на землю и чуть надавливает. Боль адская! Даже не верится, что может так болеть. Да, нога не просто подвернулась. Наверное, сильное растяжение связок. А то и перелом. На вид не поймешь: в ботинке левая лодыжка выглядит такой же, как правая, здоровая.

Надо потерпеть. Не обращать внимания на боль и попытаться выбраться отсюда. Только плохо это у него получается — не обращать внимания. Наступать на ногу совсем нельзя. Наверное, все-таки перелом. Перелом лодыжки. Ну ничего, не страшно. Старушки часто получают такую травму, поскользнувшись на льду. Нет, он все равно счастливчик. Подумаешь, перелом лодыжки. Однако наступать на нее нельзя. Идти он не сможет.

В конце концов Рой соображает, что, если он хочет добраться до грузовика, надо бросить здесь пилу и колун, встать на четвереньки и ползти. Он опускается на колени и начинает двигаться назад по своим же следам, уже припорошенным снегом. Проверяет карман, где лежат ключи: все в порядке, застегнут на молнию. Шапка мешает видеть, Рой сбрасывает ее — пусть здесь полежит. Теперь снег падает прямо на голову. Но не холодно. Ползти на карачках — это он здорово придумал, только вот тяжеловато передвигаться на руках и на одном здоровом колене. Теперь Рой очень осторожен, когда движется по насту, пробирается через молодняк и одолевает кочки. Если на пути встречается небольшой склон, с которого можно скатиться, то Рой не решается это сделать — надо поберечь сломанную ногу. Слава богу, что по пути сюда он не шел через болото. И еще слава богу, что сразу решил выбираться назад: снег валит все гуще, и следы почти не заметны. А без них можно заблудиться, ведь снизу не видно, куда ползешь.

Начинаешь привыкать к своему положению, которое в первую минуту казалось таким дурацким. А теперь ничего, даже как-то естественно. И ползти на руках или локтях и на одном колене, почти у самой земли. И ощупывать встреченное бревно — не трухлявое ли? И переваливаться через него на животе, загребая руками охапки сгнивших листьев, грязи и снега. Рукавицы он не надел: держаться как следует и ощупывать все попадающееся на пути можно только пальцами, хотя они совсем замерзли

ЭЛИС МАНРО

и скрючились. И все это уже не кажется странным. О колуне и пиле Рой даже не думает, хотя в первую минуту не понимал, как можно их бросить. И даже о самом происшествии уже не вспоминает. Ну случилось и случилось, и не важно, как именно. Все уже кажется обычным делом, бывает.

Теперь надо преодолеть довольно крутой подъем. Добравшись до него, Рой останавливается передохнуть. Молодец, что дополз сюда. Он отогревает руки, сунув их под куртку. Почему-то вспоминает Диану: а не идет ей красная лыжная куртка. Что ж, пусть живет как хочет, — думает Рой, — мне-то что за дело? Потом вспоминает жену: как она смотрит телевизор и делает вид, что ей смешно. Думает о ее безразличии ко всему на свете. Ну что ж, по крайней мере она накормлена и в тепле, ей не так плохо, как какой-нибудь беженке, бредущей сейчас где-то по дорогам. Бывает и хуже, — думает он, — бывает и хуже.

Рой начинает подниматься вверх по склону, помогая себе локтями и больным, но все-таки рабочим коленом. Движется наверх, сжав зубы, словно это предохраняет от соскальзывания вниз. Хватается за любой вылезший из земли корень, за каждый попавшийся на пути ствол. Иногда все-таки соскальзывает, пальцы разжимаются, но Рой заставляет себя снова их сжать и сантиметр за сантиметром движется вверх. Даже голову не поднимает, чтобы прикинуть, сколько еще впереди. Если представлять себе, что подъем будет длиться вечно, то вершина покажется радостным сюрпризом.

Подъем длится долго. Но вот последнее усилие — и Рой наконец вытаскивает себя на ровную площадку. Здесь, за деревьями и стеной снега, он различает грузовик. Старая красная «мазда», верная подруга, ждет его — разве это не чудо? После подъема он вновь поверил в себя, а потому становится на колени и осторожно, очень осторожно наступает на колено больной ноги. Дрожа, продвигает вперед здоровую, подтаскивает больную — все это качаясь, как пьяный. Пытается чуть ли не подпрыгнуть. Нет, без толку — теряет равновесие. Пробует совсем легко перенести вес на больную ногу, хотя бы чуть-чуть, но чуть не теряет сознание от боли. Тогда принимает прежнюю позицию и ползет. Движется он не напрямую, через заросли, а маневрирует под прямыми углами, не упуская из виду грузовик. Если выбраться к колеям, оставленным грузовиком, это сэкономит время и силы. Днем грязь в колеях, должно быть, растаяла, но сейчас снова подморозило. Колену и ладоням приходится нелегко, хотя это не сравнить с тем, что было раньше. Настроение бодрое: впереди виден грузовик. Он смотрит на Роя, он ждет Роя.

Вести машину он сможет. Слава богу, что сломана левая нога. Теперь уже все худшее позади, и вместе с облегчением в голову лезут неприятные вопросы. Кого попросить съездить забрать пилу и колун? И как объяснить, где их искать? Снег ведь скоро все тут занесет. Интересно, а когда он сам сможет ходить?

Без толку об этом думать. Чтобы стряхнуть подобные мысли, Рой поднимает голову и еще раз бросает взгляд на «мазду». Останавливается, чтобы отогреть на груди руки. Теперь можно было бы надеть рукавицы, но зачем их портить?

Большая птица перелетает с куста на куст, и Рой вытягивает шею, пытаясь ее разглядеть. Сначала показалось, что сокол, но похоже, это сарыч. Наверное, приметил раненого и обрадовался — думает, повезло.

Рой ждет, когда птица вновь взлетит, чтобы точно определить, кто это, по полету и по крыльям.

И пока он ждет — да, судя по крыльям, все-таки сарыч, — ему вдруг приходит в голову совершенно новая мысль насчет той истории, которая так занимала его последние сутки.

———

Грузовик поехал! Когда он тронулся с места? Пока Рой наблюдал за птицей? Чуть двинулся вперед, колеса вихляют в колеях, — похоже на галлюцинацию. Но мотор-то работает, Рой же слышит. Значит, действительно движется. Забрался туда кто-то, пока он смотрел в сторону? Или сидел там и ждал все это время? Разумеется, Рой запер машину, и ключи при нем. Он снова ощупывает карман на молнии. Значит, кто-то угоняет «мазду» прямо на глазах у хозяина, да еще без ключей. Рой кричит, машет руками, не поднимаясь с земли, словно из этого может выйти какой-то толк. Однако грузовик вовсе не разворачивается, чтобы уехать, а, наоборот, трясется по колее навстречу ему, Рою. Да еще тот, кто сидит за рулем, подает звуковой сигнал — однако не предупредительный, а приветственный. Вот он останавливается.

И Рой видит, кто это.

Тот, у кого хранятся единственные запасные ключи. Единственный, кто это может быть.

Леа.

Он пытается встать на одной ноге. Она выпрыгивает из грузовика и подбегает, чтобы поддержать его.

— Я там навернулся, — говорит Рой, тяжело дыша. — По-дурацки так навернулся.

Тут ему приходит в голову спросить, как она сюда попала.

— Ну как-как, — отвечает Леа, — не прилетела же.

Она объясняет, что приехала на машине. Говорит так, словно никогда не переставала водить. Приехала сюда на машине, но оставила ее на дороге.

— Я решила, что на легковой тут можно завязнуть, — говорит она. — А на самом деле ничего страшного, грязь уже замерзла. Увидела в стороне от дороги грузовик. Дошла до него пешком, открыла, забралась внутрь. Решила, что ты скоро вернешься, раз снег пошел. Вот только не ожидала, что ты приползешь на четвереньках.

От прогулки, а может быть, от мороза лицо ее как-то посветлело, голос стал резче. Она опускается на колени и осматривает его лодыжку. Нога сильно распухла.

— Могло быть и хуже, — замечает Рой.

Леа говорит, что на этот раз она за него совсем не волновалась. Единственный раз в жизни не волновалась, когда надо было. (Рой думает: не стоит ей рассказывать, что она уже много месяцев вообще ни о чем не волновалась.) Ни малейшего предчувствия у нее не было.

— Я знаешь, зачем приехала? — продолжает Леа. — Рассказать, что мне в голову пришло, когда та врачиха меня лечила. Не могла стерпеть, поехала. А потом смотрю — ты на карачках ползешь, и даже забыла про это. Думаю: ну ничего себе!

Что в голову пришло?

— А вот что... Хотя нет, мало ли что ты подумаешь. Лучше потом скажу. Надо тебе лодыжку закрепить как-то.

Что в голову пришло?

Ей пришло в голову, что весь этот контракт, вся затея, о которой говорил Перси, на самом деле не существует. Просто Перси услышал какой-то разговор: мол, один мужик подрядился рубить лес. А разговор этот на самом деле был про Роя.

— Старый Элиот Сатер — большое трепло. Я же знаю эту семейку. Жена его — родная сестра Энни Пул. Он везде болтал про то, что заключил таку-ую сделку, ну и приврал, конечно. Договорился до того, что его клиент будет поставлять в «Ривер-инн» дрова по сто кордов в день. Ну а дальше — сидит пьяница, пьет пиво и слушает, что болтают другие пьяницы. И вот у тебя уже и контракт...

— Очень глупо... — начинает Рой.

— Вот так и знала, что ты так скажешь!

— Наверное, это очень глупо звучит, — продолжает Рой, — но только мне точно то же самое пришло в голову минут пять назад.

Вот что это было! Вот что его осенило, когда он высматривал сарыча.

— Ах вот как! — хохочет Леа. — А я, знаешь, что я думаю? Все из-за этой гостиницы. Только ее упомянешь — и дело сразу растет на глазах. Получается история про большие деньги.

Ну да, так и есть, думает Рой. Он услышал историю про самого себя. В нем одном все дело.

Значит, бульдозер не придет. И рабочих с бензопилами не будет. Ясени, клены, буки, грабы, вишни — все останется ему, Рою. На веки вечные и в полной неприкосновенности.

Леа совсем запыхалась, поддерживая его, но находит силы пошутить:

— У дураков мысли сходятся.

Сейчас не время обсуждать произошедшую с ней перемену. Это было бы все равно что кричать «Поздравляю!» человеку, взобравшемуся на стремянку.

Он подхватывает свою ногу и с помощью жены забирается на сиденье грузовика. Стонет, причем совсем не так, как стонал, когда был один. Не то чтобы подчеркивает, как ему больно, но словно описывает своим стоном эту боль жене.

Или даже так: предлагает ей свою боль. Он совсем иначе представлял себе возвращение Леа к жизни. И звук, который он издает, как бы компенсирует эту недостачу. Все правильно: надо вести себя осторожнее, пока не знаешь, надолго ли Леа воскресла, или все завтра же вернется к прежнему.

Но даже если она воскресла окончательно и все хорошо, то в этом есть и нечто большее. Какая-то потеря затмевает обретение. Какая-то потеря, в которой ему стыдно было бы признаться, если бы у него остались на это силы.

Уже темно, валит снег, и Рой с трудом различает ближайшие деревья. Он бывал тут раньше ранней зимой в сумерках, но теперь видит лес словно впервые. Как сплелись его ветви, какой он густой и таинственный. Это не просто стоящие рядом деревья, это древесный массив, они помогают друг другу, поддерживают друг друга и сливаются воедино. Лес преображается у вас за спиной, как только вы отвернетесь.

Есть еще какое-то название для леса — оно крутится у Роя в голове, но он никак не может его поймать. Хотя нет, не совсем. Он представляет себе это слово: оно как бы внутренне сплетенное, страшное и в то же время ко всему безразличное.

— Я там топор бросил, — замечает Рой механически, — и пилу.

— Ну бросил и бросил. Попросим кого-нибудь съездить и подобрать.

— А твоя машина? Слушай, может, ты на ней поедешь, а я поведу грузовик?

— Ты с ума сошел?

Голос у нее рассеянный, потому что в этот момент она медленно выводит грузовик задним ходом к месту, где можно развернуться. Грузовик подпрыгивает в колеях, но держится на дороге. Рой не привык смотреть в зеркало заднего вида под таким углом, поэтому он опускает стекло и высовывает голову в окно. Снег летит ему в лицо. Он делает это не только для того, чтобы проследить, как Леа разворачивает машину, но и чтобы стряхнуть то теплое обалдение, которое постепенно его окутывает.

— Давай потихоньку, — командует он. — Так, так. Еще немного. Стоп! Нормально. Все нормально.

Он произносит эти слова, а она говорит что-то про больницу:

— ...гу посмотрели. Это сейчас главное.

Кажется, она никогда раньше не садилась за руль грузовика.

Однако вон как справляется.

Заросли! Вот это слово. Ничего в нем нет странного, слово как слово, но почему-то он никогда раньше его не произносил. Есть в нем что-то книжное, ненатуральное, а он этого всегда сторонился.

— Дикие заросли, — произносит он, словно ставя этой фразой точку.

Слишком много счастья

Многие, которым никогда не представлялось случая более узнать математику, смешивают ее с арифметикою и считают ее наукой сухой и aride[1]. В сущности же, это наука, требующая наиболее фантазии, и один из первых математиков нашего столетия говорит совершенно верно, что нельзя быть математиком, не будучи в то же время и поэтом в душе.

Софья Ковалевская

I

Первого января 1891 года на старом кладбище в Генуе прогуливаются двое: женщина небольшого роста и крупный мужчина. Обоим около сорока лет.

У женщины по-детски большая голова и темная кудрявая шевелюра. Выражение лица энергичное, но в то же время в разговоре с ним словно бы просящее. Лицо это уже явно начинает увядать.

Мужчина огромен. Весит он килограммов сто тридцать и при этом отличается крепким и пропорциональным сложением. Поскольку он русский, иностранцы зачастую называют его за глаза казаком и медведем. Он занят делом: списывает в книжечку эпитафии с могильных плит. Некоторые сокращения даются ему не сразу, хотя, помимо русского, он говорит по-французски, по-итальянски, по-английски и может читать на классической и средневековой латыни. Знания его столь же обильны, как и плоть. Специальность этого господина — государственное право иностранных держав и история учреждений. Он способен часами рассуждать о политическом устройстве современной Америки, сравнивать особенности общественной жизни в России и на Западе,

---

[1] Бесплодной *(фр.)*.

273

сопоставлять законы и обычаи древних империй. Однако он вовсе не педант, а напротив — остроумен, открыт, легко сходится с самыми разными людьми. Кроме того, он богат и может позволить себе многое: у него обширное имение под Харьковом. Долгие годы он преподавал, но недавно был уволен из университета за вольнодумство.

Ему очень идет его имя — Максим.

Максим Максимович Ковалевский.

Женщина носит ту же фамилию: она была замужем за его дальним родственником, однако давно овдовела.

Она слегка подтрунивает над ним:

— Послушай, что я скажу. Один из нас не переживет этого года.

Он занят делом и не слушает, но все-таки спрашивает: «Это еще почему?»

— Потому что мы пошли гулять по кладбищу в первый день нового года.

— Да что ты говоришь?

— Все-таки ты знаешь не все, — торжествующе объявляет она. — А я об этом услышала еще в восемь лет!

— Это, наверное, оттого, что девочки больше времени проводят с няньками, а мальчики — в конюшне. Да-с, полагаю, что причина в этом.

— А кучера не говорят о смерти?

— Не часто. Им есть чем заняться.

Падает и тут же тает легкий снежок. Прогуливаясь, они оставляют за собой черные следы, которые скоро становятся неразличимы на земле.

Она встретила Максима в 1888 году. Тогда в Стокгольмском университете решили открыть факультет социальных наук, и его пригласили для консультаций. То, что они оказались не только земляками, но и однофамильцами, могло бы сблизить даже людей, не испытывающих никакого интереса друг к другу. Однако она заранее сочувствовала коллеге-либералу, подвергшемуся гонениям на родине, и взяла на себя обязанность опекать и развлекать его в Стокгольме.

Это оказалось вовсе не скучно. Они моментально нашли общий язык, словно и вправду были родственниками, родными людьми, встретившимися после долгой разлуки. Бесконечный поток шуток и вопросов, понимание с полуслова, а главное — свобода и счастье болтать по-русски. Им показалось, что все остальные европейские языки были клетками, в которых они просидели целую вечность, жалкой заменой подлинной человеческой речи. Очень скоро их поступки вышли за рамки принятого. Он допоздна засиживался в ее квартире. Она являлась к нему в отель на завтрак. Когда он поскользнулся и подвернул ногу, она ставила ему примочки, делала перевязки и, более того, рассказывала об этом во всеуслышание. В то время она была необыкновенно уверена и в себе, и особенно в нем. В письме подруге она описала его словами Альфреда де Мюссе:

Il était très joyeux — et pourtant très maussade,
Détestable voisin — excellent camarade,
Extrêmement futile — et pourtant très posé,
Indignement naïf — et pourtant très blasé.
Horriblement sinsère — et pourtant très rusé[1].

И в конце письма заметила: «К довершению всего — настоящий русский с головы до ног».

Толстяк Максим — так она его звала.

«Никогда не чувствуешь такого сильного искушения писать романы, как в присутствии М.».

---

[1] Он так весел и в то же время так мрачен —
Неприятный сосед, прекрасный товарищ,
Чрезвычайно ничтожный, но очень солидный,
Возмутительно наивный, но очень пресыщенный,
Искренний до невозможности, но очень хитрый *(фр.)*.

И еще:

«Он занимает так ужасно много места не только на диване, но и в мыслях других, что мне положительно невозможно в его присутствии думать ни о чем другом, кроме него».

И все это в то время, когда ей следовало бы сидеть за столом с утра до ночи и готовить работу на соискание Борденовской премии. «Я забросила не только функции, но и эллиптические интегралы и даже мое любимое твердое тело», — шутила она в письме к коллеге-математику Гёсте Миттаг-Леффлеру. Именно он сумел убедить Максима, что тому надо поехать в Уппсалу и прочесть там курс лекций. Тогда она на время перестала думать и мечтать о нем и вернулась к вопросу о движении твердого тела и решению задачи так называемой «математической русалки» с помощью тета-функций с двумя независимыми переменными. Задача не поддавалась, но Софья все-таки была счастлива, потому что Максим незримо присутствовал рядом с ней. Когда он вернулся, она была совершенно вымотана, но торжествовала победу. Даже две победы: работа была почти завершена (надо пройтись по ней последний раз, и можно подавать на конкурс — анонимно), а ее возлюбленный — ворчащий, но в душе довольный — охотно вернулся из своего изгнания и, как показалось Софье, намекнул, что собирается сделать ей предложение.

Борденовская премия все испортила. Так, по крайней мере, решила Софья. Ее поначалу увлекла эта церемония, ослепила своими люстрами и потоками шампанского. От комплиментов кружилась голова. Знаки восхищения и целование рук затмили одно крайне неудобное и несомненное обстоятельство: предложений о работе, соответствующей ее таланту, так и не последовало, — как будто с нее достаточно и преподавания в провинциальной школе для девочек. Пока она купалась в лучах славы, Максим куда-то исчез. Разумеется, не сказав ни слова о подлинных причинах отъезда: пробормотал только, что собирается кое-что написать, а для этого нужен мир и покой, который можно обрести только в Болье.

Ему, видите ли, уделили недостаточно внимания. Ему, которым никто и никогда не пренебрегал. Наверное, с момента совершеннолетия он не смог бы вспомнить ни одного салона, ни одного приема, где не оказался бы в центре внимания. Да и теперь, во время парижских торжеств, нельзя сказать, что он стал невидимкой, затерялся в лучах Сониной славы. Нет, все было как прежде. Человек видный, с солидным состоянием, с серьезной репутацией, умный, светский, веселый, с несомненным мужским обаянием. А она была всего лишь любопытной чудачкой, новинкой сезона, дамой с математическими способностями, по-женски робкой, очаровательной, но с весьма странным устройством головного мозга — там, под кудряшками.

Из Болье Максим написал холодное и надутое письмо, извиняясь, что не сможет пригласить ее в гости после того, как закончится суматоха. У него, видите ли, гостит одна дама, которой он не может ее, Соню, представить. Дама эта пребывает в печали и в настоящий момент нуждается в утешении. А Соня пусть едет в Швецию: там ее ждут друзья, студенты и дочка, там она будет счастлива. (Упомянул про дочку специально, чтобы ее уколоть, намекнуть, что она плохая мать?)

И в конце — одно совершенно ужасное предложение: «Если бы я Вас любил, я написал бы иначе».

Значит, конец всему. Надо возвращаться из Парижа, с премией и с этой странной, хотя и громкой славой. Возвращаться к друзьям, которые вдруг перестали что-либо значить. К студентам — те все-таки кое-что значат, но только когда она стоит перед ними лицом к лицу в своей, так сказать, математической ипостаси, которая, как ни странно, никуда не исчезла. Ну и к ее брошеной, как считают многие, но, несмотря на это, невероятно жизнерадостной маленькой дочке, Фуфе.

Все в Стокгольме напоминало о нем.

Она сидела в комнате, обставленной мебелью, которую за сумасшедшие деньги доставили через Балтийское море. Напротив нее — тот самый диван, который еще недавно смело принимал на себя его тушу. А также ее собственный вес, когда она шла к нему в объятия. Этот гигант, как ни странно, вовсе не был неловок в любви.

Красная камчатная скатерть на столе — та самая, из дома ее детства. Когда-то за ней сиживали почетные и простые гости. Может быть, и Федор Михайлович — совсем изошедшийся от любви к ее сестре Анюте. Ну и конечно, сидела сама Соня, как всегда доставлявшая матери одни неприятности.

Старый шкаф с портретами предков на фарфоровых медальонах — его тоже привезли из Палибино. На портретах — бабушка и дедушка Шуберты. Взгляды их утешения не приносят. Он в военной форме, она в бальном платье, у обоих глупо-самодовольный вид. Они получили от жизни все, что хотели, — думает Софья, — и только презирали тех, кто не смог добиться счастья или кому не повезло.

— А ты знаешь, что во мне течет немецкая кровь? — спросила она как-то раз Максима.

— Разумеется, догадывался. Иначе чем объяснить появление такого чуда прилежности? И чем объяснить, что ты набиваешь себе голову цифрами?

«Если бы я Вас любил...»

Пришла Фуфа, притащив с собой варенье на тарелочке. Просит поиграть с ней в детскую карточную игру.

— Оставь меня в покое! Можешь ты оставить меня в покое?!

Но потом она вытирает слезы и просит у ребенка прощения.

Однако Софья не из тех, кто долго хандрит. Проглотив обиду, она взяла себя в руки и принялась сочинять ему веселые письма. Описывала свои легкомысленные развлечения — катание на коньках, верховую езду; обсуждала русско-французские политические отношения. Все это должно было его успокоить и даже дать ему почувствовать грубость и неуместность его замечаний. Ей хотелось добиться, чтобы он все-таки ее позвал, и снова, как тогда, отправиться в Болье летом, сразу по окончании семестра.

Прекрасное было время. Хотя и тогда не обходилось без недопониманий, как он это называл. (Позднее это стало называться «разговорами».) Периоды охлаждения, разрывы, почти разрывы, неожиданные возвращения к прежнему. Путешествие по Европе, во время которого они, скандализируя общество, не скрывали своей связи.

Иногда Софья гадала: а нет ли у него других женщин? И подумывала, не выйти ли замуж за немца, который за ней тогда ухаживал. Однако немец был большой педант и, похоже, намеревался сделать из нее домохозяйку. Кроме того, она не была в него влюблена. Когда он обращал к ней свои благопристойные немецкие любовные слова, Софья чувствовала, как застывает ее кровь.

Максим, узнав об этом благородном ухаживании, объявил, что ей лучше выйти замуж за него, Максима. Если, конечно, ее устраивает то, что он может ей предложить. Он делал вид, будто речь идет о деньгах: вопрос, устроит ли ее его богатство, был, конечно, шуткой. Но был и другой вопрос: устроит ли ее холодноватое, учтивое выражение чувств, совершенно исключающее скандалы и сцены, которые она, случалось, устраивала?

Софья тогда отделалась насмешками: пусть думает, что она приняла все за шутку. Но вернувшись в Стокгольм, назвала себя дурой. И написала Юлии перед тем, как снова отправиться к нему на Рождество: не знаю, что меня ждет, счастье или горе. Хотелось объясниться и увидеть, чем все кончится, — пусть это будет даже самое унизительное разочарование.

Обошлось без этого. Максим все-таки джентльмен и держит свое слово. Весной они поженятся. Когда это решение было принято, им стало друг с другом еще легче, чем в самом начале отношений. Соня вела себя хорошо: не хандрила и не устраивала сцен. Он ждал от нее соблюдения некоторых приличий в семейной жизни, но не собирался превращать ее в домохозяйку. В отличие от шведских мужей, Максим не возражал, чтобы его жена курила, бесконечно пила чай или высказывалась о политике. Правда, когда его мучила подагра, он становился несговорчивым, раздражительным, страдал от жалости к себе — точь-в-точь как она сама. Они ведь были русские, в конце концов. А Софья, при всей благодарности, так устала от разумных шведов — единственного народа в Европе, который согласился дать работу в своем новом университете женщине-математику. Город у них был чистый, аккуратный, привычки и обычаи — патриархальные, званые вечера — чересчур благовоспитанные. Приняв решение следовать определенным курсом, они уже не сворачивали с него. Тут и представить себе было нельзя ожесточенных споров до самого утра и доходящих чуть ли не до драки, как в Петербурге или Париже.

В ее главную работу — не преподавательскую, а исследовательскую — Максим вмешиваться не будет. Он даже рад, что есть дело, способное ее полностью захватить. Хотя она подозревала, что будущий муж считает математику не то чтобы совсем бесполезным занятием, но все-таки чем-то маловажным. Да и может ли иначе думать юрист и социолог?

———

Через несколько дней, в Ницце, он провожает ее на поезд. Здесь гораздо теплей, чем в Генуе.

— Господи, как же не хочется уезжать от такой погоды!

— А письменный стол? А твои дифференциальные уравнения? Они ждут не дождутся, когда ты их закончишь. Вот увидишь, весной ты не сможешь от них оторваться.

— Шутишь?

Неужели он говорит всерьез? Неужели все это — способ дать ей понять, что ему вовсе не хочется жениться?

Она ведь уже написала Юлии, что наконец-то будет счастлива. Счастлива наконец-то. Счастлива.

На платформе им перебегает дорогу черная кошка. Софья терпеть не может кошек, особенно черных. Но она ничего не говорит и ничем себя не выдает. И словно в награду за ее умение владеть собой Максим объявляет, что хотел бы проводить ее, проехать вместе с ней в Канны, если она не возражает. Она так благодарна ему, что не находит слов для ответа. Снова подступают слезы. Он презирает тех, кто плачет на людях. (Но не считает, что обязан терпеть это и в приватной обстановке.)

Ей удается сдержаться. Поезд подъезжает к Каннам, и Максим прижимает ее на прощание к своему просторному, отлично пошитому костюму, пахнущему мужчиной — смесь запахов звериной шерсти и дорогого табака. Он целует ее, внешне вполне пристойно, но при этом просовывает язык между ее губами — на память о своих сексуальных аппетитах.

Софья, разумеется, не стала напоминать, что ее работа по теории дифференциальных уравнений *с частными производными* давно закончена. И вот она одна. Сидя в поезде, Софья посвящает первый час обычным в таком случае размышлениям: пытается уравновесить знаки его любви знаками раздражения, проявления страсти — признаками безразличия.

— Соня, помни: когда мужчина выходит из комнаты, он оставляет в ней все, что там было, — учила ее подруга Маша Мендельсон. — А когда выходит женщина, она уносит все с собой.

Только теперь Софья осознает, как у нее болит горло. Слава богу, что он не узнал. Этот холостяк отличается завидным здоровьем, но рассматривает любую инфекцию и даже запах изо рта как агрессию, направленную лично против него. Во многих отношениях он просто испорченный ребенок.

Испорченный и завистливый. Некоторое время назад он написал ей, что какие-то его сочинения стали приписывать ей из-за совпадения фамилий в латинской транскрипции. Кроме того, он получил письмо от ее литературного агента в Париже, начинающееся с обращения «мадам».

Ах да, — писал он, — я же совсем забыл, что Вы не только математик, но и нувеллистка. Как, наверное, был разочарован этот парижанин, узнав, что мсье Ковалевский не писатель. Всего лишь ученый, да к тому же мужчина.

Очень смешно.

II

Софья заснула прежде, чем в вагоне зажгли лампы. Последние мысли перед этим были малоприятными: она думала о Викторе Жакларе, муже покойной сестры, которого собиралась навестить в Париже. На самом деле ей хотелось повидаться только с Юрой, Юрочкой — племянником, сыном сестры, но мальчик жил с отцом. Когда она пытается представить Юру, то всегда видит его в возрасте пяти-шести лет: белокурый ангел, доверчивый и добрый ребенок, но по темпераменту уже тогда похожий на мать.

Она видит странный, смешивающий все воедино сон, в котором принимает участие Анюта — но только та Анюта, какой она была задолго до рождения Юры и даже появления Жаклара. Златовласая барышня, красивая и очень своенравная. Они все еще живут в Палибино, их имении в Витебской губернии. Анюта занимает верхнюю комнату трехэтажной башни. Там множество икон, и она жалуется, что из-за них ее жилище не так похоже на готический замок, как ей хотелось бы. Она увлечена романом Бульвер-Литтона, одевается как средневековая дама, чтобы больше походить на Эдит Лебединую Шею, невесту короля Гарольда Гастингского. Собирается писать роман про Эдит и даже уже сочинила несколько страниц — о том, как героиня узнает изрубленное тело возлюбленного по неким, ей одной известным, приметам.

Проникнув каким-то образом в парижский поезд, Анюта читает эти страницы Соне, а та никак не может втолковать сестре, как изменилось все в жизни с тех пор, когда они сидели вместе в башне палибинского дома.

Пробудившись, Софья думает о том, как правдив этот сон: сначала очарованность Анюты Средневековьем, в особенности английским, а потом все вдруг разом исчезает — и рыцари, и дамы. И вот уже очень серьезная, озабоченная только современными проблемами Анюта пишет повесть о молодой девушке. Предрассудки заставляют эту девушку отказать нищему студенту, который затем умирает. Только после этого она понимает, что любила его; ей ничего не остается, как последовать за ним и умереть.

Эту повесть Анюта втайне ото всех отослала в журнал, издаваемый Федором Михайловичем Достоевским, и она была напечатана.

Отец был в ярости.

«Теперь ты продаешь твои повести, а придет, пожалуй, время — и себя будешь продавать!»

И вот наконец на сцену явился сам Федор Михайлович. Он чувствовал себя неловко в присутствии большой семьи, однако во время приватных визитов ему удалось понравиться их матери. Кончилось все тем, что он предложил Анюте руку и сердце. Было страшно даже вообразить, как разгневался бы отец, и мысль об этом чуть не заставила Анюту принять предложение и бежать из дома. Однако она хотела быть собою, собственной славы — и чувствовала, что, выйдя замуж за Достоевского, должна будет всем этим пожертвовать. Она отказала ему, а он изобразил ее под именем Аглаи в романе «Идиот» и женился на молоденькой стенографистке.

Задремав, Софья снова проваливается в сон: они с Анютой опять молоды, но не так, как в палибинские дни. Теперь они в Париже, и любовник Анюты (Жаклар еще ей не муж) занял место и Гарольда Гастингского, и Федора Михайловича. Жаклар — настоящий герой, хотя манеры его оставляют желать лучшего (он очень гордится своим крестьянским происхождением), и самое главное — он ей изменяет. Сейчас он сражается где-то в парижских предместьях, и Анюта боится, что его убьют, — он ведь такой бесстрашный. И вот во сне Софьи Анюта отправляется его искать, но улицы, по которым она бродит, плача и призывая его, не парижские, а петербургские. Соня остается в огромной больнице, полной раненых и мертвых солдат и мирных жителей, и один из уже умерших — ее муж — Владимир Ковалевский. Она хочет бежать от этих несчастных, ищет Максима, который укрылся в отеле «Сплендид». Максим заберет ее отсюда.

Она просыпается. За окном темно, идет дождь. Она уже не одна в купе. Рядом с ней, у двери, сидя спит неряшливо одетая молодая женщина с планшетом для рисования на коленях. Софья обеспокоена: не кричала ли она во сне? Но видимо, нет, раз девушка не проснулась.

А предположим, она проснулась бы, и Софья сказала бы ей:

— Простите, пожалуйста, я видела сон про 1871 год. Я жила тогда в Париже, и моя сестра была влюблена в коммунара. Его арестовали и должны были расстрелять или сослать на каторгу в Новую Каледонию, но нам удалось помочь ему бежать. Это устроил мой муж Владимир. Он не был коммунаром, он приехал в Париж всего лишь изучать окаменелости в Жарден-де-Плант.

Наверное, девушке все это показалось бы скучным. Она кивала бы из вежливости, но на лице ее ясно читалось бы: все эти события происходили еще до изгнания Адама и Евы из рая. Возможно, она даже не француженка. Французские девушки, которым по карману билет во второй класс, обычно одни не ездят. Может, американка?

Странно, что Владимир мог в такие дни пропадать в Жарден-де-Плант. Сон говорит, будто его убили, но это не так. Наоборот, как раз тогда, среди всех этих ужасов, он написал основную часть своего труда по палеонтологии. Но правда то, что Анюта взяла с собой Соню в больницу. Коммунары уволили оттуда сестер милосердия — их посчитали контрреволюционерками, — и теперь вместо них в больнице работали жены и подруги членов коммуны. Однако новые сотрудницы не умели делать даже перевязки, и раненые умирали, хотя многие из них умерли бы в любом случае. Бороться приходилось еще и с инфекционными болезнями. Говорили, что народ ест уже собак и крыс.

Жаклар и его товарищи-революционеры держались десять недель. После поражения Виктора арестовали и поместили в подземную камеру в Версале. Несколько человек были по ошибке приняты за него и расстреляны. По крайней мере так рассказывали.

В это время из России прибыл отец Анюты и Сони — генерал Василий Васильевич Корвин-Круковский. Анюту отослали в Гейдельберг, где она слегла в горячке. Соня уехала обратно в Берлин, изучать математику. В Париже остался Владимир. Он оторвался на время от своих третичных млекопитающих и обсудил с генералом, как выручить Жаклара. Взятки и отвага помогли это сделать. Виктора собирались перевести в парижскую тюрьму в сопровождении только одного конвоира. Им предстояло пройти по улице, где по случаю какой-то выставки будет толпа народу. План заключался в том, что Владимир поможет Жаклару смешаться с толпой, а солдат, которому хорошо заплатили, проморгает этот момент. Затем Владимир проведет беглеца в комнату, где можно переодеться в гражданское, отвезет на станцию и отдаст ему свой паспорт, чтобы тот выехал в Швейцарию.

Так все и вышло.

Жаклар даже не побеспокоился выслать обратно паспорт. Только когда Анюта воссоединилась с ним, документ был возвращен. Деньги он тоже не вернул.

Устроившись в парижской гостинице, Софья отправила с рассыльным две записки — Маше Мендельсон и Жюлю Пуанкаре. Однако горничная Маши ответила, что госпожа уехала в Польшу. Софья написала в Варшаву, что этой весной ей, наверное, понадобится помощь подруги в том, чтобы подобрать подходящее платье для события, которое в обществе считается самым главным в жизни женщины. В скобках добавила, что она и мир моды все еще находятся в весьма запутанных отношениях.

Пуанкаре явился с самого раннего утра и принялся жаловаться на профессора Вейерштрасса, учителя Софьи. Оказалось, Вейерштрасса назначили в жюри математической премии, недавно учрежденной шведским королем. Премию вручили Пуанкаре, однако затем Вейерштрасс объявил, что обратил внимание на возможные ошибки в доказательстве Пуанкаре, которые он, Вейерштрасс, пока не имел времени как следует изучить. И послал письмо со своими заметками прямиком шведскому королю — словно эта венценосная особа способна понять, о чем идет речь! И еще заявил, что в будущем Пуанкаре будут ценить не столько за положительные, сколько за отрицательные результаты его трудов.

Софья успокоила Жюля и пообещала при скорой встрече с Вейерштрассом обсудить это дело. Притворилась, что ничего раньше об этом не слышала, хотя некоторое время назад написала учителю ироническое письмо:

«Наверняка его величество утратил свой августейший сон, получив Ваше сообщение. Только подумайте, как Вы отяготили королевский ум, столь счастливо пребывавший до сих пор в неведении о математике. Как бы Вам не заставить его пожалеть о своей щедрости...»

— Но ведь в любом случае, — сказала она Жюлю, — премия останется у вас, что бы ни случилось.

Пуанкаре согласился и добавил, что имя его будет сиять в веках и тогда, когда Вейерштрасса полностью забудут.

Всех нас забудут, вздохнула про себя Софья, но вслух ничего не сказала: мужчины, и в особенности молодые, слишком чувствительны к таким вещам.

Она распрощалась с Жюлем в полдень и сразу направилась разыскивать Жаклара с Юрой. Район, в котором они жили, оказался совсем нищим. Она пересекла двор с развешанным на веревках бельем. Дождь кончился, но все равно было сумрачно. Она поднялась по длинной хлипкой лестнице, приделанной снаружи дома. В ответ на ее стук Жаклар крикнул: «Дверь не заперта». Софья вошла и увидела, что он сидит на перевернутом ящике и чистит ваксой сапоги. Даже не встал, чтобы поздороваться, а когда она стала снимать плащ, сказал:

— Лучше не снимай. Мы до вечера не топим.

Потом указал ей на единственное кресло, изодранное и засаленное. Все оказалось даже хуже, чем она ожидала. Юры не было.

ЭЛИС МАНРО

Про Юру ей хотелось узнать две вещи. Во-первых, похож ли он на Анюту и вообще на русских родственников? А во-вторых, подрос ли он наконец? В прошлом году в Одессе, когда она видела его в последний раз, он в свои пятнадцать выглядел не старше двенадцати.

Однако вскоре она поняла, что дела у Жаклара совсем плохи и ему не до сына.

— А где Юра? — спросила она.

— Нет дома.

— Он в школе?

— Может, и в школе. Он мне не докладывает. И чем больше я о нем знаю, тем меньше хочу знать.

Софья решила попробовать его успокоить, а про Юру поговорить позже. Спросила Жаклара, как его здоровье. Тот ответил, что с легкими дело плохо. Сказываются последствия зимы семьдесят первого года, когда пришлось и голодать, и ночевать на улице. Софья не помнила, чтобы коммунары сильно голодали. Считалось, что они обязаны хорошо питаться и тем поддерживать силы для сражений. Однако вслух она сказала только, что совсем недавно, когда ехала в поезде, вспоминала те времена. И Владимира, и побег Жаклара — очень смешной, прямо оперетта.

Вовсе не оперетта, обиделся он, и даже не опера. Однако, заговорив об этом, сразу оживился. Начал рассказывать о тех, кого расстреляли, приняв за него, и об отчаянном сопротивлении в последнюю декаду мая. Когда его наконец схватили, массовые расстрелы без суда уже закончились, но он не строил иллюзий и ждал, что его казнят после имитации суда. Одному Господу известно, как ему удалось тогда бежать. «Хотя в Бога я не верю», — тут же прибавил он, по своему обыкновению.

Он рассказывал это каждый раз. И с каждым разом в его истории все меньшую роль играл Владимир и генеральские деньги. О паспорте он даже не упоминал. Только его, Жаклара, храбрость, только его ловкость и сооб-

288

разительность — вот что ему помогло. Излагая свою историю, он даже начинал лучше относиться к собеседнику.

Имя его будут помнить. И о жизни его будут рассказывать.

За первой историей последовали другие, тоже давно известные. Он поднялся и вытащил из-под кровати небольшую железную коробку. Там хранился драгоценный документ, ставший причиной его высылки из Петербурга, где они с Анютой жили некоторое время после разгрома коммуны. Это письмо полагалось зачитать полностью:

«Милостивый государь Константин Петрович! Довожу до Вашего сведения, что французский подданный Жаклар, член так называемой коммуны, проживая в Париже, имел постоянные сношения с представителями Польской революционной пролетарской партии, в частности с евреем Карлом Мендельсоном, и через русских знакомых своей жены помогал доставлять письма Мендельсона в Варшаву. Кроме того, он близок со многими французскими радикалами. Будучи в Петербурге, Жаклар посылал лживые и вредные известия в Париж о русской политике, а после злодейского убийства государя императора его сообщения стали совершенно неприемлемыми. Вот почему по моему настоянию министр внутренних дел принял решение выслать Жаклара за пределы империи».

От чтения Виктор явно получал большое удовольствие, и Софья вспомнила время, когда не только она, но даже Владимир бывал польщен, если Жаклар обращал на него внимание, пусть только для того, чтобы сделать слушателем своих рассказов.

— Как жаль, — сказал Виктор, складывая письмо. — Как жаль, что тут не все сказано. Не упомянуто, что я участвовал также в Лионской коммуне и был послан оттуда в качестве представителя Первого интернационала в Париж.

В этот момент вошел Юра. Однако его отец продолжал говорить, не обращая внимания на сына:

— Это было тайной, разумеется. Официально меня избрали членом Лионского комитета общественного спасения...

Он расхаживал по комнате туда и обратно в веселом возбуждении.

— Именно там, в Лионе, мы узнали о пленении Наполеона-племянника, этой шлюхи...

Юра кивнул тете, снял куртку — холодно ему, по-видимому, не было — и, сев на ящик, принялся заканчивать работу, которую не доделал отец, — ваксить сапоги. Действительно похож на Анюту. Но только на Анюту, какой она стала в последние дни. Печально поникшие веки, скептический, если не презрительный изгиб полных губ. Ничего от той златовласки, которая жаждала опасности, громкой и праведной славы. Ничего от ее взрывов негодования. Впрочем, такой свою мать Юра и не помнил. Только больной, задыхающейся женщиной, умиравшей от рака и желавшей скорой смерти.

Жаклар, наверное, любил ее в первое время — в той мере, в какой он вообще способен любить. Во всяком случае, замечал ее любовь к себе. В наивном или попросту хвастливом письме, адресованном ее отцу, он объяснял свое желание жениться на Анюте тем, что несправедливо было бы бросить женщину, которая так к нему привязана. И он никогда не бросал других женщин — даже вначале, когда Анюта просто бредила им. Ну и разумеется, не оставил их после женитьбы. Софья подумала, что Виктор и сейчас может быть привлекательным для женщин, несмотря на неопрятную полуседую бороду и на манеру взвинчивать себя собственными речами до того, что начинал как-то бессвязно выплевывать слова. Герой, выжатый собственной борьбой, человек, пожертвовавший своей юностью, — так Жаклар представлял себя миру, и не без успеха. И это было в какой-то мере правдой. Он по-прежнему храбр, он не изменил своим идеалам, он родился крестьянином и знает, что такое презрение высших...

Но ведь и она отнеслась к нему с презрением только что.

Комната обшарпанная, однако, присмотревшись внимательнее, можно заметить, что кто-то пытался навести здесь порядок. Кастрюли висят на крючках, печь нетопленая, но вычищенная, как и днища медных кастрюль. Похоже, у него есть женщина.

Жаклар тем временем перешел на Клемансо, с которым, по его словам, сохранил добрые отношения. Теперь он хвастался дружбой с этим человеком, хотя должен был, скорее, обвинять его в шпионаже в пользу англичан (она сама в эти слухи не верила).

Софья решила отвлечь Жаклара от политики, похвалив чистоту квартиры.

Он оглянулся, удивленный таким неожиданным поворотом, а потом усмехнулся и сказал, мстительно смакуя каждое слово:

— Есть женщина, с которой я живу, она тут хозяйничает. Француженка, слава богу. Они не так болтливы и ленивы, как русские. Она образованна, служила гувернанткой, но ее уволили за политические взгляды. Боюсь, что не смогу ее с тобой познакомить. Она бедна, но честна и дорожит своей репутацией.

— Понятно, — сказала Софья, поднимаясь. — А я хотела сказать тебе, что снова выхожу замуж. За русского дворянина.

— Да, я слышал, что у тебя роман с Максимом Максимовичем. Про женитьбу только не слышал.

Софью била дрожь от долгого сидения в холодной комнате. Она обратилась к Юре, стараясь говорить как можно приветливей:

— Ты не проводишь старую тетушку до станции? А то мы с тобой так и не поговорили.

— Надеюсь, я тебя не обидел, — ядовито заметил Жаклар на прощание. — Я верю в правду и всегда говорю только правду!

— Все в порядке.

Юра надел куртку, и теперь стало видно, что она ему слишком велика. Должно быть, куплена на блошином рынке. Он подрос, но все равно не выше ростом, чем она сама. Видимо, сказывается плохое питание в такой важный для роста период жизни. Мать его была высокой, и Жаклар до сих пор высок.

Юра, похоже, не горел желанием ее провожать, но тем не менее заговорил первым, как только они спустились с лестницы. И сразу взял ее сумку, без всяких просьб.

— Он страшно скупой, даже печку не топит. У нас дров полно, она утром принесла. А вообще она страшная, как крыса из помойки, поэтому он тебя и не захотел с ней знакомить.

— Нельзя так говорить о женщинах.

— Это почему? Вы же добиваетесь равноправия.

— Я хотела сказать — нельзя так говорить о людях. Но послушай, Юра, оставим твоего отца. Давай лучше поговорим о тебе. Как твоя учеба?

— Я ее ненавижу.

— Что, все предметы?

— А почему бы нет? Очень даже просто — ненавижу их все.

— Давай по-русски поговорим.

— Вот еще! Варварский язык. А кстати, почему ты так плохо говоришь по-французски? Отец считает, что у тебя варварский акцент. И у матери, говорит, был точно такой же. Русские — все варвары.

— Это он сказал, что все русские варвары?

— Нет, я сам решил.

Некоторое время они шли молча.

— Наверное, скучно в это время года в Париже, — сказала Софья. — А ты помнишь, как было весело летом

в Севре? Как мы болтали обо всем на свете? Фуфа все
еще спрашивает про тебя. Помнит, как ты хотел жить с
нами.

— Глупости. Даже тогда я всерьез об этом не думал.

— Так, может, теперь подумаешь? Ты уже знаешь, чем
будешь заниматься?

— Знаю.

Он ответил насмешливо и самодовольно, и она не
стала уточнять, чем именно. Он сказал сам:

— Буду ездить на омнибусе и выкрикивать остановки. На Рождество я сбежал из дому и уже устроился на
такую работу. А они меня нашли и вернули домой. Но
ничего, еще год — и никто уже не сможет это сделать.

— А ты уверен, что тебе не разонравится всю жизнь
объявлять остановки?

— А почему бы нет? Это же полезно, значит, всегда
будет нужно. Вот математики, по-моему, совершенно ни
к чему.

Она промолчала.

— Будь я профессором математики, — не унимался
он, — я бы сам себя не уважал.

Они уже поднимались на платформу.

— Получать разные премии, кучу денег за то, что никто не понимает и никому не нужно.

— Спасибо, что поднес мою сумку.

Она протянула ему деньги — хотя не так много, как
намеревалась изначально. Он взял с недовольной ухмыл-
кой, словно говоря: значит, ты очень богатая, да? Потом
быстро пробормотал «спасибо», как бы против воли.

Она смотрела ему вслед и думала, что, скорее всего,
никогда его больше не увидит. Сын Анюты. Действительно похож. Ни один обед в Палибино не обходился без
Анютиных длинных обвинительных тирад. А потом она
вышагивала по дорожкам сада, полная презрения к своей
теперешней жизни, с верой в то, что судьба пошлет ей другую жизнь, суровую и справедливую.

Может, Юра будет жить иначе, кто знает? Может, когда-нибудь станет помягче к тете Соне, — только вряд ли это произойдет при ее жизни и вряд ли раньше, чем он достигнет ее лет.

III

На вокзал Софья приехала за полчаса до отправления поезда. Ей хотелось выпить горячего чая и купить пастилки для горла, но она была сейчас не в состоянии выносить ни очередей, ни разговоров по-французски. Можно прекрасно владеть иностранным языком, но стоит пасть духом или почувствовать недомогание, и вас потянет назад, к языку детской. Она села на скамью и опустила голову. Посплю чуть-чуть.

«Чуть-чуть» обернулось четвертью часа, как показали вокзальные часы. Вокруг нее собралась целая толпа, все бегали, суетились, мимо проезжали багажные тележки.

Софья поспешила к своему поезду. По пути мелькнул мужчина в меховой шапке, как у Максима. Лица она не увидела, он шел прочь от нее, однако широкие плечи и то, как он прокладывал себе путь — вежливо, но уверенно, — очень сильно напоминало Максима.

Тележка, доверху нагруженная чемоданами, вклинилась между ними, и мужчина исчез.

Разумеется, это не Максим. Что ему делать в Париже? На какой поезд или на какую встречу он мог бы так торопиться? Сердце неприятно забилось. Она зашла в вагон и села на свое место у окна. Было ясно, что в жизни Максима есть другая женщина. Вероятно, та самая, которую он не мог представить, и потому не приглашал Софью в Болье. Но ей казалось, мелкие мелодраматические дрязги — это не его стиль. Еще меньше он годился для того, чтобы терпеть женскую ревность, слезы и проклятия. Он сам как-то сказал, что у нее нет на него прав, он ей не принадлежит.

Это, разумеется, значило, что в браке у нее появятся на него права и обманывать ее он почел бы ниже своего достоинства.

Когда Софье почудилось, что это он на перроне, она только что пробудилась от тяжелого нездорового сна. Наверное, галлюцинация.

Поезд тронулся с обычным стоном и лязгом и медленно выполз из-под крыши вокзала.

Как ей нравился когда-то Париж! Не Париж времен коммуны, когда приходилось подчиняться экзальтированным, иногда совершенно непонятным распоряжениям Анюты, но Париж, в который она приехала позже, уже совсем взрослой, в полном расцвете. Когда знакомилась с математиками и политиками. В Париже, считала она тогда, не бывает ни скуки, ни снобизма, ни обмана.

Потом ей вручили Борденовскую премию, целовали руки, дарили цветы, произносили речи в роскошных светлых залах. Но когда дело дошло до поисков работы, перед ней закрыли все двери. Парижане думали об этом не больше, чем о том, чтобы принять в профессора́ ученую обезьяну. Жены великих ученых избегали ее или встречались с ней только у себя дома, в приватной обстановке.

Эти жены были наблюдателями на баррикадах, бойцами невидимой непреклонной армии. Мужья страдали от их запретов, но в конечном счете подчинялись им. Мужчины, ломавшие то, что прежде считалось непреложными законами природы, пребывали в рабстве у женщин, занятых только тугими корсетами, визитными карточками и разговорами, от которых в горле першило, как от смешанного запаха духов.

Впрочем, пора прекратить эту литанию обид. Жены ученых в Стокгольме приглашали ее к себе: и на лучшие званые вечера, и на ужины в узком кругу. Они хвалили ее и даже выставляли напоказ. Тепло приняли ее дочку. Может, Софья и для них была курьезом, но таким, который они приняли и одобрили? Что-то вроде попугая-полиглота или тех гениев, которые моментально определят, что такой-то день в четырнадцатом веке пришелся на вторник.

Нет, это несправедливо. Они с уважением относились к тому, чем занималась Софья, и многие из них считали, что женщинам надо последовать ее примеру и когда-нибудь так и будет. Так почему же ей становилось с ними скучно, почему она все вспоминала других людей, способных засиживаться до поздней ночи за необычными разговорами? И почему ей было неприятно, что они одевались либо как пасторские жены, либо как цыганки?

Она все еще не могла прийти в себя после встречи с Жакларом и Юрой, от слов о том, что ее нельзя представить женщине, которая дорожит своей репутацией. А еще болит горло и озноб по всему телу, — видимо, сильно прохватило.

Ну ничего, скоро она сама будет женой, причем женой человека богатого, умного и к тому же воспитанного.

Вот наконец едет по проходу тележка с закусками. Еда должна облегчить боль в горле, хотя Софья предпочла бы сейчас выпить русского чая. Как только отъехали от Парижа, пошел дождь, а теперь он превратился в снег. Как все русские, она предпочитает снег дождю, запорошенные поля — темной и мокрой земле. Там, где бывает снег, люди готовятся к зиме как следует и принимают серьезные меры, чтобы поддерживать в своих жилищах тепло. Она вспоминает дом Вейерштрасса, где ей предстоит сегодня переночевать. Профессор и его сестрицы и слушать не захотели про гостиницу.

Дом у них очень удобный, с темными коврами, мягкими креслами и тяжелыми портьерами с бахромой. Жизнь в нем следует раз навсегда заведенному порядку: она подчинена науке, а конкретнее — математике, у которой есть центр, святилище — кабинет. Робкие, плохо одетые студенты один за другим проходят туда через гостиную. Две сестры профессора, старые девы, приветливо с ними здороваются, но разговоров не затевают. Они заняты: вяжут, чинят, штопают, вышивают коврики. Им известно, что их брат — выдающийся ученый, великий человек, но в то же время они знают и то, что он должен съедать ежедневно порцию чернослива (это полезно при сидячем образе жизни), что у него появляется сыпь на коже от любой, даже самой нежной шерсти и что он очень расстраивается, если коллега не благодарит его за помощь в опубликованной статье (хотя профессор и притворяется, будто не заметил этого, и потом устно и письменно продолжает нахваливать того самого коллегу, который проявил к нему пренебрежение).

Когда Софья впервые оказалась в этом доме, сестры профессора, Клара и Элиза, страшно перепугались. Служанка, ее впустившая, была не приучена отказывать посетителям: все в этом доме жили такой спокойной жизнью, а студенты были вечно плохо одеты и невоспитанны, так что критерии приличий, принятые в респектабельных домах, тут не действовали. Однако при всем этом в голосе горничной послышалось некоторое колебание, когда она произнесла: «Дома» — маленькой женщине, державшейся робко, как просительница, чье лицо было не разглядеть под темной широкополой шляпой. Сестры не смогли определить, сколько ей лет, но предположили — после того, как она прошла в кабинет, — что это мать кого-нибудь из студентов: хочет выторговать скидку на плату за обучение.

— Господи боже мой! — воскликнула потом Клара, обладавшая более живой фантазией. — Мы даже подумали, а вдруг это новая Шарлотта Корде?

Так они сами рассказывали Софье, когда уже подружились с ней.

А Элиза добавила с сухим смешком:

— К счастью, наш брат не принимал ванну. И мы все равно не сумели бы его защитить, потому что запутались бы в этих бесконечных шарфах, которые тогда вязали.

Они вязали шарфы для солдат на фронте. Шел 1870 год, и, значит, это было еще до того, как Софья и Владимир отправились в Париж заниматься наукой. Они жили тогда в другом измерении, где-то в далеком прошлом или вовсе за пределами Вселенной, и не обращали внимания на то, что в ней происходило, так что даже о войне вряд ли слышали.

Вейерштрасс не лучше своих сестер был способен угадать возраст Софьи или цель ее визита. Потом он рассказывал, что принял ее за гувернантку, пришедшую взять у него рекомендацию, чтобы добавить в число своих знаний и умений математику. Он хотел отругать горничную и сестер за то, что ее пустили. Однако человек он был добрый и воспитанный и потому не прогнал ее, а объяснил, что берет только тех аспирантов, у которых уже есть диплом, а сейчас у него такое количество учеников, что с новыми ему не справиться. Но она все равно не уходила и продолжала стоять перед ним в этой своей смешной, закрывающей лицо шляпе, вцепившись обеими руками в шаль, — и тогда он вспомнил один метод, или, лучше сказать, трюк, к которому прибегал пару раз и раньше, чтобы поставить на место негодного студента.

— Все, что я могу для вас сделать, — объявил он, — это дать вам несколько задач и попросить решить их в течение недели. Если вы выполните задание удовлетворительно, мы вернемся к этому разговору.

За неделю он совсем о ней забыл. Разумеется, она не должна была больше появиться. И когда Софья снова вошла в кабинет, он ее не узнал: возможно, потому, что она сняла плащ, ранее скрывавший ее тоненькую фигуру. Она чувствовала себя смелее — или просто погода переменилась. Шляпу профессор совсем не помнил — ее запомнили сестрицы, да и вообще он был не очень приметлив по части дамских аксессуаров. Но когда Софья достала из сумочки листки и положила на стол, он понял, кто это такая, вздохнул и надел на нос очки.

Каково же было его изумление, — это он тоже сам ей рассказывал позднее, — каково же было его изумление, когда он увидел, что не только все задачи решены, но некоторые из них решены совершенно оригинальным способом. Однако Вейерштрасс заподозрил, что она принесла ему решения, выполненные кем-то другим — братом или любовником, который скрывается за границей по политическим причинам.

— Будьте добры, присядьте, — сказал он, — и потрудитесь объяснить мне эти решения. Последовательно, шаг за шагом.

Она начала говорить, наклонившись вперед, и широкополая шляпа сползла ей на глаза. Тогда она ее сняла и положила прямо на пол. Показались кудри, ясные глаза, стало видно, какая она юная и как сильно, до дрожи в пальцах, волнуется.

— Да, — кивал он. — Да... Да... Да...

Произносил это «да» задумчиво, стараясь скрыть свое замешательство, особенно когда она объясняла совершенно блестящие решения, по методу ничуть не походившие на его собственные.

В такое замешательство она приводила его потом много лет. Она была такая хрупкая, такая молодая — и в то же время такая энергичная. Вейерштрассу хотелось успокоить эту девушку, быть с ней поласковее и научить справляться с ослепительными фейерверками, которые производил ее мозг.

Всю свою жизнь — ему было трудно в этом признаться, поскольку он не любил громких слов и подозрительно относился к энтузиастам, — всю свою жизнь он ждал именно такого ученика. Того, кто бросит ему вызов, кто будет не просто следовать за ним по пятам, но сам вырвется вперед. Он никогда не высказывал того, во что втайне верил: что математику высшего класса нужна интуиция, вспышка молнии, которая вдруг осветит все вокруг. При всей строгости и дотошности такой математик должен быть еще и поэтом в душе.

Когда он наконец решился высказать эти мысли Софье, то добавил, что есть такие, кого возмущает само слово «поэзия» в применении к математике. А есть и те, кто с радостью принимает прозвище поэта, только чтобы оправдать путаницу, вялость и неразбериху в собственных мыслях.

Как она и ожидала, снег за окнами поезда, продвигавшегося на восток, шел все гуще и гуще. Поезд был второклассный, совсем спартанский по сравнению с тем, которым она ехала из Канн. Вагона-ресторана здесь не полагалось, а на тележке лежали только холодные бутерброды с острой колбасой или сыром. Софья купила бутерброд с сыром размером с половину сапога. Сначала она думала, что съесть его полностью невозможно, но со временем все-таки доела. Потом открыла томик Гейне, чтобы он помог ей вызвать на поверхность сознания полузабытый немецкий язык.

Каждый раз, когда она отрывала глаза от книги и смотрела в окно, ей казалось, что снег валит еще гуще, чем прежде, а иногда — что поезд тащится совсем медленно, почти стоит на месте. При такой езде дай бог добраться до Берлина к полуночи. Софья пожалела, что дала себя уговорить не останавливаться в отеле и согласилась переночевать в доме на Потсдамерштрассе.

«Наш бедный Карл будет так счастлив, если Вы проведете хотя бы одну ночь под нашей крышей. Он считает, что Вы так и остались той маленькой девочкой, которая когда-то постучалась к нам, хотя при этом воздает должное Вашим достижениям и гордится Вашими успехами».

И действительно, когда она позвонила к ним в дверь, было уже за полночь. Открыла Клара, в халате; служанку она отправила спать. Софье было сообщено шепотом, что братец проснулся, услышав шум экипажа на улице, однако Элиза поднялась к нему, чтобы успокоить и заверить, что он встретится с Софией уже утром.

Слово «успокоить» резануло слух. Письма сестер выдавали только легкую усталость, не больше. А сам профессор не писал ничего о себе: в его посланиях речь шла только о Пуанкаре и его, Вейерштрасса, долге перед математикой: объяснить суть проблемы шведскому королю.

Но теперь, услышав, как дрогнул голос старушки при упоминании «братца», вдохнув до боли знакомый, когда-то вселявший надежду, но теперь немного застоявшийся и даже печальный запах этого дома, Софья почувствовала, что принятый прежде между ними в разговоре иронический тон сейчас был бы неуместен. Поняла, что ее приход вносит сюда не только свежий воздух, но и атмосферу успеха, энергию, которую она сама себе не замечает, но которая может показаться здешним обитателям тревожной. Софья привыкла, что ее встречают в этом доме объятиями и бурными выражениями радости (что всегда удивляло в сестрах — как они могли, соблюдая все положенные приличия, оставаться такими жизнерадостными?). Клара действительно обняла гостью, но в старческих глазах стояли слезы, а руки дрожали.

Тем не менее в отведенной Софье комнате ее ждал кувшин с теплой водой, а на ночном столике — хлеб и масло.

Раздеваясь, она слышала тихий, но оживленный разговор за стеной. Должно быть, сестры обсуждали, как чувствует себя брат или что они не закрыли хлеб и масло в комнате Софьи крышкой и Клара заметила это только, когда провожала гостью.

Работая под руководством Вейерштрасса, Софья жила в маленькой темной квартирке, по большей части со своей подругой Юлией, изучавшей химию. Они не посещали ни концертов, ни спектаклей: денег было мало, а работы невпроворот. Юлия занималась в частной лаборатории, — такой возможности женщинам было нелегко добиться. Софья же проводила день за днем за письменным столом, иногда засиживалась до тех пор, пока не становилось совсем темно и пора было зажигать керосиновую лампу. Тогда, потянувшись, она отправлялась на прогулку — быстрым шагом, чуть не бегом, переходила из одного угла квартиры в другой — что, разумеется, не составляло большой дистанции. На ходу она громко проговаривала какие-то слова, казавшиеся совершенно абсурдными, и любой наблюдатель, кроме хорошо знавшей ее Юлии, заподозрил бы, что она не в своем уме.

Вейерштрасс, как и она сама, занимался эллиптическими и Абелевыми функциями, а также теорией аналитических функций, представленных в виде бесконечных рядов. Теория, названная его именем, утверждала, что любая ограниченная бесконечная последовательность действительных чисел содержит сходящуюся последовательность. Софья шла за ним до определенной точки, но затем бросала ему вызов и даже несколько вырывалась вперед. В результате они переставали быть учителем и ученицей и становились коллегами, причем она часто играла роль катализатора для его дальнейших исследований. Однако такие отношения развились не сразу, и поначалу во время традиционных воскресных ужинов в доме Вейерштрасса — на которые ее всегда приглашали, поскольку для занятий с ней профессор отводил вторую половину воскресного дня, — она чувствовала себя то ли молодой родственницей, то ли энергичной протеже.

Юлию, когда она приезжала, тоже позвали. Девушки ели жареное мясо, картофельное пюре, а также вкуснейшие легкие пудинги, опровергавшие все расхожие мнения о немецкой кухне. После ужина все усаживались возле камина, и Элиза с большим воодушевлением и экспрессией читала вслух. Обычно звучали рассказы швейцарского писателя Конрада Фердинанда Мейера. Литература служила сестрам как бы вознаграждением за продолжавшиеся всю неделю вязание и штопанье.

На Рождество для Софьи и Юлии наряжали елку, хотя раньше семейство Вейерштрассов обходилось без нее годами. Были и конфеты, обернутые в фольгу, и кекс с изюмом и цукатами, и печеные яблоки. Все для детей — так они говорили.

Но вскоре выяснилось неожиданное и тревожное обстоятельство.

Обстоятельство это заключалось в том, что у Софьи, которая в их глазах была сама робость и невинность, имелся муж. Через несколько недель после начала занятий, еще до приезда Юлии, сестры заметили, что после воскресных ужинов Софью встречает молодой человек, не представленный Вейерштрассам и потому принимаемый ими за лакея. Он был высокого роста, некрасивый, с рыжеватой бородкой, большим носом, одет неопрятно. Если бы Вейерштрассы почаще бывали в свете, то поняли бы, что благородное семейство — а к такому, как они знали, принадлежала по рождению Софья — не стало бы держать столь неряшливого лакея и, следовательно, это был не слуга, а знакомый.

Потом приехала Юлия, и молодой человек исчез.

Немного погодя Софья призналась, что это ее муж — Владимир Ковалевский. Владимир учился в Вене и Париже, хотя перед этим окончил петербургское Училище правоведения. Занимался он в прошлом и издательской деятельностью: печатал учебную литературу по естественным наукам. Владимир был старше Софьи на несколько лет.

Почти столь же удивительным, как эти сведения, было и то, что Софья сообщила их не сестрам, а самому Вейерштрассу. А между тем в доме только сестры имели некоторое отношение к реальности — они были хотя бы в курсе событий в жизни служанок и читали современную литературу. Но Софья и раньше не желала быть любимицей женщин — ни матери, ни гувернантки. Другое дело — отец: ее переговоры с генералом не всегда приводили к победе, однако она уважала его и имела основания считать, что он отвечает ей взаимностью. Поэтому именно мужчине — хозяину дома — она и сделала столь важное признание.

Софья понимала, что Вейерштрасс придет в смущение — даже не столько оттого, что она поговорила с ним, но оттого, что теперь ему предстоит передать этот разговор сестрам. Тут ведь было нечто большее, чем просто факт: Софья замужем. Да, она состояла в браке, и совершенно законном. Однако это был так называемый «белый брак» — явление, о котором раньше не слышал ни сам профессор, ни его сестры. Муж и жена не только не жили в одном доме — они вообще не жили друг с другом. Поженившись по не совсем общепринятым причинам, они оказались связаны тайным обетом никогда не совершать этого, никогда не...

— Вступать в брачные отношения?

По всей вероятности, это произнесла Клара. Сказала быстро, даже нетерпеливо, чтобы поскорее преодолеть трудный момент.

Да-да. В России молодым людям, точнее, молодым женщинам, желающим учиться за границей, приходится прибегать к подобному обману, потому что незамужняя девица не имеет права покидать страну без согласия родителей. Родители Юлии оказались достаточно просвещенными и дали такое согласие, а родители Софьи — нет.

Какой варварский закон!

Да-да. Русский закон. Однако некоторые девицы нашли способ его обойти, полагаясь на помощь молодых идеалистов, сочувствующих их чаяниям. Впрочем, среди них могли быть также и анархисты, откуда нам знать?

Старшая сестра Софьи отыскала такого молодого человека и вместе со своей подругой Жанной вступила с ним в переговоры. В данном случае причиной было не желание учиться, а, скорее, что-то политическое. Бог знает почему, но они решили привлечь и Софью. Та совсем не интересовалась политикой и не чувствовала себя готовой к подобному предприятию. Молодой человек внимательно присматривался к двум старшим девушкам. Старшая сестра — ее звали Анюта — выглядела очень серьезной, но была при этом чрезвычайно красива, и он сказал «нет». Нет, сказал он, я не желаю вступать в договор ни с одной из вас, достопочтенные юные дамы, однако согласен жениться на вашей младшей сестре.

— Должно быть, он решил, что со старшими хлопот не оберешься.

Это заметила Элиза — у нее был большой опыт чтения романов.

— Такое часто бывает, — продолжала она, — в особенности с красавицами. Он просто влюбился в нашу крошку Софи.

Любовь тут совершенно ни при чем, — могла бы заметить на это Клара.

Итак, Софья принимает предложение. Владимир наносит визит генералу и просит у него руки его младшей дочери. Василий Васильевич ведет себя любезно, ведь молодой человек принадлежит к прекрасному семейству, хотя и не достиг пока больших успехов в жизни. Однако отец отвечает, что Соня еще совсем ребенок. Да и знает ли она об этих намерениях?

Да, ответила сама Софья, она знает и даже влюблена в него.

Тогда генерал объявил, что не следует поддаваться первому порыву, пусть молодые люди проведут некоторое время вместе. И даже продолжительное время. Приезжайте-ка к нам в Палибино! (Дело происходило в Петербурге.)

Дело застопорилось. Владимир так и не сумел произвести хорошего впечатления на родителей невесты. Он почти не скрывал своих нигилистических взглядов и одевался из рук вон плохо, словно нарочно. Генералу это внушало надежду, что, понаблюдав за своим воздыхателем, Соня передумает.

А у Софьи тем временем созревали собственные планы на жизнь.

И вот пришел день, когда ее родители созвали гостей на званый ужин. Были приглашены профессора, сослуживцы Василия Васильевича по Артиллерийской академии, один дипломат. И в разгар суматохи Соня выскользнула из дома.

В одиночестве шла она по петербургским улицам, по которым никогда не ходила без сопровождающих — слуг или сестры. Шла к Владимиру, жившему на бедной окраине. Он сразу отпер ей дверь. Она присела к столу и написала письмо отцу.

«Дорогой папа, я ушла к Володе и останусь у него. Очень прошу тебя — не противься нашему браку».

Отсутствие младшей дочери заметили, только когда сели обедать. Послали горничную посмотреть в Сониной комнате, — ее там не было. Спросили Анюту. Та вспыхнула и ответила, что ничего не знает. Чтобы скрыть волнение, ей пришлось уронить салфетку.

Тут генералу передали письмо. Он извинился и вышел. Вскоре Соня и Владимир услышали его гневные шаги за дверью своего убежища. Он велел скомпрометированной дочери и человеку, ради которого она была готова пожертвовать своей репутацией, следовать за ним. Они доехали до дома, не сказав друг другу ни слова.

За ужином генерал представил молодого человека гостям:

— А вот, господа, мой будущий зять, Владимир Онуфриевич Ковалевский.

Так все и устроилось. Соня была вне себя от радости — не оттого, что выходила замуж, а оттого, что смогла сделать приятное Анюте и внести свой вклад в эмансипацию русских женщин. Сыграли роскошную и церемонную свадьбу в Палибино, а затем новобрачные уехали в Петербург и поселились там вместе.

Когда им стали яснее их интересы, они отправились за границу и под одной крышей уже не жили. Сначала Гейдельберг, потом Берлин — для Софьи, Мюнхен — для Владимира. Пока она оставалась в Гейдельберге, он туда заезжал в свободное время. Потом там поселилась Анюта со своей подругой Жанной, а также Юлия — все четыре девушки находились как бы под покровительством Владимира, однако места в той квартире для него уже не было.

Вейерштрасс скрыл от сестер, что состоял в переписке с супругой генерала, матерью Софьи. Он написал ей первым, когда Софья вернулась из Швейцарии (на самом деле из Парижа) такой измученной и исхудавшей, что он всерьез обеспокоился ее здоровьем. Мать прислала письмо, в котором высказывала мнение, что именно поездка в Париж в столь ужасное время сказалась на состоянии Сони. Однако генеральшу, похоже, беспокоила не политическая буря, которую пережили ее дочери, а то, что одна из них, незамужняя, открыто жила с мужчиной, в то время как другая, состоявшая в законном браке, с мужем не жила. Об этих письмах Вейерштрасс не говорил и самой Софье до тех пор, пока была жива ее мать.

Однако, когда пришлось наконец все сказать, он передал ей также, что Клара и Элиза спрашивают, что делать дальше.

Вот женская постановка вопроса, заметил профессор, они всегда считают, что надо что-то делать.

И ответил с самым суровым видом: «Ничего делать не надо».

Утром Софья вынула из чемодана и надела чистое, хотя и мятое домашнее платье — она так и не научилась как следует укладывать вещи. Причесала свои кудри таким образом, чтобы не была заметна начинавшая пробиваться седина, и спустилась вниз, где уже происходило какое-то движение. На столе стоял только ее прибор. Элиза налила ей кофе и подала первый в жизни Софьи немецкий завтрак в этом доме: холодную ветчину и сыр, а также хлеб, густо намазанный маслом. Клара, по ее словам, была наверху: готовила брата к встрече с Софьей.

— Раньше мы приглашали на дом цирюльника, — рассказывала она. — Но потом Клара научилась отлично стричь сама. Оказалось, она вообще прирожденная сестра милосердия, — слава богу, что хоть у одной из нас открылись такие таланты.

Еще до того, как Элиза заговорила, Софья почувствовала, что семье не хватает денег. Камчатные скатерти и тюлевые занавески совсем выцвели, серебряные ножи и вилки давно не чистили. Через открытую дверь была видна гостиная и в ней деревенского вида девица, их нынешняя служанка, которая чистила каминную решетку, поднимая тучи пыли. Элиза проследила за взглядом гостьи, как будто просила закрыть дверь, а потом встала и сделала это сама. К столу она вернулась покрасневшая и погрустневшая, и Софья поспешно, почти невежливо спросила, чем болен герр Вейерштрасс.

— Слабое сердце — это раз, а кроме того, осенью он переболел пневмонией и, похоже, до конца не оправился. И еще у него опухоль в половых органах, — ответила Элиза тихо, но с присущей немкам прямотой.

Вошла Клара:

— Он вас ждет.

Софья поднималась по лестнице, думая не о профессоре, а об этих двух женщинах, посвятивших ему свои жизни. Вязать шарфы, штопать белье, варить варенье — все это никак нельзя поручать служанкам. Почитать, вслед за братом, Римско-католическую церковь (по мнению самой Софьи, подавляющую человека религию) — и все это без малейшего возмущения, без малейшей тени недовольства.

Я бы с ума сошла, думала она.

Даже когда преподаешь в университете, можно с ума сойти. Бо́льшая часть студентов, по правде говоря, посредственности. На них производят впечатление только самые очевидные схемы.

До встречи с Максимом она не решилась бы сама себе в этом признаться.

В спальню она вошла, думая о своем без пяти минут муже и улыбаясь — своему будущему счастью, своей скорой свободе.

— Ну наконец-то!

Вейерштрасс говорит тихо, с трудом.

— Негодная девчонка, вы совсем нас забыли. Ну и куда вы направляетесь — снова в Париж, развлекаться?

— Напротив, профессор, я еду из Парижа, — улыбается Софья. — Возвращаюсь в Стокгольм. И в Париже не было никаких развлечений, скучно до одури.

Она дала ему поцеловать руки — сначала одну, потом вторую.

— А как ваша Анюта? Больна?

— Она умерла, mein liebe[1] профессор.

— В тюрьме?

— Нет, что вы. Это произошло много лет назад. В тюрьме была не она, а ее муж. Анюта умерла от воспаления легких, хотя болезней у нее было много и болела она долго.

— А, пневмония! Я ею тоже болел. Что ж, мои соболезнования.

— Да, я всегда о ней помню. Однако у меня есть для вас хорошая новость, профессор. Даже превосходная. Этой весной я выхожу замуж.

---

[1] Мой дорогой (нем.).

— Как? Разве вы развелись с геологом? Хотя ничего удивительного. Это давно надо было сделать. Однако развод — это всегда неприятно.

— Он тоже умер, профессор. И он был не геолог, а палеонтолог. Такая новая отрасль науки, очень любопытная. Изучает древние организмы по окаменелостям.

— Ах, да-да! Теперь припоминаю. Об этой науке я слышал. Значит, он умер совсем молодым? Честно говоря, мне не хотелось, чтобы он заступал вам дорогу, но и смерти его я тоже не желал. Он долго болел?

— Можно и так сказать. Вы, разумеется, помните, как я от него ушла и вы рекомендовали меня Миттаг-Леффлеру?

— А, в Стокгольм. Правильно? Значит, вы его оставили. Очень хорошо. Так и следовало поступить.

— Да-да. Но это все давно в прошлом, а теперь я собираюсь выйти замуж за его однофамильца. Может быть, дальнего родственника. Однако они совершенно не похожи.

— Ага, значит, снова русский. И что, он тоже изучает окаменелости?

— Вовсе нет. Он профессор юриспруденции. Очень энергичный, всегда в хорошем настроении. Кроме тех моментов, когда он в плохом настроении. Я приведу его к вам познакомиться.

— Будем рады его поразвлечь, — кисло ответил Вейерштрасс. — Однако это конец вашей работе.

— Нет-нет! Он этого совсем не хочет. Я больше не буду преподавать, я стану свободна. Поселюсь на юге Франции, в чудесном климате. Буду всегда здорова и напишу много-много статей.

— Посмотрим, посмотрим.

— Mein liebe, — говорит она, — я приказываю вам. Слышите? Приказываю за меня порадоваться.

— Я, должно быть, стал совсем стар, — ворчит он. — И всегда вел сидячую жизнь. Я не такой разносторонний человек, как вы. Знаете, какое я испытал потрясение, когда узнал, что вы пишете романы?

— Вам это совсем не нравилось.

— Неправда. Мне очень понравились ваши воспоминания детства. Очень приятно читается.

— Но это на самом деле не роман. А вот тот, который я написала сейчас, вам не понравится. Иногда он и мне самой не нравится. Это о девушке, которую политика интересует больше, чем любовь. Ну ничего, вам его все равно не придется прочесть. В России цензура не пропустит, а остальной мир его отвергнет, потому что он слишком русский.

— Мне вообще не очень по душе романы.

— Оставим это женщинам, да?

— Честно говоря, я иногда забываю, что вы женщина. Я думаю о вас как о... о...

— Как о ком?

— Как о даре Неба, предназначенном мне, и только мне.

Софья наклоняется и целует его в белый лоб. Сдерживая слезы, она прощается с его сестрами и покидает дом.

Я его больше никогда не увижу, думает она.

Вспоминает его лицо — белое, как подушки в накрахмаленных наволочках, которые Клара, должно быть, сменила у него под головой сегодня утром. Наверное, он сразу уснул, утомленный этим разговором. И наверное, тоже подумал, что это их последняя встреча. И знал, что она знает. Вот только вряд ли он понял — и это ее стыд и ее тайна, — какой легкой, свободной чувствует она себя сегодня, несмотря на слезы. И становится еще свободней с каждым шагом, удаляясь от этого дома.

Достойна ли его жизнь памяти в большей степени, чем жизнь его сестер?

Конечно, его имя какое-то время будут упоминать в учебниках. О нем должны знать математики. Но не так долго, как могло бы быть — если бы он больше заботился о своей репутации в избранном кругу и среди тех, кто бьется за славу. Наука интересовала его больше, чем собственное имя, в то время как многие его коллеги были в равной степени озабочены и тем и другим.

Не стоило заговаривать о писательстве. Для него это пустяки и легкомыслие. Она написала воспоминания о жизни в Палибино, поддавшись порыву ностальгии по всему бесконечно дорогому и безнадежно утраченному. Написала вдали от дома, когда и дом, и сестра навеки остались в прошлом. А «Нигилистка» родилась от боли за свою страну, от вспышки патриотизма и, наверное, еще от чувства вины за все, на что она не обращала внимания, вечно занятая математикой и перипетиями своей личной жизни.

Боль за страну, именно так. Но с другой стороны, она написала эту повесть и в память об Анюте. История девушки, которая порывает с обычной жизнью и выходит замуж за политического заключенного, приговоренного к сибирской каторге. Выходит, узнав, что может немного облегчить суровость его наказания: его отправят не на север, а на юг Сибири, если его будет сопровождать жена. Конечно, повесть понравится ссыльным, которым удастся прочесть ее в рукописи, но ведь им нравится любая запрещенная книга, — это Софья прекрасно знает. «Сестры Раевские», воспоминания, нравились ей куда больше, хотя цензор их пропустил, а кое-кто из критиков отверг из-за излишней сентиментальности.

IV

Ей и раньше приходилось обманывать ожидания Вейерштрасса. Первый раз это произошло после того, как она добилась успеха. Да, обманула ожидания, хотя он потом об этом ни разу даже не упомянул. Бросила и учителя, и математику и даже не отвечала на его письма. Летом 1874 года вернулась домой, в Палибино, с новеньким дипломом в бархатной обложке, сунула его ящик стола — и сразу забыла на месяцы, если не на годы.

Запах скошенного сена, сосновых лесов, золотые летние деньки, долгие светлые вечера — все это захватило ее. Устраивали пикники, разыгрывали любительские спектакли, давали балы, праздновали именины, принимали старых друзей. Там гостила Анюта, счастливая, с годовалым малышом. И Владимир тоже там был. И в этой атмосфере летней радости, легкости, тепла, вина, долгих веселых ужинов, танцев, пения — как было не уступить ему и не стать наконец не только его женой, но и его любовницей?

Это случилось не потому, что Софья полюбила. Она была благодарна Владимиру и убедила себя в том, что это чувство — любовь — не существует в действительности. Если уступить ему, то это сделает их обоих счастливее, думала она. И действительно сделало — на какое-то время.

Осенью они переехали в Петербург, и там веселая жизнь получила продолжение. Званые вечера, спектакли, приемы, а еще они читали все газеты и журналы — и легкомысленные, и серьезные. Вейерштрасс прислал письмо: умолял не бросать математику. Благодаря его стараниям диссертацию Софьи напечатали в «Журнале чистой и прикладной математики», известном также как «Журнал Крелле», однако она едва удосужилась туда заглянуть. Он просил ее уделить неделю — всего одну неделю! — работе, чтобы завершить статью о кольцах Сатурна, и тогда ее тоже можно было бы опубликовать. Софья не стала с этим возиться. У нее не было ни минуты, она совсем закружилась в непрерывном празднике. Именины друзей, новые оперы и балеты, но главное — радость самой жизни.

Она вдруг поняла, очень поздно, то, что многие знали с детства: жизнь может быть прекрасна и без достижений. Может быть полной, заполненной до краев — и в то же время не утомлять, не изматывать. Надо только заработать достаточно денег, чтобы устроить себе комфортную жизнь, а потом можно развлекаться сколько хочешь, и не будет ни скуки, ни безделья, и в конце дня останется чувство, что ты делал только то, что приятно окружающим. И можно не мучиться.

Оставался только вопрос, где взять деньги.

Владимир снова взялся за издание книг. Для этого пришлось залезть в долги. Оставшееся после смерти родителей Софьи наследство было вложено в строительство громадных домов с общественными банями, оранжереями, булочными и паровыми прачечными. Планы у супругов были грандиозные. Однако строительные и иные подрядчики их постоянно надували, рынок оказался нестабильным, и, вместо того чтобы построить надежное основание для будущей жизни, они все глубже и глубже погрязали в долгах.

Кроме того, жить так, как живут другие супружеские пары, оказалось дороговато. У Софьи родилась девочка. Малышке дали имя матери, но в семье называли Фуфой. У Фуфы была нянька, кормилица, а также собственные апартаменты. Кроме того, у них служили кухарка и горничная. Владимир накупил Софье модных платьев, а дочке — замечательных подарков. Имея степень доктора, полученную в Йенском университете, он нашел место приват-доцента в Петербурге, однако денег все равно не хватало. Издательское дело совсем не приносило дохода.

В это время убили царя, и политическая атмосфера в стране стала совсем невыносимой. Владимир впал в столь глубокую меланхолию, что не мог ни работать, ни думать.

Вейерштрасс узнал о смерти родителей Софьи и, желая утешить ее в горе, как он выразился, прислал статью о своей новой и совершенно замечательной системе интегрального исчисления. Однако вместо того, чтобы вернуться к математике, она принялась писать театральные рецензии и популярные статейки для газеты. Это заставляло ее талант приносить некоторую пользу, других людей — относиться к ней проще, а для нее самой было куда менее утомительным занятием, чем математика.

Затем семья Ковалевских переехала в Москву в надежде, что там-то счастье им улыбнется.

Владимир оправился от депрессии, но не чувствовал в себе ни сил, ни желания возвращаться к преподавательской деятельности. Он нашел новое дело — ему предложили место в компании, производившей керосин. Хозяевами предприятия были братья Рагозины: они владели нефтеперегонным заводом, а также построенным в современном стиле роскошным замком на Волге. Владимиру было поставлено условие, что он получит место, если вложит в предприятие некоторую сумму денег; ее пришлось одолжить.

На этот раз Софья предчувствовала, что все кончится плохо. Рагозины ей решительно не нравились, и они платили ей той же монетой. Владимир все больше и больше подпадал под их влияние. Это новые люди, говорил он, они не занимаются пустяками. Он стал смотреть на всех свысока, приобрел надменный вид. Назови мне хоть одну выдающуюся женщину, — говорил он ей. Назови хоть одну такую, которая действительно изменила что-то в мире, при этом не соблазняя и не убивая мужчин. Женщинам самой природой предначертано плестись позади и думать только о самих себе, и если вдруг паче чаяния им попадается какая-нибудь идея, которой можно посвятить всю жизнь, они впадают в истерику и разрушают эту идею своим самолюбием и самомнением.

Рагозинские разговоры, — отвечала на это Софья.

Она возобновила переписку с Вейерштрассом. А потом оставила Фуфу на попечение своей подруги Юлии и уехала в Германию. Написала Александру Ковалевскому, старшему брату мужа, что Владимир заглотил рагозинскую наживку с такой готовностью, будто сам выпрашивал у судьбы еще один удар. Однако написала и мужу, предлагая вернуться. Благоприятного ответа не последовало.

Муж и жена встретились еще раз в Париже. Софья жила там скромно, экономила на всем, а тем временем Вейерштрасс пытался подыскать ей работу. Она снова погрузилась в математику и общалась теперь только с коллегами. Владимир уже не доверял Рагозиным, как раньше, однако совсем увяз в их делах и не мог выбраться. Поговаривал о переезде в Северо-Американские Соединенные Штаты. И даже поехал туда, но скоро вернулся.

Осенью 1882 года Владимир написал брату, что чувствует себя совершенно никчемным человеком. В ноябре сообщил о банкротстве Рагозиных. Боялся, что они потащат его за собой на дно и он попадет под суд. На Рождество Владимир навестил Фуфу, жившую теперь в Одессе, в семье брата. Очень обрадовался, что она его узнала, что она здоровенькая и умненькая. Потом написал прощальные письма Юлии, Александру, нескольким старым друзьям — но не Софье. Написал даже письмо в суд, с объяснением некоторых своих поступков, упоминавшихся в рагозинском деле.

Он помедлил еще немного, а в апреле надел себе на голову мешок и вдохнул хлороформ.

Софья узнала о его смерти в Париже. Какое-то время она отказывалась от пищи и не выходила из своей комнаты. Она концентрировала свои мысли и волю на отказе от пищи, и так ей удавалось ничего не чувствовать.

Прибегли к искусственному кормлению, и она заснула. Пробудившись, испытала острый стыд за все это представление. Попросила карандаш и лист бумаги и принялась за решение задачи.

———

Денег совсем не осталось. Вейерштрасс прислал письмо с предложением поселиться у него в доме в качестве третьей сестры. Однако при этом продолжал теребить всех своих знакомых и наконец добился успеха: откликнулся его бывший студент, а ныне друг и коллега Гёста Миттаг-Леффлер, из Швеции. Недавно основанная Стокгольмская высшая школа соглашалась стать первым в Европе университетом, который примет на работу женщину — профессора математики.

Софья забрала из Одессы дочь и поместила ее пока что в Москве у Юлии. Она задыхалась от ненависти к Рагозиным. В письме к Александру Ковалевскому называла их «тонкими, ядовитыми злодеями». Убеждала судью: все доказательства свидетельствуют о том, что Владимир был человеком доверчивым, легковерным, но честным.

Потом она отправилась на поезде из Москвы в Петербург — навстречу своей новой, широко разрекламированной (однако не без порицания) газетами работе в Швеции. Из Петербурга добиралась морем. Закаты на Балтике были потрясающими. Все, больше никаких глупостей, говорила она себе. Я начинаю новую, правильную жизнь.

Тогда она еще не была знакома с Максимом. И не получила Борденовскую премию.

V

Из Берлина Софья выехала рано утром, вскоре после последнего и освобождающего прощания с Вейерштрассом. Поезд был старый, тащился медленно, но внутри было хорошо натоплено и чисто, как и полагается в немецком поезде.

Когда проехали примерно половину пути, сидевший напротив мужчина достал газету и любезно предложил ей на выбор любую часть — почитать.

Софья поблагодарила и отказалась.

Он кивнул на кружившую за окном метель:

— Надо же. Никто не ожидал.

— Да, никто, — ответила Софья.

— Вы до Ростока едете или дальше?

Мог заметить ее акцент и догадаться, что она не немка. Однако она ничего не имела против его разговоров или умозаключений. Мужчина был гораздо моложе ее, одет прилично, обращался почтительно. Ей показалось, что она раньше где-то встречала его или хотя бы видела. Но такое чувство часто возникает во время путешествий.

— В Копенгаген, — ответила она. — А потом в Стокгольм. Так что на моем пути метель будет только усиливаться.

— Значит, расстанемся в Ростоке, — сказал он.

Должно быть, хотел показать, что не долго будет надоедать ей разговорами.

— Ну и как вам Стокгольм?

— В это время года я его терпеть не могу. Просто ненавижу.

Она сама удивилась своим словам. Однако он только улыбнулся и вдруг перешел на русский:

— Вы уж меня извините. Получается, что я угадал. Но теперь уже я буду говорить, как иностранец. Я учился в России некоторое время. В Петербурге.

— Вы угадали, что я русская, по акценту?

— Нет, не совсем. Я это понял, когда вы заговорили о Стокгольме.

— А что, все русские ненавидят Стокгольм?

— Нет-нет. Они только говорят, что ненавидят. Но они любят.

— Мне не следовало так говорить. Шведы были очень добры ко мне. Многому научили...

Он засмеялся:

— Да, научили. Например, кататься на коньках.

— Ну да, конечно. А русские вас этому не учили?

— Ну... Они не были так настойчивы в своем учении, как шведы.

— Только не на Борнгольме, — сказал он. — Я сейчас живу на острове Борнгольм. Датчане, они не такие... как это... назойливые. Но кто живет на Борнгольме — не совсем датчане. Мы не считаем, что мы датчане.

Оказалось, что он работает на этом острове врачом. Она подумала: а не будет ли нарушением приличий попросить его посмотреть горло? Оно болело все сильнее. Потом решила, что не стоит.

Доктор рассказал, что его ждет еще долгий и тяжелый переезд на пароме, после того как они пересекут датскую границу.

А жители Борнгольма не считают себя датчанами: они называют себя потомками викингов, которых сменила в тех местах в шестнадцатом веке Ганзейская лига. У борнгольмцев жестокая история, они захватывали пленных. Слышала ли она когда-нибудь о грозном графе Джеймсе Босуэлле? Некоторые считают, что он умер на Борнгольме, хотя жители Зеландии утверждают, что это случилось у них.

— Он убил мужа шотландской королевы и женился на ней сам. Но умер в тюрьме. Перед смертью потерял рассудок.

— Мария, королева шотландцев, — сказала Софья. — Да, я слышала.

А как же! Мария Стюарт была одной из любимых героинь юной Анюты.

— Ох, простите меня! Я заболтался.

— Простить? Да за что же?

Он покраснел. Потом сказал:

— Я знаю, кто вы.

Вначале не догадывался, признался он. Но когда заговорили по-русски, уверился окончательно.

— Вы женщина-профессор. Я про вас читал в газете. Там была и фотография, но в жизни вы выглядите гораздо моложе. Простите, что я такой... назойливый, просто не мог сдержаться.

— На фотографии я выгляжу очень сурово, потому что подумала так: если улыбнусь, то люди такому профессору не будут доверять, — объяснила Софья. — А что, разве у врачей не то же самое?

— Ну, наверное. Я как-то не привык фотографироваться.

Теперь между ними возникло некое напряжение, и, чтобы его разрядить, нужны были усилия с ее стороны: ей следовало заговорить первой. Софья вернулась к теме острова Борнгольм. Народ там смелый и грубый, рассказал доктор, не то что изнеженные датчане. Люди селились там ради роскошной природы и чистого воздуха. Если она когда-нибудь решит приехать, он почтет за честь все ей показать.

— Там есть редчайшая голубая скала, — рассказывал он. — Ее породу называют голубым мрамором. От скалы откалывают кусочки, полируют — и получается... дамское украшение вокруг шеи... Бусы! Если вы захотите...

Он болтал чепуху, но чувствовалось, что ему хочется сказать что-то серьезное.

Объявили о приближении к Ростоку. Собеседник Софьи оживлялся все больше и больше. Она боялась, что этот доктор попросит ее дать автограф — на клочке бумаги или на книге, которую он читал. Ее, правда, очень редко просили об этом, но всякий раз, когда приходилось расписываться, она чувствовала себя нехорошо — сама не зная почему.

— Послушайте, что я хотел сказать, — заговорил он. — Об этом не говорят, но... Пожалуйста. Когда поедете в Швецию, не заезжайте в Копенгаген. Нет-нет, не бойтесь, я в своем уме.

— Я и не боюсь, — ответила она.

Хотя на самом деле испугалась. Немного.

— А позвольте вас спросить — почему? Над ним тяготеет проклятие?

Она вдруг решила, что он расскажет ей что-то о заговоре, о бомбах.

Значит, он анархист?

— В Копенгагене эпидемия оспы. Многие уже уехали из города, но власти ничего не признают, чтобы не вызвать паники. Боятся, как бы не сожгли правительственные здания. Все дело в финнах. Датчане считают, что оспу занесли финны. И правительство не хочет, чтобы все ополчились на финских беженцев. Или на правительство, которое их пустило.

Поезд остановился. Софья поднялась и взяла свой чемодан.

— Пообещайте мне. Не уходите так, не пообещав.

— Хорошо-хорошо, — ответила она. — Обещаю.

— Садитесь на паром до Гедсера. Я бы помог вам поменять билет, но мне надо ехать дальше, на Рюген.

— Хорошо, я обещаю.

А не Владимира ли он ей напоминал?! Владимира в самые первые дни. Не столько чертами лица, сколько заботой о ней и умоляющим тоном. Его постоянная униженная, упрямая, умоляющая забота.

Доктор протянул руку, и она разрешила ему пожать свою, но оказалось, что у него есть еще одно намерение. Он положил ей на ладонь маленькую таблетку:

— Это принесет вам облегчение, если путешествие покажется утомительным.

Надо бы поговорить с кем-нибудь из числа служащих железной дороги об этой эпидемии оспы в Копенгагене, — решила Софья.

Но сделать этого не удалось. Кассир, который менял ей билет, явно сердился, что приходится заниматься таким сложным делом, и разозлился бы еще больше, если бы она переменила решение и попросила поменять билет обратно. Сначала казалось, что он не говорит ни на одном языке, кроме датского, как и ее попутчики, но, завершив операцию, вдруг обратился к ней по-немецки и сказал, что теперь поездка продлится гораздо дольше — понимает ли она это? Тут она вдруг осознала, что они все еще в Германии и о Копенгагене этот человек может вовсе ничего не знать. И о чем она, спрашивается, думала?

Кассир еще добавил с мрачным видом, что на островах тоже метель.

В маленьком немецком пароме на Гедсер было тепло, но сидеть пришлось на жестких деревянных скамейках из продольных реек. Софья совсем уж было собралась проглотить таблетку, решив, что именно эти скамейки доктор и имел в виду, когда говорил об утомительном путешествии. Но потом решила приберечь ее на случай морской болезни.

В местном поезде, в который она перебралась в Гедсере, сиденья оказались получше — обычные для второго класса, хотя и сильно потертые. Но было холодно: печь в конце вагона только дымила и не давала почти никакого тепла.

Кондуктор тут оказался дружелюбнее, чем кассир, он никуда не торопился. Когда въехали наконец на территорию Дании, Софья задала ему вопрос по-шведски — этот язык ближе к датскому, чем немецкий, — правда ли, что в Копенгагене началась эпидемия? Кондуктор ответил: нет, поезд в Копенгаген не идет.

Похоже, по-шведски он знал только два слова: «поезд» и «Копенгаген».

Купе здесь, конечно, не было: поезд местного значения состоял всего из двух общих вагонов. Кое-кто из пассажиров взял с собой подушки и одеяла, кто-то имел плащ, в который можно закутаться с головой. На Софью никто не обращал внимания и тем более не пытался с ней заговорить. Да и что толку, если бы они даже и попытались? Она не смогла бы ни понять, ни ответить.

Тележки с закусками тоже не было. Пассажиры доставали собственные припасы — завернутые в промасленную бумагу бутерброды, толстые ломти хлеба, остро пахнущий сыр, большие куски бекона, кое у кого была селедка. Одна женщина извлекла откуда-то из складок широкого платья вилку и принялась доставать из банки кислую капусту. Софья поневоле вспомнила родину, Россию.

Правда, эти люди совсем не походили на русских крестьян. Не пьют, не болтают, не смеются. Не люди, а какие-то деревяшки. И даже жир у тех, кто потолще, какой-то деревянный, исполненный самоуважения, лютеранский. Впрочем, что она о них знает?

Хотя если так рассуждать, то что она знает о русских крестьянах, тех же палибинских например? Перед господами они всегда разыгрывали спектакли.

Было, правда, одно исключение — то воскресенье, когда крепостных и их владельцев собрали в церкви и священник зачитал царский манифест. Сонина мама совсем пала духом. Стонала, рыдала: «Что теперь с нами будет? Что будет с моими бедными детьми?» Генерал увел ее к себе в кабинет, чтобы успокоить. Анюта сидела в углу и читала книжку, а их маленький брат, Федя, играл с кубиками. Соня погуляла по дому и спустилась вниз, в людскую. Там сидели и дворовые, и деревенские — шел пир горой. Но не разгульный, крестьяне словно бы отмечали какой-то церковный праздник. Старик-дворник, которого она обычно видела во дворе с метлой, смеясь, называл ее «барынькой».

— А вот и барынька наша пришла, счастья нам пожелать.

Кто-то принялся ее величать. Как чудесно это было, думает она сейчас, хотя и понимает, что они всего лишь шутили.

Вскоре явилась гувернантка — ее лицо было мрачнее тучи — и увела Софью наверх.

И все пошло по-старому.

Жаклар говорил Анюте, что та никогда не сможет быть настоящей революционеркой, ее хватает только на то, чтобы тянуть деньги из своих упырей-родителей. Что же касается Сони и Владимира (то есть того, кто вытащил его из тюрьмы), то они просто птички, которые чистят перышки от паразитов и купаются в своих бессмысленных исследованиях.

От запаха селедки и кислой капусты Софью слегка замутило.

Поезд вдруг остановился, и всех попросили выйти из вагонов. Последнее она поняла по лающему приказу кондуктора и по тому, как неохотно, но покорно понесли свои тела к выходу пассажиры. Люди оказались в чистом поле, по колено в снегу, нигде не было видно ни города, ни платформы. Поезд находился в ущелье между двух гладких белых холмов. Снег продолжал падать, но уже не такой густой. Впереди рабочие расчищали лопатами пути, разбрасывая снег, скопившийся в железнодорожной выемке. Софья прошлась вперед-назад, чтобы не замерзнуть окончательно в своих легких сапожках, пригодных только для городских улиц. Другие пассажиры стояли смирно и даже никак не обсуждали произошедшее.

Прошло полчаса, а может, всего минут пятнадцать, и путь был очищен. Пассажиры вскарабкались обратно в вагоны. Для них всех, как и для Софьи, осталось полнейшей загадкой, зачем они вообще вылезали — неужели они не могли подождать внутри? Однако никто не жаловался. Поезд пробирался все дальше и дальше вперед, сквозь тьму, и метель снова била в окна. Впрочем, это была уже не совсем метель: звук получался царапающим, злобным. Град с дождем и снегом.

Потом мутные огни деревни, несколько пассажиров поднимаются, тщательно укутываются, забирают свои узлы и чемоданы, выбираются из вагона, исчезают. Движение возобновляется, но вскоре всех снова просят выйти из вагонов. На этот раз дело не в снежных заносах. Они перемещаются на еще один паром, открытый, и он везет их куда-то по черной воде. Горло у Софьи болит уже так, что, если бы понадобилось заговорить, она не смогла бы произнести ни слова.

Сколько длится этот переезд, неизвестно. Сойдя на землю, пассажиры прячутся под открытым навесом, — там нет скамеек, и от снега он почти не укрывает. Поезд приходит некоторое время спустя — какое именно, она уже не понимает. При виде поезда Софья чувствует настоящее счастье, хотя он ничуть не теплее первого и деревянные скамьи в нем точно такие же. Благодарность за самое скромное удобство, похоже, зависит от того, какие несчастья человек претерпел перед тем, как это удобство получить. Однако что это? — спрашивает она саму себя. — Я что, читаю кому-то проповеди?

Спустя еще какое-то время поезд прибыл в большой город: здесь на вокзале есть буфет. Но Софья так устала, что не может заставить себя подняться и пойти туда вслед за другими пассажирами. Они возвращаются с дымящимися чашками кофе. Женщина, которая ела капусту, приносит две чашки и протягивает одну из них Софье. Та улыбается и старается, как может, выразить благодарность. Соседка показывает жестом, что благодарить не надо, это, мол, даже неприлично. Но все-таки продолжает стоять до тех пор, пока Софья не вынимает из кошелька датские монеты, которые выдал ей на сдачу билетный кассир. Женщина, что-то ворча, выбирает две из них своими мокрыми пальцами в перчатках. Похоже, плата за кофе. За доброе намерение принести его и за доставку — ничего. Так положено. Не сказав ни слова, женщина возвращается на свое место.

В вагоне появились новые пассажиры. Мать с дочерью лет четырех. У ребенка половина лица забинтована, рука висит на повязке. Несчастный случай, ездили в сельскую больницу. Через дыру в бинтах смотрит грустный темный глаз. Девочка ложится здоровой щекой на колени матери, и та укрывает ее своей шалью. Делает это без особой нежности или заботы, машинально. С девочкой случилось несчастье, пришлось с ней повозиться, вот и все. А дома ждут другие дети, и еще один, наверное, в животе.

Как все это ужасно, думает Софья. Как ужасно большинство женщин. Интересно, что ответила бы эта крестьянка, если бы Софья начала рассказывать ей про новые веяния, про борьбу женщин за право голоса, за работу в университетах? Наверное, сказала бы что-нибудь вроде «на все воля Божья, а это Ему не угодно». А если бы Софья стала ее убеждать, что надо отправить подальше этого Бога и начать думать своей головой, та в ответ посмотрела бы одновременно тупо, упрямо, жалостливо и устало и ответила бы: «Да как же нам без Бога-то прожить?»

Снова переезжают через черную воду, на этот раз по длинному мосту. Останавливаются в еще одной деревне, и женщина с девочкой выходят. Софья уже потеряла к ним интерес, даже не смотрит, встречает ли их кто-нибудь. Пытается только разглядеть часы на перроне, на которые падает свет от поезда. Ей казалось, что уже около полуночи, однако еще только десять вечера.

Думает о Максиме. Интересно, приходилось ли ему когда-нибудь ездить в таких поездах? Софья представляет, что ее голова удобно устроилась на его широком плече. Люди смотрят на них, но ему все равно. Пальто у него из какой-то очень дорогой материи, даже пахнет богатством и комфортом. Максим считает само собой разумеющимся, что все лучшее в мире всегда готово к его услугам, и это несмотря на то что он записной либерал и едва ли не политический эмигрант. Та же чудесная уверенность в своем праве была и у ее отца, — она ее ощущала, когда была маленькой девочкой, а отец заботливо обнимал ее. Так бы и оставаться всю жизнь в надежных объятиях. Разумеется, прекрасно, если тебя любят, но хорошо и тогда, когда с тобой заключают, как в старину, благородное соглашение, по которому сильный пусть и неохотно, но обязуется защищать слабого.

Такие люди, как Максим или отец, не потерпели бы, если бы кто-нибудь назвал их слабыми, мягкотелыми, способными только подчиняться, но в определенном смысле так оно и есть. Они самих себя подчиняют готовым образцам мужественности, с ее культом риска и жестокости, со всеми обязательствами и заблуждениями. И от этого она, женщина, в одних случаях получала выгоду, а в других — несла потери.

Однако образ Максима-защитника тут же заслоняет в ее памяти другой: Максима, озабоченно пробирающегося через толпу на вокзале в Париже. Максима, спешащего на свидание.

Гордая осанка, учтивость, уверенность в себе.

Нет, не может быть. Это был не Максим. Точно не он.

Владимир не был трусом — достаточно вспомнить, как он спас Жаклара, — но мужской самоуверенности в нем не было. Именно поэтому он позволял ей то, что не позволили бы другие: держаться с ним на равных. При этом особой теплоты в их отношениях не было, и она не чувствовала себя за ним как за каменной стеной. А ближе к концу, когда он подпал под влияние Рагозиных и переменился — от отчаяния, конечно, ему ведь казалось, что можно спастись, подражая другим, — под конец он стал ее третировать, обращаться с ней свысока, по-барски, что было даже смешно. Это дало ей повод презирать его, хотя не исключено, что втайне она всегда его презирала. Молился ли он на нее или оскорблял — в любом случае любить его она не могла.

Не могла любить так, как Анюта любила Жаклара — эгоистичного, грубого, неверного, ненавистного, но все-таки бесконечно дорогого.

Господи, какие уродливые и докучные мысли лезут в голову, только дай им волю.

Она закрывает глаза и сразу видит его — Владимира. Он сидит напротив нее в вагоне. Нет, это не Владимир. Это доктор с Борнгольма. Нет, это только ее воспоминание о докторе с Борнгольма, назойливом и встревоженном, пытающемся столь странным способом вмешаться в ее жизнь.

Но вот и подошло время — было уже за полночь — покинуть навсегда этот поезд. Они подъехали к границе. Хельсингёр. Пограничная территория, скажем так. Настоящая граница, должно быть, расположена где-то посредине пролива Каттегат.

Здесь — пересадка на последний паром, и он уже ждет пассажиров. Выглядит большим и гостеприимным, сияет множеством огней. Подбегает носильщик, подносит ее сумки, благодарит за датские монеты, которые она ему сует, и спешит дальше. Софья показывает служащему парома свой билет, тот отвечает по-шведски. Заверяет ее, что паром будет на том берегу как раз вовремя, чтобы пассажиры успели пересесть на стокгольмский поезд. Ей не придется сидеть до утра в зале ожидания.

— Спасибо. Я словно вернулась в цивилизованный мир, — отвечает она ему.

Он смотрит на нее с опаской. Голос у нее хриплый, хотя кофе чуть-чуть помог. Это потому, что он швед, соображает она. У шведов не обязательно все время улыбаться или отпускать комплименты. Они вежливы, но совсем иначе.

Море штормит, но морской болезни она не чувствует. Вспоминает про таблетку, но теперь это не нужно. Похоже, тут топят: некоторые пассажиры снимают верхнюю одежду. А ее по-прежнему бьет озноб. Может, это и к лучшему: с дрожью выходит холод, накопившийся в ее теле за время поездки по Дании. Надо вытрясти его полностью.

Поезд на Стокгольм действительно ждет, как и обещано, в оживленном порту Хельсинборга — города большего по размерам и более шумного, чем его кузен с похожим именем на том берегу. Шведы пусть и не улыбаются, но сведения дают всегда верные. Носильщик поднимает ее чемоданы и ждет, пока она найдет в кошельке монеты. Софья достает щедрую пригоршню и кладет ему в руку. Это датские монеты, они ей больше не нужны.

Да, датские. Носильщик возвращает их и говорит по-шведски: «Не пойдет».

— Это все, что у меня есть! — вскрикивает она, поняв сразу две вещи. Во-первых, горло стало гораздо лучше. Во-вторых, шведских денег у нее нет.

Носильщик ставит ее багаж на землю и уходит.

Французские, немецкие, датские. Шведские она забыла.

Поезд выпускает пар, пассажиры заходят в вагоны, а она все стоит, не зная, что делать. Самой ей чемоданы не дотащить. А если не дотащить, то они тут так и останутся.

Софья хватает их за ремни и ручки как попало и несется вперед. Бежит, пошатываясь и задыхаясь, с болью в груди и под мышками. Чемоданы бьют по ногам. Надо взобраться по ступенькам. Если остановиться и отдышаться, то поезд уйдет. Она пытается вскарабкаться наверх, срывается. Со слезами на глазах умоляет подождать.

Поезд ждет. Появляется кондуктор, чтобы закрыть дверь, хватает ее за руку, потом подхватывает ее вещи и втаскивает все на площадку.

Спасенная, она тут же заходится в кашле. Кашляет так, словно хочет избавиться от чего-то, застрявшего в груди. От застрявшей там боли. От боли в груди и тесноты в горле. Однако надо идти за кондуктором в свое купе. В промежутках между приступами кашля Софья торжествующе улыбается. Кондуктор заглядывает в одно купе — там уже кто-то сидит — и проводит ее дальше, в пустое.

— Спасибо большое, — сияя, говорит она ему. — Помогли взобраться, я бы сама не смогла. Представляете, какая досада — не оказалось денег. Шведских. Какие угодно были, а шведских не было. Пришлось бежать. Никогда не думала, что я смогу...

Он просит ее сесть и поберечь горло. Сам уходит куда-то и возвращается со стаканом воды. Софья пьет и вдруг вспоминает про таблетку, которую ей дал доктор. С последним глотком воды проглатывает и ее. Кашель утихает.

— Больше так не делайте, — говорит кондуктор. — У вас грудь так и ходит. Вниз-вверх.

Шведы очень откровенны. Но в то же время сдержанны и пунктуальны.

— Погодите, одну секундочку, — говорит она.

Надо еще о чем-то спросить. Может, в тот ли поезд она села?

— Погодите секундочку. Вы не слышали... Про оспу! Вы не слышали про эпидемию оспы в Копенгагене?

— Нет, сударыня, не слышал, — отвечает кондуктор.

Сухо, но вежливо кивнув, он выходит из купе.

— Спасибо! Спасибо! — кричит она ему вслед.

Софья ни разу в жизни не была пьяна. Если она принимала какое-нибудь лекарство, способное затуманить сознание, то всегда засыпала раньше, чем это случалось. Поэтому ей было не с чем сравнить то совершенно исключительное ощущение — полное изменение восприятия, — которое, как морская волна, накрывало ее теперь.

Сначала она чувствовала только облегчение. Чудесное, хотя и глупое ощущение, что ей повезло: успела на поезд и сама дотащила свой багаж. Потом преодолела и страшный приступ кашля, и жуткое сердцебиение, и даже горло перестало беспокоить.

Но было еще нечто большее: ей казалось, что ее сжавшееся было сердце расширилось, обретя свои обычные размеры, а потом начало расти как-то иначе — становиться легче, свежее, и она вдруг научилась относиться ко всему на свете просто и с юмором. Даже оспа в Копенгагене выглядела теперь не страшнее эпидемии чумы в старинной балладе. И такой же казалась вся ее собственная жизнь — все ее потери и несчастья были не более чем иллюзиями. События, идеи принимали новую форму, которую она наблюдала чисто умозрительно и как бы сквозь искажающее стекло.

Впрочем, однажды ей уже довелось испытать нечто подобное. Первая встреча с тригонометрией, лет в двенадцать. Профессор Тыртов, их сосед по имению, привез в Палибино свой новый учебник физики. Он надеялся, что книга заинтересует Василия Васильевича как артиллериста. Соня пробралась в отцовский кабинет и открыла ее на разделе «Оптика». Начала читать и рассматривать рисунки, и ей показалось, что она почти все понимает. Она еще не имела представления о синусах и косинусах и взяла вместо синуса хорду — а для малых углов эти величины почти совпадают друг с другом. Так ей открылся новый прекрасный язык.

Она почувствовала себя счастливой и не сильно этому удивилась.

Такие открытия еще будут происходить множество раз. Способности к математике — дар природы, такой же, как северное сияние. Его не надо смешивать с другими явлениями этого мира — со статьями, премиями, коллегами и дипломами.

Кондуктор разбудил ее на подъезде к Стокгольму.

— Какой сегодня день? — спросила Софья.

— Пятница.

— Ага, отлично! Я еще успею прочесть лекцию.

— Вы бы лучше поберегли здоровье, сударыня.

В два часа Софья уже стояла за кафедрой и читала лекцию — умело, связно, без кашля и без боли. Только какое-то еле слышное гудение как будто проходило по ее телу, словно дрожала телеграфная проволока, однако на голос это никак не влияло. Похоже, горло излечилось само собой. Закончив лекцию, она отправилась домой, переоделась и поехала на извозчике на прием в дом Гюльденов, куда ее пригласили ранее. Она была в прекрасном настроении, с воодушевлением делилась впечатлениями об Италии и о юге Франции — но не о возвращении в Швецию. Потом, не извинившись, вышла — сначала из комнаты, а потом из дома. Ее переполняли какие-то мерцающие, удивительные идеи, и было невозможно разговаривать далее с людьми.

Уже темно, идет снег, но ветра нет, и фонари кажутся огромными, как золотые шары на рождественской елке. Она поискала глазами извозчика, однако поблизости не оказалось ни одного. Показался омнибус. Она замахала руками. Возница остановился, хотя и проворчал, что остановки тут нет.

— Но вы же остановились, — беспечно ответила она.

Стокгольм Софья знала все еще плохо, и прошло некоторое время, прежде чем она сообразила, что едет не в ту сторону. Рассмеявшись, сказала об этом кучеру. Тот высадил ее, и она пошла по городу в вечернем платье, легком плаще и туфлях. Тротуары были белы и пустынны. Ей пришлось пройти около мили, и она с радостью отметила, что все-таки помнит дорогу. Ноги промокли, но холод не чувствовался. Должно быть, из-за безветрия, а еще от радости, захватившей ум и тело. От счастья, о котором она раньше понятия не имела, но которое теперь ее никогда не покинет. Наверное, это звучит совсем банально, но город выглядел точь-в-точь как в сказке.

На следующий день пришлось остаться в постели. Софья послала записку Миттаг-Леффлеру с просьбой прислать своего доктора, поскольку она не знает здесь ни одного врача. Гёста не только выполнил просьбу, но и пришел сам. Он просидел довольно долго, и они поговорили о новой математической статье, которую Софья собиралась написать. Работа обещала стать амбициознее, ценнее и красивее, чем все сделанное ею до сих пор.

Доктор решил, что у нее не в порядке почки, и выписал рецепт.

— Забыла его спросить, — сказала Софья после того, как он ушел.

— О чем? — поинтересовался Гёста.

— О чуме. В Копенгагене.

— Ты бредишь, — мягко сказал Миттаг-Леффлер. — Кто тебе про это наплел?

— Слепец, — ответила она. Потом поправилась: — То есть глупец. Глупый человек.

Она сделала такой жест, словно лепила что-то из воздуха, нечто более выразительное, чем слова.

— Прости мой шведский.

— Ты бы не болтала сейчас. Подожди, пока поправишься.

Она улыбнулась, потом помрачнела и сказала четко:

— Мой муж.

— В смысле — жених? Он тебе пока не муж. Ну-ну, шучу. Ты хочешь, чтобы он сюда приехал?

Она покачала головой:

— Не он. Босуэлл.

Потом быстро произнесла:

— Нет, нет, нет! Другой!

— Соня, успокойся! Тебе надо поспать.

———

Приходила Тереза Гюлден с дочерью Эльзой, потом Эллен Кей. Они сменялись, по очереди дежуря у постели больной. Когда ушел Миттаг-Леффлер, Софья немного поспала. Потом проснулась и снова заговорила, но про мужа уже не упоминала. Сказала о своем романе и о книге воспоминаний о детстве в Палибино. Объявила, что теперь может написать гораздо лучше, и даже начала рассказывать сюжет новой повести. Смутилась и засмеялась, потому что не находила слов, чтобы ясно выразить свою мысль. Там будет движение туда и обратно, говорила она, биение пульса жизни. В этой повести она сумеет показать, как устроена жизнь. Что скрыто от глаз. Что придумано и не придумано.

Да что это значит?

Она только рассмеялась в ответ.

Ее переполняют идеи, необыкновенно большие и важные, сказала она, и в то же время такие естественные и очевидные, что нельзя не смеяться.

В воскресенье стало хуже. Софья едва могла говорить, но пожелала видеть Фуфу в костюме, в котором та отправлялась на детский бал.

Это был костюм цыганочки, и Фуфа немного потанцевала в нем у маминой постели.

В понедельник Софья попросила Терезу Гюлден позаботиться о Фуфе.

Вечером она почувствовала себя немного лучше. Вызвали медсестру, чтобы дать передохнуть Терезе и Эллен.

Рано утром Софья проснулась. Тереза и Эллен разбудили Фуфу, чтобы девочка смогла еще раз увидеть маму живой. Софья почти не могла говорить.

Терезе показалось, что она расслышала, как Софья сказала:

— Слишком много счастья.

———

Она умерла около четырех часов. Вскрытие показало, что ее легкие были полностью поражены пневмонией и что серьезные проблемы с сердцем начались, скорее всего, еще несколько лет назад. Мозг ее, как все и ожидали, оказался очень большим.

Доктор с Борнгольма прочел о ее смерти в газете и не удивился. У него и раньше случались предчувствия — неприятные для человека его профессии и не всегда сбывающиеся. Тогда, в поезде, он почему-то решил, что если она объедет Копенгаген, то спасется. Он думал: приняла ли она то лекарство, которое он ей дал, и если приняла, то принесло ли оно ей облегчение, которое приносило ему самому?

Софью Ковалевскую похоронили в Стокгольме на кладбище, которое тогда называли Новым. Было три часа, день выдался холодным, и дыхание пришедших проститься и зевак поднималось к морозному небу клубами пара.

Вейерштрасс прислал лавровый венок. Он сказал сестрам, что заранее знал о том, что больше не увидится с Софьей.

После ее смерти он прожил еще шесть лет.

Максим прибыл из Болье, вызванный телеграммой, которую Миттаг-Леффлер отправил еще до ее смерти. Прибыл как раз вовремя, чтобы успеть сказать речь на похоронах. Говорил по-французски и так, словно Софья была его знакомым профессором. Он поблагодарил шведский народ от лица русского народа за то, что ей была предоставлена возможность зарабатывать себе на жизнь (достойно использовать свои знания, как он выразился) в качестве математика.

———

Максим так и не женился. Спустя некоторое время ему разрешили вернуться на родину, и он стал профессором Петербургского университета. Потом основал партию демократических реформ, выступал за конституционную монархию. Монархисты считали его красным, Ленин ругал за реакционность.

Фуфа работала врачом в Советском Союзе и умерла уже в пятидесятых годах двадцатого века. Математика ее никогда не интересовала.

Именем Софьи Ковалевской назван кратер на Луне.

БЛАГОДАРНОСТЬ

Я открыла для себя героиню повести «Слишком много счастья», Софью Ковалевскую, когда искала совсем другие сведения в энциклопедии «Британника». То, что эта женщина была и писательницей, и математиком, сразу вызвало у меня интерес, и я принялась читать все, что могла о ней найти. Одна работа увлекла меня больше всех, и я хочу выразить мою бесконечную признательность автору книги «Воробушек. Портрет Софьи Ковалевской» Дону Х. Кеннеди, а также его супруге Нине, снабдившей меня множеством переведенных с русского текстов, в том числе фрагментов дневников Софьи, ее писем и т. д.

Действие повести ограничено последними днями жизни Софьи, рассказ перемежается отступлениями, повествующими о более ранних событиях. Однако я рекомендую всем заинтересовавшимся прочесть книгу Кеннеди, в которой собраны исключительные исторические и математические сокровища.

Элис Манро
Клинтон, Онтарио, Канада,
июнь 2009 г.

ПРИМЕЧАНИЯ ПЕРЕВОДЧИКА

Перевод выполнен по изданию: *Munro A.* Too Much Happiness: stories. New York: Alfred A. Knopf, 2009.

Это тринадцатый сборник рассказов и повестей Э. Манро. Его появление вызвало большое число рецензий; в числе наиболее значимых: *Cohen L. H.* Object Lessons // New York Times Book Review. 2010. November 29. P. 1, 9; *Enright A.* Come to Read Alice, Not to Praise Her // Globe and Mail. 2009. August 29; *Gorra M.* The Late Mastery of Alice Munro // Times Literary Supplement. 2009. August 26; *Kinsella W. P.* Everything is Funny // BC BookWorld. 2009. Autumn. P. 23.

Измерения

Впервые: *Munro A.* Dimensions // New Yorker. 2006. June 5. P. 68–79.

С. 7. *...в Лондоне...* — Имеется в виду город Лондон на юго-западе провинции Онтарио в Канаде.

С. 10. *Да ты поэт, хоть сам того не знаешь!* (You are a Poet and Don't Know It!..) — название 12-й серии из «Фестиваля искусств Си-би-эс для молодежи», вышедшей в 1976 г.

С. 14. *«Лига ла лече»* — международная общественная организация для поддержки кормящих женщин и предоставления информации о грудном вскармливании.

С. 30. *...Познай Самого Себя...* — надпись на древнегреческом храме Аполлона в Дельфах; девиз сократической философии.

...Всего Превыше Верен Будь Себе... — слова Полония из «Гамлета» Шекспира, обращенные в качестве поучения к сыну — Лаэрту (д. 1, сц. 3; перевод Б. Л. Пастернака).

...осыпают медалями и почетом... — перефразируется название «Медаль почета» (Medal of Honor) — высшая военная награда США.

Вымысел

Впервые: *Munro A.* Fiction // Harper's. 2007. August. P. 71–80.

С. 40. *Раф-Ривер* — название города вымышлено.

С. 45. *Си-би-си* (CBC, Canadian Broadcasting Corporation) — канадская радиовещательная и телевизионная корпорация.

С. 46. *«Ода к радости»* — стихотворение Фридриха Шиллера (An die Freude, 1785), положенное на музыку Людвигом ван Бетховеном (1793).

С. 54. *Унитарианцы* — движение в протестантизме, сообщество верующих, ставящих целью «свободный и ответственный поиск истины и смысла».

С. 56. *Букстехуде прошел пешком пятьдесят миль, чтобы послушать, как Бах играет на органе...* — На самом деле все было наоборот: молодой Бах в 1705 г. прошел пешком около 400 км из Арнштадта до Любека, чтобы послушать знаменитого органиста Дитриха Букстехуде.

С. 60. *«Kindertotenlieder»* (Песни о смерти детей, 1901–1904) — цикл песен для голоса с оркестром Густава Малера на стихи Фридриха Рюкерта.

С. 68. *...«сам-себе-перевозчик».* — U-Haul (*букв.:* «ты тащишь»*) — известная американская фирма проката прицепов и грузовиков.

С. 70. *«Глоуб».* — В данном случае, по-видимому, имеется в виду не американский таблоид «Глоуб», а вторая по величине канадская ежедневная газета «Глоуб энд мэйл» (Globe and Mail).

Венлокский кряж

Впервые: *Munro A.* Wenlock Edge // New Yorker. 2005. December 5. P. 80–91.

С. 73. *Венлокский кряж* (Wenlock Edge) — уникальное природное образование в Венлоке (Шропшир, Англия), поросшая лесом гряда длиной около 30 км; представляет собой выход на поверхность древних силурских пород. О посвященном ему стихотворении А. Хаусмана см. ниже.

С. 74. *...утка à l'orange...* — Имеется в виду утка, зажаренная с апельсиновым соусом, — классическое французское блюдо, ставшее популярным в Англии и затем в Канаде в 1960-е гг.

С. 74. *«Ридерс дайджест»* (Reader's Digest) — американский журнал, до 2009 г. — самый популярный в Северной Америке.

С. 75. *...студенческие братства... (англ.* fraternity, sorority; *букв.:* «братства», «сестринства»*)* — в Северной Америке сообщества-клубы студентов вузов, которые имеют дома для совместного проживания и некоторые общие традиции; известны с конца XVIII в.; обычно называются буквами греческого алфавита.

С. 83. *«Алая буква»* (The Scarlet Letter) — роман американского писателя Натаниеля Готорна (1850). Повествует о пуританских нравах и тяжелой судьбе женщины в Новой Англии XVII в.

С. 89. *«Ave atque vale...»* — из стихотворения Катулла с описанием могилы умершего брата.

С. 92. *Вам нравится пещера?* — Имеется в виду знаменитый фрагмент из трактата Платона «Государство», иллюстрирующий учение об идеях.

...как одевались минойские дамы? — Судя по сохранившимся фрескам, женщины у минойцев (2700–1400 до н. э.) оставляли открытой грудь.

С. 94. *«Шропширский парень»* (A Shropshire Lad) — сборник стихотворений английского поэта Альфреда Эдварда Хаусмана (1859–1936), опубликован в 1896 г.

Венлокский кряж... (On Wenlock Edge the wood's in trouble...) — 31-е стихотворение из сборника «Шропширский парень». Описывает бурю в окрестностях Венлокского кряжа (упоминаются холм Рекин и река Северн) и выражает сложные чувства, связанные с исчезновением стоявшего в этих местах римского укрепления Урикон.

С. 97. *«Сэр Гавейн и Зеленый Рыцарь» (Sir Gawain and the Green Knight)* — поэма неизвестного автора, написанная в XIV в. и рассказывающая о приключениях сэра Гавейна — племянника короля Артура.

С. 103. *Геррик Роберт* (1591–1674) — английский поэт, писал среди прочего пасторальные стихи.

Теннисон Альфред (1809–1892) — английский поэт, крупнейший лирик второй половины XIX в.

Из света и из мрака... (From far, from eve and morning...) — начало 32-го стихотворения из сборника «Шропширский парень».

Где шпили, фермы и холмы... (Into my heart on air that kills...) — из 40-го стихотворения из сборника «Шропширский парень».

Белеет под луной тропа... (White in the moon the long road lies...) — из 36-го стихотворения из сборника «Шропширский парень».

Глубокие-скважины

Впервые: *Munro A.* Deep-Holes // New Yorker. 2008. June 30. P. 66–73.

С. 107. *«Zeitschrift für Geomorphologie»* — международный научный геологический журнал, издается с 1957 г.

С. 108. *Ослер-блафф* (Osler Bluff) — гора в провинции Онтарио, вблизи города Коллингвуда.

С. 115. *«Герой вернулся домой»* (Home is the Hero; в рус. переводе — «Дом-герой») — ирландский фильм 1959 г. режиссера Филдера Кука по пьесе Уолтера Макина, рассказывающий о молодом человеке, вернувшемся домой из тюрьмы и вступающем в конфликт со своей семьей.

С. 116. *Как Бланш...* — Имеется в виду Бланш Дюбуа, героиня пьесы Теннесси Уильямса «Трамвай „Желание“» (1947).

С. 126. *Общежитие для освободившихся из тюрьмы* — специальные учреждения, предназначенные для возвращения в общество бывших заключенных и пациентов психбольниц (*англ.* Halfway house; *букв.:* «дом на полпути»). Содержатся на средства государства или благотворителей, также бывают коммерческими (платными).

С. 127. *Иона* — имя библейского пророка, который пробыл три дня во чреве кита (Ин. 2: 1–11).

Лазарь из Вифании — согласно Евангелию, брат Марфы и Марии, которого Иисус воскресил через четыре дня после смерти (Ин. 11–45).

С. 130. *«Женщина, что мне до тебя?»* — слова Иисуса, обращенные к матери. В синодальном переводе: «Иисус говорит Ей: что Мне и Тебе, Жено?» (Ин. 2: 4)

Свободные радикалы

Впервые: *Munro A.* Free Radicals // New Yorker. 2008. February 11, 18. P. 136–143.

С. 132. *Свободные радикалы* — свободные частицы с неспаренными электронами. В живых организмах повреждают клеточные мембраны и могут причинять серьезный вред; задействованы в процессах старения, воспаления, развитии онкологических заболеваний и др.

С. 138. *«Мельница на Флоссе»* (The Mill on the Floss) — роман английской писательницы Джордж Элиот (1860).

«Крылья голубки» (Wings of the Dove) — роман американского писателя Генри Джеймса (1902).

«Волшебная гора» (Der Zauberberg) — роман немецкого писателя Томаса Манна (1924).

С. 149. *...красное вино. Оно то ли разрушает эти радикалы, потому что они вредные, то ли создает их, потому что они полезные.* — Содержащее антиоксидант красное вино способствует замедлению образования вредных для организма свободных радикалов. Однако, помимо антиоксидантов, в вине содержится этиловый спирт, и потому мнение о пользе красного вина остается спорным.

С. 153. *«Канадиен тайер»* (Canadian Tire) — крупнейшая канадская ретейлерская компания, торгующая автомобильными, хозяйственными и другими товарами. С 1958 г. выпускает собственные «деньги» (купоны), которые принимаются в ее магазинах.

С. 154. *«Башня гордости: портрет довоенного мира. 1890– 1914 гг.»* (The Proud Tower: A Portrait of the World Before the War. 1890–1914) — книга американского историка и писательницы Барбары Такман (1912–1989), опубликованная в 1966 г. Рисует картину постепенной деградации Запада, его устремления к мировой войне.

Альберт Шпеер (1905–1981) — архитектор Гитлера, рейхс-министр вооружений. В 1969 г. опубликовал написанные в тюрьме мемуары.

Лицо

Впервые: *Munro A.* Face // New Yorker. 2008. September 8. P. 58–66.

С. 166. *Поит прохладный Силоам...* (By cool Siloam's shady rill...) — стихи Реджинальда Хебера, музыка Вильяма Гардинера, гимн написан в 1812 г.

С. 178. *Общество помощи детям* (Children's Aid Society) — частная благотворительная организация, оказывающая медицинскую и психологическую помощь детям, подыскивающая приемных родителей.

С. 180. *«В Данфермлине-граде король сидит...»* — начало анонимной шотландской баллады «Сэр Патрик Спенс» (Sir Patrick Spens).

«Я покажу тебе, как лилии цветут...» — из анонимной шотландской баллады «Джеймс Харрис (Демон-любовник)» (James Harris (The Daemon Lover)).

С. 181. *«Берег Дувра»* (Dover Beach) — стихотворение Мэтью Арнольда (1867).

«Кубла Хан» (Kubla Khan) — стихотворение Сэмюэля Колриджа (1797).

«Западный ветер» (West Wind) — стихотворение Джона Мейсфилда (1902).

«Дикие лебеди в Куле» (The Wild Swans in Coole) — стихотворение Уильяма Батлера Йейтса (1917).

«Гимн обреченной молодежи» (Anthem for Doomed Youth) — стихотворение Уилфреда Оуэна (1917).

Никто не станет долго о тебе скорбеть... — из стихотворения «Разлука» (Away, 1938) английского поэта Уолтера де ла Мара (1873–1956).

Есть такие женщины

Впервые: *Munro A.* Some Women // New Yorker. 2008. December 22, 29. P. 69–77.

С. 186. *«I Promessi Sposi»* — первый итальянский исторический роман, написан в 1827 г. Алессандро Мандзони (1785–1873).

С. 187. *«Цивилизация на суде истории»* (Civilization on Trial) — книга философа Арнольда Тойнби (1948).

«Тайная война против Советской России» (The Great Conspiracy: The Secret War Against Soviet Russia) — книга просоветских историков Майкла Сейерса и Альберта Кана, принимавших на веру материалы показательных московских процессов 1930-х гг. Издана в США в 1946 г., переиздана в СССР в 1947 г.

С. 188. *...как обещала во время бракосочетания...* — Традиционная клятва верности при вступлении в брак у католиков и англиканцев включает формулу: «в благополучии и невзгодах, в богатстве и бедности, в болезни и здоровье» (*англ.* «for better for worse, for richer for poorer, in sickness and in health»).

Мульчировать — покрывать поверхность почвы защитным слоем (мульчей) — опавшими листьями, хвоей, ветками, кусочками коры и т. д. — для улучшения ее свойств.

С. 189. *Роксана* (ок. 342–309 до н. э.) — бактрийская княжна, жена Александра Македонского. Сведения о ней восходят к Арриану и Плутарху.

С. 192. *«Канадиэн хоум джорнал»* (Canadian Home Journal) — популярный женский журнал, издававшийся в Торонто в 1910–1958 гг.

С. 194. *Облатка* (гостия) — в католицизме хлеб из пресного теста в виде маленькой лепешки, который во время таинства евхаристии претворяется в тело Христово.

С. 197. *«Итонз»* (Eaton's) — до 1950-х гг. крупнейшая канадская ретейлерская фирма, имевшая сеть универсальных магазинов по всей стране; была основана в 1869 г., обанкротилась в 1999 г.

«Уорнер бразерс» (Warner Brothers) — крупнейшая американская кинокомпания. В годы войны и позднее открыла множество новых звезд (Джоан Кроуфорд, Дорис Дэй и др.).

Скотт Барбара Энн (Scott Barbara Ann; 1928–2012) — канадская фигуристка-одиночница, первая олимпийская чемпионка в истории страны (Санкт-Мориц, 1948), национальная героиня Канады.

С. 209. *...детишкам, пришедшим к ней в дом на Хеллоуин...* — Речь идет о старой традиции в англоязычных странах: дети на Хеллоуин наряжаются в костюмы (часто — в костюмы монстров) и ходят по домам, выпрашивая сласти.

Детская игра

Впервые: *Munro A.* Child's Play // Harper's. 2007. February. P. 73–84.

С. 211. *Кули* — слово использовалось для обозначения наемных рабочих, батраков, которых колонизаторы привозили из густонаселенной Азии в свои американские или африканские владения; в XX в. стало считаться оскорбительным.

С. 212. *«Лайонз клаб»* (Lions Club) — крупнейшая международная благотворительная организация, основана в США в 1917 г.; среди прочего занимается помощью детям.

С. 213. *«Англия не умрет»* (There'll Always Be an England) — английская патриотическая песня (1939), авторы — Росс Паркер и Хью Чарльз, была популярна во время войны в исполнении Веры Линн.

«Сердцевина дуба» (Hearts of Oak) — официальный марш Военно-морских сил Великобритании, а также Канады и Новой Зеландии, композитор Уильям Бойс, слова английского актера XVIII в. Дэвида Гаррика. Известна с 1760 г.

«Правь, Британия!» (Rule, Britannia!) — британская патриотическая песня (1740), слова Джеймса Томсона, музыка Томаса Арна.

«Кленовый лист навеки» (The Maple Leaf Forever) — канадская патриотическая песня (1867), автор — школьный учитель из Торонто Александр Муир. В первые годы существования Канадской конфедерации играла роль национального гимна, однако в настоящее время исполняется, как правило, без слов, из-за присущего ей оттенка англосаксонского шовинизма.

С. 214. *Объединенная церковь Канады* (The United Church of Canada) — протестантская церковь, в Канаде вторая по величине после католической; отличается либерализмом в политических и общественных вопросах.

С. 231. *Блур-стрит* — центральная улица Торонто.

«Клеопатра» — знаменитый фильм 1963 г.; режиссер Джозеф Манкевич, в главной роли — Элизабет Тейлор.

С. 232. *«Маклинз»* (Maclean's) — популярный канадский новостной еженедельник; основан в 1905 г.; тираж около 300 тысяч экземпляров.

С. 244. *...Салливан... по-католически...* — Салливан (или О'Салливан, *англ.* O'Sullivan) — типичная ирландская фамилия, говорящая о происхождении человека или его предков из католической страны.

Лес

Первая редакция: *Munro A.* Wood // New Yorker. 1980. November 24. P. 46–54. Для настоящего сборника рассказ был существенно переработан.

С. 251. *День благодарения (Thanksgiving Day)* — праздник, когда в доме собираются несколько поколений одной семьи на праздничный обед, и каждый произносит слова благодарения за то хорошее, что произошло в его жизни; в Канаде отмечается во второй понедельник октября.

С. 252. *Холистическая медицина (Holistic Medicine)* — вид альтернативной медицины, призывающей лечить не болезнь, а «всего пациента», учитывая множественность факторов болезни. По большей части не признается официальной медициной.

С. 258. *Корд* — 128 кубических футов (3,62 кубометра) дров.

Слишком много счастья

Впервые: *Munro A.* Too Much Happiness // Harper's. 2009. August. P. 53–72.

С. 273. *...один из первых математиков нашего столетия...* — Имеется в виду Карл Вейерштрасс (1815–1897), «отец математического анализа», учитель С. В. Ковалевской.

С. 274. *Ковалевский Максим Максимович* (1851–1916) — историк, юрист, социолог, общественный деятель, академик (с 1914). В 1887 г. был уволен из Московского университета за лекции о европейских конституциях и критику правительства.

Она встретила Максима в 1888 году. — На самом деле их первая встреча произошла в 1882 г. в Париже у П. Л. Лаврова.

Стокгольмский университет — был открыт как университетский колледж, или «высшая школа» (*шв.* högskola), в 1878 г.; С. В. Ковалевская уехала в Стокгольм в 1883 г. и получила там место пожизненного университетского профессора в 1889 г.

С. 275. *Il était très joyeux...* — из 13-й части первой песни поэмы А. де Мюссе «Намуна (Восточная сказка)» (1832).

С. 276. *Борденовская премия (Le Prix Bordin)* — учреждена в 1835 г. по завещанию нотариуса Ш.-Л. Бордена, вручается за выдающиеся работы в гуманитарных и естественных науках. С. В. Ковалевская получила эту премию в 1888 г.

Миттаг-Леффлер Магнус Гёста (1846–1927) — шведский математик, профессор университетов в Гельсингфорсе (с 1877) и Стокгольме (с 1881).

С. 277. *...только в Болье...* — В деревне Болье (Beaulieu, *букв.*: «красивое место»), в 20 минутах езды от Ниццы, находилась вилла Батава, принадлежавшая М. М. Ковалевскому.

С. 278. *...маленькой дочке, Фуфе.* — Софья Владимировна Ковалевская (1878–1952) окончила Петербургский женский медицинский институт, работала врачом, перевела со шведского многие работы матери.

...бабушка и дедушка Шуберты... — Федор Федорович Шуберт (1789–1865) — ученый-геодезист, генерал от инфантерии, почетный член Академии наук; был женат на Софье Александровне (1801–1833), урожденной баронессе Раль. Их старшая дочь Елизавета Федоровна (1820–1879) — мать С. В. Ковалевской.

С. 280. *...написала Юлии...* — Имеется в виду Юлия Всеволодовна Лермонтова (1846–1919) — первая русская женщина-химик, доктор химии (1874, Геттингенский университет).

С. 282. *Мендельсон Мария Викентьевна* (урожд. Залесская, по первому мужу Янковская; 1850–1909) — польская революционерка, подруга и биограф С. В. Ковалевской; с 1879 г. гражданская жена Станислава Мендельсона (см. ниже).

Жаклар Шарль Виктор (1840–1903) — французский социалист, член 1-го Интернационала, активный участник Парижской коммуны.

С. 283. *Анюта* — Анна Васильевна Корвин-Круковская (в замужестве Жаклар; 1843–1887) — писательница, революционерка, старшая сестра С. В. Ковалевской.

...увлечена романом Бульвер-Литтона... — Имеется в виду роман английского писателя Эдварда Бульвер-Литтона (1803–1873) «Гарольд, последний король Англосаксонский» (1848).

...Анюта пишет повесть... — Повесть А. В. Корвин-Круковской «Сон» была, по-видимому, отредактирована Ф. М. Достоевским и опубликована в его журнале «Эпоха» (1864. № 8). Дальнейшее изложение содержания не совсем точно: героине

повести, мечтательнице Лиленьке, только снится, что она могла быть замужем за студентом, похороны которого увидела наяву.

Отец... — Василий Васильевич Корвин-Круковский (1803–1875) — артиллерист, генерал-лейтенант, начальник Московского арсенала; с 1858 г. в отставке, предводитель дворянства Витебской губернии.

С. 284. *...женился на молоденькой стенографистке.* — Анна Григорьевна Достоевская (урожд. Сниткина; 1846–1918), жена Ф. М. Достоевского с 1867 г.

С. 284. *Ковалевский Владимир Онуфриевич* (1842–1883) — геолог и палеонтолог, доктор философии (1872, Йенский университет), с 1881 г. доцент кафедры геологии Московского университета. В 1868 г. вступил в фиктивный брак с С. В. Корвин-Круковской.

С. 285. *Новая Каледония* (Nouvelle-Calédonie) — группа островов в Тихом океане, колония Франции; в 1864–1897 гг. место ссылки и каторги; сюда было сослано много коммунаров.

Жарден-де-Плант (*фр.* Jardin des Plantes — сад растений) — ботанический сад в 5-м округе Парижа, часть Национального музея естественной истории.

С. 286. *Пуанкаре Жюль Анри* (1854–1912) — великий французский математик, механик, физик, астроном и философ; член Французской Академии (с 1908).

...математической премии... вручили Пуанкаре... — В 1885 г. король Швеции Оскар II организовал математический конкурс из четырех задач; Пуанкаре доказал, что первая из них («задача трех тел») не имеет законченного решения, но предложил приближенное решение и получил за это в 1889 г. премию.

С. 288. *...об отчаянном сопротивлении в последнюю декаду мая.* — Имеется в виду «майская кровавая неделя», последние баррикадные бои защитников коммуны против многократно превосходивших сил версальцев. После падения последней баррикады 28 мая 1871 г. началась жестокая расправа над коммунарами.

С. 289. *Милостивый государь Константин Петрович!* — Письмо адресовано Константину Петровичу Победоносцеву (1827–1907); с 1880 г. — обер-прокурору Святейшего синода.

...Карлом Мендельсоном... — Имеется в виду видный польский социалист Станислав Мендельсон (1857–1913), муж подруги С. В. Ковалевской.

...принял решение выслать Жаклара... — Виктора Жаклара должны были выслать из России в течение трех дней по предписанию министра внутренних дел графа Д. А. Толстого в середине марта 1887 г., однако из-за тяжелой болезни жены Жаклара К. П. Победоносцев (по просьбе А. Г. Достоевской, которую просила С. В. Ковалевская) дал ему отсрочку до конца мая.

Лионская коммуна. — В сентябре 1870 г., после поражения под Седаном, жители Лиона на короткий срок захватили власть в городе, создав Комитет общественного спасения; одним из руководителей коммуны был М. А. Бакунин.

С. 290. *...о пленении Наполеона-племянника...* — Наполеон III сдался немцам после поражения под Седаном 2 сентября 1870 г.

...умиравшей от рака... — Анна Жаклар умерла 29 сентября 1887 г., вскоре после возвращения с мужем в Париж, после тяжелой операции.

С. 291. *Клемансо Жорж* (1841–1929) — французский политик левых убеждений, участник коммуны, впоследствии (дважды) премьер-министр Франции.

С. 303. *Мейер Конрад Фердинанд* (1825–1898) — швейцарский писатель, мастер исторической новеллы.

С. 305. *...со своей подругой Жанной...* — Жанной называли Анну Михайловну Евреинову (1844–1919), первую русскую женщину, получившую степень доктора права (1877, Лейпцигский университет); в 1885–1889 гг. издательницу журнала «Северный вестник».

С. 311. *...тот, который я написала сейчас...* — Имеется в виду повесть «Нигилистка», которую С. Ковалевская писала в 1884 г., однако не закончила. Ее известный текст составлен после смерти друзьями писательницы (в том числе М. М. Ковалевским).

С. 312. *...приговоренного к сибирской каторге... будет сопровождать жена.* — На самом деле героя повести Павленкова приговаривают к заключению в Алексеевском равелине Петропавловской крепости, и Вера выходит за него замуж, чтобы это наказание было заменено сибирской ссылкой.

«Сестры Раевские» — название «Воспоминаний детства» в шведском и датском переводе.

С. 315. *...статейки для газеты.* — В 1876–1877 гг. супруги Ковалевские печатались в газете «Новое время», еще имевшей репутацию либерального издания.

...братья Рагозины... — Виктор Иванович (1833–1901) и Евгений Иванович (1843–1906) Рагозины, из которых первый был крупным нефтепромышленником и инженером-технологом, а второй по преимуществу экономистом, статистиком и публицистом.

С. 316. *Ковалевский Александр Онуфриевич* (1840–1901) — биолог и эмбриолог, академик (с 1890), старший брат В. О. Ковалевского.

...вдохнул хлороформ. — В. О. Ковалевский покончил с собой 15 апреля 1883 г. в московских меблированных комнатах «Ноблесс». Газета «Московские ведомости» писала, что «на голове у него был одет гуттаперчевый мешок, стянутый под подбородком тесемкой, закрывающей всю переднюю часть лица».

С. 319. *Босуэлл* — Джеймс Хепбёрн, 4-й граф Босуэлл (1535–1578) — лорд-адмирал Шотландии, третий муж Марии Стюарт, брак с которым привел к свержению королевы в 1567 г. Считается, что он умер в тюрьме замка Драгсхольм на острове Зеландия (Дания).

С. 323. *...царский манифест.* — Имеется в виду манифест 19 февраля 1861 г. об освобождении крестьян.

Федя — Федор Васильевич Корвин-Круковский (1855–1920), младший брат С. В. Ковалевской, окончил Петербургский университет, служил чиновником; по свидетельству дочери, увлекался математикой. Проиграл в карты имение Палибино.

С. 331. *Тыртов Николай Никанорович* (1822–1888) — профессор физики, преподавал в военно-морских учебных заведениях, генерал-лейтенант (1885), автор «Элементарного курса физики».

С. 332. *Я еще успею прочесть лекцию.* — На самом деле С. В. Ковалевская прибыла в Стокгольм 4 февраля, а лекцию читала 6 февраля.

...в дом Гюлденов... — Имеются в виду финско-шведский астроном, директор Стокгольмской обсерватории Йохан Август Хуго Гюлден (1841–1896), его жена Тереза и дочь Эльза.

С. 334. *Кей Эллен* (1849–1926) — шведская феминистка, писательница и общественный деятель, биограф С. В. Ковалевской.

С. 337. *...автору книги... Дону Х. Кеннеди...* — *Kennedy D. H. Little Sparrow: A Portrait of Sophia Kovalevsky. Athens, Ohio: Ohio University Press, 1983.*

А. Д. Степанов

Содержание

Литературно-художественное издание

ЭЛИС МАНРО
СЛИШКОМ МНОГО СЧАСТЬЯ

Ответственный редактор Алла Степанова
Художественный редактор Вадим Пожидаев
Технический редактор Татьяна Раткевич
Компьютерная верстка Елены Долгиной
Корректоры Елена Терскова, Валентина Гончар

Подписано в печать 26.06.2014.
Формат издания 84 × 108 $^1/_{32}$. Печать офсетная.
Тираж 4000 экз. Усл. печ. л. 18,48. Заказ №1407/14.

Знак информационной продукции
(Федеральный закон № 436-ФЗ от 29.12.2010 г.):

ООО «Издательская Группа „Азбука-Аттикус"» —
обладатель товарного знака АЗБУКА®
119334, г. Москва, 5-й Донской проезд, д. 15, стр. 4

Филиал ООО «Издательская Группа „Азбука-Аттикус"»
в Санкт-Петербурге
191123, г. Санкт-Петербург, наб. Робеспьера, д. 12, лит. А

ЧП «Издательство „Махаон-Украина"»
04073, г. Киев, Московский пр., д. 6 (2-й этаж)

Отпечатано в соответствии с предоставленными материалами
в ООО «ИПК Парето-Принт».
170546, Тверская область, Промышленная зона Боровлево-1, комплекс № 3А.
www.pareto-print.ru

ПО ВОПРОСАМ РАСПРОСТРАНЕНИЯ ОБРАЩАЙТЕСЬ:

В Москве:
ООО «Издательская Группа „Азбука-Аттикус"»
Тел.: (495) 933-76-00, факс: (495) 933-76-19
E-mail: sales@atticus-group.ru; info@azbooka-m.ru

В Санкт-Петербурге:
Филиал ООО «Издательская Группа „Азбука-Аттикус"»
Тел.: (812) 327-04-55, факс: (812) 327-01-60
E-mail: trade@azbooka.spb.ru; atticus@azbooka.spb.ru

В Киеве:
ЧП «Издательство „Махаон-Украина"»
Тел./факс: (044) 490-99-01. E-mail: sale@machaon.kiev.ua

Информация о новинках и планах, а также условия сотрудничества
на сайтах: www.azbooka.ru, www.atticus-group.ru

YAUM1550703R